Alan Lazar

Zwerver

SIJTHOFF

Uitgeverij Sijthoff en drukkerij Bariet vinden het belangrijk om op milieu-
vriendelijke en verantwoorde wijze met natuurlijke bronnen om te gaan.

© 2011 Nederlandse vertaling
Uitgeverij Luitingh ~ Sijthoff B.V., Amsterdam
Oorspronkelijke titel: *Roam*
Vertaling: Linda Broeder
Omslagontwerp: Mariska Cock
Omslagillustratie: Hill Creek

ISBN 978 90 218 0546 7
NUR 340
ISBN e-book 978 90 218 0547 4

www.boekenwereld.com
www.uitgeverijsijthoff.nl
www.watleesjij.nu

Voor Gustavo en Mia Bella

Deel 1

De Grote Liefde

1

Het eerste wat Nelson rook was gras. Doordringend, heerlijk, mysterieus gras. De geur dreef naar binnen vanaf de weilanden rond de boerderij van mevrouw Anderson, waar Nelson en zijn broertjes en zusjes lagen te spartelen, dicht bij hun moeder. Hij trok zijn kleine neus op, verbluft door deze sterke, nieuwe prikkel. Hij had hem in de verte bespeurd toen hij in zijn moeders buik zat en zijn neus steeds krachtiger werd. Maar toen de geur van gras hem eenmaal in de buitenwereld op volle sterkte bereikte, was dit een beangstigende, bedwelmende en zeer mysterieuze ervaring.

De geur kende vele lagen. Mettertijd zou Nelson de betekenis van de verschillende onderliggende geuren achterhalen. Ze gaven informatie over de dag: welke dieren er voorbij waren gelopen en de plek hadden gemarkeerd, hoeveel dauw er die ochtend was geweest, en ze bevatten ook sporen van de weilanden in de verte waar die dauw vandaan kwam. Ze gaven informatie over de regen van twee dagen geleden en over de mieren en andere insecten die in het gras leefden. Maar soms, van diep onder de grond waaruit het gras opkwam, bevatten de geuren ook geheime sporen van voorbije zomers en winters van lang geleden, van de dieren die hadden geleefd en waren gestorven in de streek in New Hampshire waar Nelson was geboren. Ze bevatten de geschiedenis van alle wortels en beenderen die al eeuwen in die vruchtbare aarde lagen.

Nelson kwam uit een nest van zes bastaards. Het was eigenlijk niet de bedoeling dat hij een bastaard zou zijn. Mevrouw Anderson fokte al vele jaren raszuivere beagles en poedels. Haar puppy's wer-

9

den voor duizenden dollars per stuk verkocht en naar locaties door heel Amerika verscheept. Nelsons moeder, Lola, een zachtaardige, abrikooskleurige dwergpoedel, had al meerdere malen een nestje puppy's gebaard. Nelsons vader, King, een beagle die op de jaarmarkt veelvuldig werd gefotografeerd als een perfect exemplaar van zijn ras, had eigenlijk niet in Lola's kennel mogen komen toen ze twee maanden geleden loops was. Nougat, een andere beagle, was al meerdere keren met succes door hem gedekt, en mevrouw Anderson was dol op hem. Maar eigenlijk was het haar bedoeling geweest om Lola te laten dekken door haar gebruikelijke partner, Kennedy, een donkerbruine poedel met een warm hart. Ze wist niet dat King was betoverd door Lola's doordringende geur die hem afgelopen lente vanuit haar kennel bereikte. King bespeurde een klein gat onder het houten hek rond Lola's kennel en begon verwoed te graven wanneer mevrouw Anderson niet in de buurt was, met als uiteindelijk gevolg dat hij Lola had gedekt. Mevrouw Anderson had geen enkel vermoeden, tot Lola's pups op een dag ter wereld kwamen en er compleet anders uitzagen dan ze gewend was. Even was ze boos toen ze besefte wat King had gedaan. Ze voelde zich ook kort bedroefd toen ze zich realiseerde dat ze de duizenden dollars die ze ongetwijfeld had gekregen voor een raszuiver poedelnestje nu wel kon vergeten. Maar toen ze Nelsons oudere zusje in haar hand hield en het hartje van de kleine hond voelde kloppen, smolt haar eigen hart al snel, en ze wist dat ze deze puppy's de eerste twee maanden van hun leven met net zoveel liefde zou verzorgen als haar raszuivere pups.

Mevrouw Anderson was eraan gewend dat een poedelnestje uit twee of drie pups bestond. Dit keer wierp Lola er zes. Misschien werd deze speling der natuur veroorzaakt doordat King zo langdurig met Lola had gepaard. De geur van de loopse Lola was simpelweg onweerstaanbaar geweest en telkens wanneer King dacht dat er een eind kwam aan hun gepaar, voelde hij toch weer nieuwe energie in zijn beagle-hart opborrelen.

Het feit dat Lola met haar kleine postuur zes puppy's wierp ver-

baasde haar zelf ook. Ze was verdrietig toen nummer vier beweging-
loos bleef liggen nadat hij naar buiten was gekomen. Toen ze de kleine nageboorte had opgegeten die hem in haar buik had beschermd,
bleef ze hem keer op keer likken in een poging hem tot leven te wekken. Mevrouw Anderson keek toe en wenste vurig dat ze enige beweging zou bespeuren, maar toen ze na een halfuur nog geen enkel teken van leven had gezien, haalde ze de kleine pup voorzichtig bij Lola
weg en wikkelde hem in een witte handdoek. Later die nacht zou ze
zijn lijkje verbranden en de as uitstrooien over de weilanden rond
haar boerderij. Dan zou ze opkijken naar de halvemaan en bidden
voor het kleine hondje dat het leven buiten zijn moeders buik niet
had mogen meemaken.

Lola werd bevangen door een ondefinieerbaar gevoel van verdriet
toen ze haar pup uit het zicht zag verdwijnen. Maar ze kon niet lang
treuren. Haar buik begon weer samen te trekken en al snel kwam er
een volgende prachtige puppy ter wereld. Nelson was voornamelijk
lichtbruin, of abrikooskleurig, met witte vlekjes, vooral op zijn gezicht. Hij had een donkerbruine kring om zijn ene oog, en een witte
om zijn andere. Dit wekte al van jongs af aan de indruk dat hij nieuwsgierig en gefascineerd naar de wereld om hem heen keek. Maar bij
zijn geboorte waren zijn ogen nog volledig gesloten, en dat zouden ze
de eerste week van zijn leven ook blijven.

Toen de geur van gras hem voor het eerst bereikte, trok hij opgewonden zijn neus op. Hij voelde hoe zijn moeder hem likte en zijn
neus werd ook gevuld door haar geur, doordringend en geruststellend. Mevrouw Anderson kwam de kamer weer binnen, zag de nieuwe puppy en aaide hem heel voorzichtig over zijn kopje. Zo rook hij
voor het eerst een mens, en hoewel complex, was ook deze geur hartelijk en betrouwbaar.

Dit waren behoorlijk veel indrukken voor zo'n jonge ziel in de eerste minuten van zijn leven, en ineens werd Nelson bevangen door een
overweldigend gevoel van honger. Zijn moeder zag zijn kleine lijfje
en dat van haar andere pups trillen. Ze perste en perste en haar laatste
puppy, Nelsons kleine zusje, kwam spartelend en snuivend ter we-

reld. Voorzichtig legde mevrouw Anderson alle puppy's vlak bij Lola's zes tepels, en ze kropen dichterbij voor hun eerste maaltijd.

De eerste week van Nelsons leven ging in een waas voorbij. Na een paar dagen raakte zijn neus steeds meer bedreven in het bestuderen van de geuren om hem heen. Dan sloeg de honger weer toe. Soms lag Lola te slapen wanneer hij naar haar toe kroop, snakkend naar voedsel. Hij wist natuurlijk niet hoe uitgeput ze was van het voeden van haar vijf overgebleven puppy's. Mevrouw Anderson maakte zich heimelijk veel zorgen. Lola was naar alle maatstaven een kleine hond. Vele jaren geleden had een andere poedel van mevrouw Anderson, de grootmoeder van Lola, eens een ernstig calciumtekort opgelopen door het voeden van een groot nest, en ze was overleden op weg naar de eerste hulp van de dierenkliniek vlakbij in het kleine plaatsje Nelson in New Hampshire. Mevrouw Anderson had de overgebleven pups, waaronder Lola's prachtige moeder, een parelwitte poedel, elke vier uur met de fles gevoed.

Wanneer Nelson wakker werd, voelde hij Lola vaak over zijn buik likken. Dat vond hij heerlijk, en hij genoot ook van de geur van de warme substantie die daarna uit zijn lijf leek te stromen. Maar de geur bleef nooit lang hangen. Dan rook hij mevrouw Anderson in de buurt en voelde hij haar handen op zijn huid, en daarna was de geur van zijn uitwerpselen grotendeels verdwenen. Nelson merkte al snel dat zijn broertjes en zusjes een zelfde soort substantie afscheidden. En ook al rook die substantie bijna hetzelfde als die van hem, toch kon zijn kleine neus hier al snel heel specifieke geuren in onderscheiden waaraan hij hen kon herkennen. Wanneer hij bij zijn moeder dronk rook hij soms een heel vergelijkbare maar veel sterkere geur die van haar kwam. Het rook doordringend en sterk en een beetje naar aarde. Soms nam mevrouw Anderson Lola een uurtje of twee mee naar buiten, en dan jankte Nelson zachtjes tot haar geruststellende geur weer vlakbij was.

Geuren zouden altijd de belangrijkste en meest overheersende rol spelen in Nelsons perceptie van de wereld. Maar ongeveer een week nadat hij was geboren gingen zijn kleine oogjes langzaam open en zag hij mevrouw Andersons gezicht als een bemoedigende grijze vlek op hem neerkijken. Nelson was de eerste van het nest die de wijde wereld in keek, en door de bijzondere kleuring rond zijn ogen moest mevrouw Anderson meteen glimlachen toen ze de puppy nieuwsgierig naar haar op zag kijken. Haar eigen zicht begon langzaam te verslechteren, en de sterke glazen die de oogarts haar de zomer daarvoor had voorgeschreven moesten waarschijnlijk al snel weer worden vervangen. Ze had al vele pups voorbij zien komen in dit kleine kamertje aan de achterzijde van haar boerderij waar ze de nestjes van Lola en Nougat verzorgde, sinds haar zoon vele jaren geleden naar Oregon was vertrokken. De puppy's waren over het algemeen erg schattig en snoezig, en ze was dol op ze allemaal. Maar er was iets bijzonders aan de manier waarop Nelson die ochtend naar haar opkeek. Mevrouw Anderson wist dat het zicht van honden beperkt was in vergelijking met dat van mensen. Ze zagen wel wat kleuren, maar ze konden geen onderscheid maken tussen rood- en groentinten. Ze wist dat honden niet zoveel diepte zagen als mensen, al raakten ze meteen opgewonden van elke beweging die ze waarnamen. Maar mevrouw Anderson zou zweren dat ze die ochtend een buitengewoon nieuwsgierige blik in Nelsons grote ogen bespeurde en een oprechte interesse in de buitenwereld. Jaren later zou ze nog steeds aan hem denken.

Al snel hadden al Lola's jongen hun ogen geopend. Ze zette zich schrap voor wat eraan zat te komen. Hun kleine pootjes zouden sterker worden en ze zouden zich razendsnel ontwikkelen, terwijl ze alsmaar meer melk wilden. Hoewel ze bij de geboorte maar weinig haar op hun zachte lijfjes hadden, waren ze binnen een paar weken volledig bedekt met een lichte, half krullende vacht. Lola dacht terug aan alle rust die ze had gehad in de maanden nadat haar vorige nestjes waren vertrokken, maar ze herinnerde zich ook het verdriet van die periodes.

Tegen de tijd dat Nelson en de andere pups één maand oud waren, was het een uitgelaten bende. Nelson was gefascineerd door zijn broertjes en zusjes. Ze waren allemaal uitermate speels en probeerden elkaar onophoudelijk omver te duwen en aan elkaars inmiddels volle vacht te trekken. Maar sommige van zijn broertjes en zusjes waren stiller dan andere en vonden het soms prima om gewoon bij hun moeder of bij elkaar te liggen, stilletjes spartelend terwijl hun geuren zich met elkaar vermengden. Andere probeerden onophoudelijk te bewijzen dat zij het snelst en het meest behendig waren, en dat zij de baas waren over het bolletje rode wol dat mevrouw Anderson had neergelegd in de kleine werpkist die ze met hun moeder deelden.

Al snel werd duidelijk dat Nelsons nieuwsgierigheid de eigenschap was die hem karakteriseerde. Mevrouw Anderson merkte dat hij continu een uitweg uit de kleine werpkist probeerde te vinden, en op een dag was dit hem ook gelukt. Toen ze de kamer binnenkwam, stapte ze bijna op de kleine pup die voor de deur zat te wachten en de nieuwe geuren opsnoof die door de kleine kier tussen de deur en de vloer naar binnen dreven. Ze berispte hem zachtjes, tilde hem op en zette hem weer terug bij de rest. Het duurde echter niet lang voor de puppy met de grote ogen terugkeerde naar de kleine opening die hij achter in het hok had gevonden en wederom wist te ontsnappen. Ze stopte het gat dicht met een paar oude sokken. De nieuwsgierigheid van de kleine Nelson werd steeds meer aangewakkerd door de geuren die de kamer binnendreven. Hij rook zoete en vlezige geuren die uit een lawaaiige plek elders in huis kwamen, aroma's die hem zo hongerig maakten dat zelfs zijn moeders melk hem niet meer helemaal kon verzadigen.

Mevrouw Anderson raakte eraan gewend om Nelson elke avond op te pakken en in haar grote eeltige handen vast te houden, hem zachtjes aaiend terwijl ze naar muziek luisterde. Nelson genoot hiervan en viel langzaam in slaap, met een gelukzalig gevoel vanbinnen. Als hij wakker werd, likte hij net zo liefhebbend aan haar vingers als zijn moeder over zijn buik likte, en dat leek ze leuk te vinden. Hij was zich er niet van bewust dat hij de enige puppy was die deze speciale eer te beurt viel. Soms hield mevrouw Anderson Nelson vlak voor haar gezicht. Tegen die tijd kon hij al zeer gedetailleerd zien, en hij zag haar blauwe ogen die hem recht aankeken. Soms likte hij over haar gezicht, en een paar keer proefde hij het zout van stille tranen. Later in zijn leven zou hij leren wat deze zoute vloeistof die mensen soms afscheidden precies betekende, maar voor nu genoot hij simpelweg van de smaak.

Op een ochtend, toen Nelson vijf weken oud was, zette mevrouw Anderson hem en zijn broertjes en zusjes in een kleine mand. Lola keek bezorgd toe, maar ze vertrouwde mevrouw Anderson volledig en ze hield haar niet tegen. Mevrouw Anderson deed het deurtje van hun kleine werkkist open en liep de kamer uit met de mand vol puppy's. Lola volgde haar op de voet.

Het huis van mevrouw Anderson was een beetje donker, maar dat vormde uiteraard geen belemmering voor de symfonie van geuren die Nelson opsnoof toen ze door het huis naar de tuin werden getild. Hij rook de laatste sporen van de keukengeuren die hij soms opsnoof vanuit hun hok. Hij rook de geur van vlees, gebakken eieren en gesmolten boter, en het volle, zachte aroma van de pannenkoeken die mevrouw Anderson een paar dagen eerder had gebakken hing nog vaag in de woonkamer. Toen ze langs de keuken zelf liepen, rook Nelson voor het eerst de bijzondere, sprankelende geur van groene appels.

Toen ze de tuin van mevrouw Anderson bereikten, ontplofte Nelsons hoofd bijna van alle geuren die zijn neus binnendreven. Allereerst was er gras, in oneindige hoeveelheden, en het rook onnoemelijk veel sterker van dichtbij dan vanuit de verte. Mevrouw Anderson zette alle pups op het gazon voor haar huis neer en liet hen rondlopen. Toen Nelsons kleine, natte neus voor het eerst gras aanraakte, was het alsof er een elektrische schok door zijn lichaam ging. De puppy's verspreidden zich over het gazon, elk van hen aangetrokken door weer andere geursporen en onderliggende geuren. Als de pups te dicht bij het hek kwamen dat de tuin afscheidde van het weiland waar de paarden en koeien graasden, dan pakte mevrouw Anderson hen op en zette hen weer neer op een plekje dichter bij haar huis. Lola hield haar jongen ook nauwlettend in de gaten en blafte luid als ze zich te ver weg waagden. De vijf pluizige puppy's waren zich echter amper bewust van hun twee moeders. Ze begroeven hun neus zo diep mogelijk in de aarde en gingen helemaal op in een gevoel grenzend aan extase.

Toen Nelson eindelijk opkeek, zag hij de bloembedden langs de rand van de tuin. Hij liep er behoedzaam op af, niet wetend wat het precies waren. Maar toen hun geuren naar hem toe dreven, wist hij dat deze vreemde objecten onmogelijk gevaarlijk konden zijn. Er stonden rode en gele rozen, Afrikaanse lelies en narcissen, tulpen en Kaapse viooltjes. Hij ging steeds langzamer lopen terwijl hij als betoverd hun geuren opsnoof. Hij sloot zijn ogen en liet de zon op zich neer schijnen. Vele jaren later, wanneer Nelson door vervallen straten dwaalde, omringd door beton, zou hij nog steeds vage herinneringen koesteren aan deze tuin en aan zijn eerste kennismaking met bloemen, en dat zou hem haast op magische wijze doen opleven, in ieder geval voor even.

Mevrouw Anderson verdween een paar minuten, en toen ze terugkeerde, had ze een andere hond bij zich die ongeveer net zo groot was als Lola. Nelson wist niet dat hij werd voorgesteld aan zijn vader, King, de beagle, een hond met een krachtige tred. Nelson was zich bewust van de kracht en de verhevenheid van de grotere hond. King zelf leek die ochtend niet erg geïnteresseerd in Nelson of de andere pups. Hij besnuffelde ze kort en rende toen blaffend op een nabij verscholen eekhoorn af. Lola bleef dicht bij haar jongen toen King aankwam en keek hem grommend aan. Geen van beide leek zich iets te herinneren van hun gepassioneerde gepaar van slechts enkele maanden geleden. Mevrouw Anderson slaakte een zucht toen King zijn puppy's negeerde, maar ergens wist ze ook wel dat ze eigenlijk beter had moeten weten dan te hopen dat hij meer met ze op zou hebben.

Dit was ook de dag waarop mevrouw Anderson de pups voor het eerst iets te eten gaf naast hun moeders melk. Mevrouw Anderson hield Lola goed in de gaten, en het was duidelijk te zien dat ze uitgeput was van het continu voeden van haar pups. Meestal wachtte ze liever met vast voedsel tot de puppy's zes weken oud waren, maar ze besloot te kijken of ze hun nu alvast wat brood en koemelk kon geven, zodat Lola hopelijk de kans kreeg wat te rusten.

Nelson en de andere pups wisten niet wat ze aan moesten met de kleine bakjes met warme melk en stukjes oud brood die ze voor hen op de grond zette. Nelson maakte een sprong en plonsde voluit in een van de bakjes. Dat voelde lekker. Mevrouw Anderson viste hem eruit en maakte hem schoon. Terwijl ze hem in haar handen hield, probeerde ze hem te leren hoe hij de melk uit het bakje moest oplikken. In de dagen daarna hakte mevrouw Anderson stukjes appel en wortel voor ze fijn, en ze gaf hun ook een keer wat stukjes gekookt ei als traktatie.

Op een avond laat werd Nelson gewekt door een nieuw geluid. Het was de stem van mevrouw Anderson. Hij was gewend dat deze kalm en sereen klonk, maar nu klonk hij schel en luid, zelfs al kwam het van elders in huis, en om de een of andere reden maakte dit de hond bang. Hij begreep niet waarom ze zo klonk, en toen ze een halfuur later de kamer binnenkwam, rook hij een nieuwe geur bij haar, de laatste sporen van hevige woede die net was afgenomen. Dit was de eerste keer in zijn korte leventje dat hij de geur van woede rook, en hij vond het maar niets. Hij zou het nooit aangenaam vinden. Het was een geur die hij nooit bij honden rook, en hij leerde dat dit een van de dingen was waarin honden verschilden van mensen. Nelson zelf zou in zijn leven ook vele emoties voelen, maar nooit woede.

Mevrouw Anderson keek op Nelson neer, en toen ze zag dat hij haar aankeek, tilde ze hem op. Ze aaide hem over zijn kopje en hield hem vlak voor haar gezicht. Snel likte hij haar tranen weg, en ze glimlachte zwakjes. Nelson vond het zout van haar tranen heerlijk, maar dit keer was hij ook blij dat de geur van haar opgewektheid weer terugkeerde. Ze zette hem neer en liep de kamer uit, maar kwam kort daarop terug met een klein bordje in haar hand. Toen ze Nelson optilde en weer op haar schoot zette, merkte hij al snel dat het eten op het bordje net zo'n vlezige geur afgaf als hij de afgelopen weken regelmatig had geroken. Het was misschien wel de meest heerlijke geur die hij ooit had waargenomen. De jonge hond schrokte de kleine stukjes worst die ze voor hem had meegebracht naar binnen en ze grinnikte toen hij het bordje aflikte, smachtend naar meer.

Lola werd wakker van de geur van de worst en deed loom haar ogen open. Ze was er dol op, en normaal gesproken zou ze beleefd hebben geblaft om mevrouw Anderson eraan te herinneren dat zij ook wel wat wilde. Maar dit keer besloot ze weer verder te slapen. Ze wist dat haar puppy's binnenkort bij haar weg zouden gaan, en dan zou ze weer alleen met mevrouw Anderson, King, Kennedy en Nougat door de bossen gaan wandelen. Ze wist dat ze 's nachts weer aan de voet van mevrouw Andersons bed zou slapen, en dat de herinneringen aan haar puppy's al snel zouden vervagen. Dus die avond liet ze kleine Nelson in zijn eentje van het lekkers genieten.

Mevrouw Anderson overwoog echter om de kleine Nelson te houden. Het was altijd moeilijk om de puppy's los te laten, maar ze moest in gedachten houden dat ze het extra geld dat het nestje opbracht goed kon gebruiken, en dat zou dit keer een stuk minder zijn dan normaal. Gelukkig hadden een aantal dierenwinkels in het land die geregeld haar raszuivere pups verkochten schoorvoetend ingestemd om haar beagle-poedelkruisingen af te nemen. De eigenaars van de dierenwinkels wisten dat de pups die ze gewoonlijk aanbood niet alleen prachtige exemplaren van hun ras waren, maar ook het soort karakter bezaten waar hondenliefhebbers zo dol op waren. Ze waren speels maar gehoorzaam, ondeugend maar liefdevol. Een van hen grapte dat hij het nageslacht van Lola en King 'beadels' of 'poegles' zou noemen. Uiteraard zou ze slechts een fractie krijgen van het bedrag dat ze normaal gesproken voor haar pups ontving. Het leek onnozel om Nelson voor slechts honderdvijftig dollar te verkopen; het was zo weinig als men naar het grotere geheel keek. Maar haar hek moest worden gerepareerd, en ze moest wat nieuwe kippen kopen, en van haar pensioen kon ze amper de rekeningen betalen.

Mevrouw Anderson maakte de puppy's regelmatig schoon met een vochtige handdoek. Dit gebeurde inmiddels tweemaal daags nu hun ontlasting steeds dikker werd omdat ze vaker vast voedsel aten. Op een ochtend voelde Nelson echter aan dat hun iets nieuws te wachten stond toen mevrouw Anderson hen allemaal meenam naar het washok aan de achterzijde van haar huis. Het rook er aangenaam en droog, en het deed Nelson denken aan die ene nacht dat hij bij mevrouw Anderson in bed had geslapen.

Ze liet de puppy's ronddartelen in hun kleine mand terwijl ze een tobbe met schuimend, lauwwarm water liet vollopen. Toen waste ze hen één voor één. Nelson vond het meteen heerlijk. Mevrouw Anderson wreef zachtjes over zijn hele lijf, wat precies zo voelde als wanneer zijn moeder hem likte. Al snel voelde hij zich fris en opgepept, en de lavendelgeur van de zeep bezorgde hem een tevreden en gelukzalig gevoel. Toen ze de pup grondig had gewassen, spoelde ze hem af in een andere tobbe. Vervolgens wreef ze hem droog met een dikke handdoek. Daarna hield ze zijn kopje behoedzaam vast terwijl ze zijn pluizige haar bijknipte met een kleine, scherpe schaar. Nelson stribbelde een beetje tegen, en één keer wist mevrouw Anderson maar net zijn oog te ontwijken toen ze de kleine haartjes rond zijn ogen bijknipte. Toen ze helemaal klaar was hield ze hem dicht tegen zich aan en gaf hem een paar kusjes. Nelson likte over haar gezicht en proefde zout water rond haar ogen.

Die avond bracht mevrouw Anderson de pups een uitgebreide selectie van hun favoriete eten. Er was melk en brood, maar ook kleine stukjes kaas, eieren, appels en worst. Ze voerde de puppy's uit Lola's nest één voor één. De uitgeputte Lola at zelf ook een paar stukjes.

Toen Nelson dicht tegen zijn moeder aan kroop om te gaan slapen, kon hij zijn brandschone broertjes en zusjes om hem heen ruiken. Hij kon hun kleine lijfjes bij elke ademtocht op en neer horen gaan, en zo nu en dan hoorde hij hun volle maagjes zachtjes rommelen. Het licht was uit, maar hij kon ruiken dat mevrouw Anderson vlakbij in haar stoel zat. Dit was de mooiste dag van Nelsons leven tot dusver. Die avond viel hij in slaap met een warm en knus gevoel van gelukzaligheid in zijn binnenste. Hij droomde van grasvelden bezaaid met worsten, waar hij eindeloos met zijn broertjes en zusjes speelde.

Maar de volgende ochtend zou Nelsons leven totaal veranderen.

2

Toen de hond ontwaakte, werd hij zich bewust van een vreemde nieuwe sensatie. Hij en de vier andere pups zaten in een hok achter in de pick-up van mevrouw Anderson. De puppy's schommelden heen en weer en werden af en toe tegen elkaar aan gesmeten, terwijl het voertuig over de hobbelige landweggetjes tufte. Mevrouw Anderson deed haar best om rustig te rijden, maar toch had Nelson het gevoel dat zijn maag op en neer veerde in zijn buik, en hij werd misselijk. Hij en zijn broertjes en zusjes jankten zachtjes en bedroefd, maar niemand kwam hen troosten. Ze konden hun moeder nog in elkaars vacht ruiken, maar Lola was nergens te bekennen.

Uiteindelijk kwam de auto tot stilstand en verscheen mevrouw Andersons gezicht boven hen. Ze aaide de puppy's over hun kopjes en eenmaal gerustgesteld likten ze hongerig aan haar handen. Eén voor één tilde ze hen op en voerde hen melk uit een flesje. Het plastic smaakte behoorlijk vies, maar de melk rook en smaakte nog steeds prima. Nadat ze hen terug had gezet, viel Nelson langzaam weer in slaap terwijl de auto verder reed. Af en toe werd hij half wakker van vreemde nieuwe geuren die door het raam naar binnen dreven. Soms rook hij sterkere varianten van geuren die hij herkende van de boerderij, maar die hij daar in de verte had geroken. Hij werd nog steeds omringd door gras, en dat stelde hem gerust.

Na een uur of twee werd Nelson gewekt door nieuwe, doordringende geuren. De andere pups sliepen nog, maar zijn ogen waren wijd open. Hij kwam overeind, alert en lichtelijk bevreesd. Hij kon ruiken dat mevrouw Anderson nog steeds vlakbij was en hij wist dat hij op de een of andere manier bij haar in de buurt moest blijven.

Nelson kende de geur van rook van het vuur dat mevrouw Anderson soms 's avonds in de haard stookte. Dit was de beste vergelijking die de jonge hond kon maken met de nieuwe geuren die de pick-up binnendrongen. Maar ze waren doortrokken van luchten die hem onnatuurlijk leken. Ook klonken er schelle en hoge geluiden, en hij hoorde mensen op straat praten op een vinnige toon die hij niet gewend was. Hij had zich niet zo gestoord aan het lawaai van de pick-up van mevrouw Anderson, maar nu hij werd omringd door het geronk van auto's en andere voertuigen, werd hij totaal overweldigd. Nelson jankte zachtjes. Even later voelde hij de hand van mevrouw Anderson over zijn kopje aaien, en hij kalmeerde weer wat. Waar was zijn moeder Lola, vroeg hij zich af. Waarom was ze niet bij hen?

Ineens werd de motor afgezet, en het hortende geschommel van de afgelopen uren hield op. Nelson hield zich even gedeisd. Zijn broertjes en zusjes strekten allemaal hun nek uit in een poging over de vier zijkanten van het hok heen te kijken.

Nelson rook dat mevrouw Anderson lippenstift opdeed. Toen volgde een plotselinge explosie van geur van haar parfum. Ze leunde naar voren en zei iets tegen de pups, en Nelson bespeurde droefheid in haar stem. Toen ze elke pup oppakte, aaide en kuste, had hij het gevoel dat er iets belangrijks stond te gebeuren. Ze hield Nelson langer vast dan alle andere.

Eén voor één zette mevrouw Anderson de puppy's in kleine reismanden achter in de pick-up. Toen Nelson uit het hok werd gehaald dat hij met zijn broertjes en zusjes deelde, ving hij een glimp op van de nieuwe wereld om hem heen. Er stond een groot betonnen gebouw voor hem, en het krioelde van de auto's en mensen. Een paar mensen in de buurt keken hem glimlachend aan, en ze knikten naar mevrouw Anderson.

Nelson werd samen met zijn jongere zusje in een kleine reismand gezet. Toen ze naar buiten keken, zag hij dat mevrouw Anderson zijn andere zachtjes jankende broertjes en zusjes ook in reismanden stopte. Mevrouw Anderson gaf de puppy's één voor één water en kleine stukjes worst. Toen pakte ze de drie reismanden op en liep het grote treinstation van Concord in New Hampshire binnen.

Nelson was bang. Het station was rumoerig en vol mensen die met grote snelheid voorbij liepen. Hij rook een kakofonie van geuren, en hij had moeite ze allemaal te interpreteren. Toen Nelsons reismand op een grote weegschaal werd gezet om te wegen, ving hij een glimp op van mevrouw Anderson en rook hij haar diepe bedroefdheid. Ze boog zich naar het deurtje van de mand, en Nelson likte nog een laatste keer over haar gezicht. Toen was ze verdwenen.

Nelson en zijn zusje lagen dicht tegen elkaar aan. Ze begroeven zich diep in elkaars vacht, waar de geur van hun moeder en broertjes en zusjes nog was te ruiken. Nelsons kleine zusje jankte treurig, en Nelson beet zachtjes in haar oor in een poging haar op te vrolijken.

Zo verstreken er een paar uur. Na een tijdje nam de angst af, en al snel wilde Nelson zijn kleine mand uit om enkele van de interessante nieuwe geuren om hem heen te verkennen. Hij krabbelde aan de deur van de mand, maar realiseerde zich al snel dat hij opgesloten zat. Hij haatte dat gevoel en begon luid te piepen. Een paar tellen later kwam er een man naar hen toe die zijn vinger door het deurtje van de reismand stak. De twee kleine honden roken en likten aan de vinger. Een vriendelijk gezicht met een blauwe pet erboven keek naar binnen en glimlachte hen toe. Nelson rook enkele van de warme en geruststellende geuren die mevrouw Anderson ook had afgegeven, en hij voelde zich meteen beter.

Korte tijd later tilde de vriendelijke man de reismanden met de puppy's op en liep met hen door het station. Nelson was een beetje terughoudend toen hij voor het eerst treinen zag. Waren het dieren? Of huizen? De geuren die ze afgaven waren talrijk en gevarieerd.

De aardige man zette Nelson en zijn zusje in een wagon van een van de treinen en aaide weer over hun gezicht. Toen verdween hij. De deur van de wagon werd dichtgesmeten waardoor ze in haast complete duisternis werden gehuld. Nelson kon andere dieren in de wagon ruiken. Hij meende dat er een paar andere honden waren, en mogelijk enkele konijnen en kippen. Hij kon zijn andere broertjes en zusjes niet langer in de buurt ruiken. Daar lagen hij en zijn zusje dan, stilletjes en bevreesd, en ze begonnen ook honger te krijgen.

Ineens kwam de trein met een schok in beweging, en Nelson en zijn zusje werden in een hoek van de mand gedrukt. Ze keften, en Nelson rook angst bij de andere dieren in de wagon. De kippen begonnen luid te protesteren. Maar toen de trein eenmaal op gang kwam, werden de dieren al snel gekalmeerd door de ritmische beweging. Toen Nelson niet langer bang was en hij rook dat zijn zusje ook rustiger werd, stond hij zichzelf toe te genieten van de nieuwe geuren die de wagon binnendreven. De stadsgeuren waren wederom verdreven door die van het platteland, en Nelson nam de lucht van de grasrijke weilanden en bossen met veel genoegen in zich op. Het was nogal vreemd om geuren waar te nemen vanuit een trein. Sommige geuren waren voortdurend aanwezig, maar hij werd ook onophoudelijk gebombardeerd met nieuwe geuren, die soms even snel weer verdwenen. Nelson probeerde ze vast te houden, vooral de intrigerende, maar ze waren in een flits weer weg. De interesse van de kleine hond was gewekt.

De treinreis van Nelson en zijn zusje duurde niet lang. Na slechts een uur of wat begon de trein langzaam vaart te minderen. De geluiden en geuren van de stad keerden terug, en Nelson rook water, in grote hoeveelheden.

Toen de trein eindelijk tot stilstand kwam en de wagondeur werd geopend, rook Nelson het treinstation van Boston.

3

In twintig jaar tijd had de lokale dierenwinkel van Emil Holmes aan de zuidelijke rand van Boston de reputatie opgebouwd alleen maar raszuivere puppy's te verkopen. Dat betekende dat fokkers papieren van de American Kennel Club moesten overleggen om de stamboom van hun honden te bevestigen, en de kopers ontvingen ook een kopie van deze papieren om de soms hoge prijzen die Emil voor zijn puppy's vroeg te rechtvaardigen.

Het was geen bewuste keuze van Emil om de eigenaar van een dierenwinkel te worden. Hij had de winkel geërfd van zijn vader, die was gestorven toen hij drieëntwintig was. Emil had zijn vader sinds zijn vijfde niet meer gezien, dus de kleine erfenis die hij kreeg kwam onverwacht. Zijn enige herinneringen aan zijn vader bestonden uit dronken geschreeuw en het gerinkel van rondvliegend serviesgoed in de keuken terwijl de kleine Emil lag te huiveren in zijn bed. Zijn vader had de jongen nooit met een vinger aangeraakt, maar zijn moeder had af en toe wel wat klappen gekregen. Uiteindelijk raapte ze de moed bij elkaar om zich van haar agressieve echtgenoot te bevrijden, maar vele jaren later spookte zijn aanwezigheid nog steeds rond in Emils gedachten.

Emil was goed met cijfers en toen hij van de middelbare school kwam, startte hij een bedrijf in de verkoop van tweedehands muziekapparatuur. Even liep het aardig goed, en nog voor zijn eenentwintigste verjaardag trouwde hij met zijn jeugdliefde, Evelina. Maar zoals bij zoveel eerste bedrijfjes, ging het uiteindelijk mis. Evelina vertrok kort daarna, en liet Emil met een gebroken hart achter. Hij hopte een tijdje van baan naar baan, terwijl hij zijn wonden likte. Eerst leek het een slecht voorteken toen het nieuws over zijn vaders erfenis hem bereikte. Maar al snel realiseerde hij zich dat het kopen en verkopen van puppy's behoorlijk lucratief kon zijn. Hij hield zich graag bezig met de zakelijke kant van zijn nieuwe dierenwinkel en was vastbesloten om zijn tweede poging als ondernemer tot een succes te maken. Daarmee zou een nieuwe vrouw en een gezin wellicht vanzelf volgen, zo hoopte hij. Emil richtte zich bij zijn tweede zaak helemaal op de winst. Binnen een paar jaar kon hij met grote nauwkeurigheid de waarde van een nest bepalen, gebaseerd op het ras, en vaak ook op de fokker. Enkele fokkers voorzagen hem van uitmuntende puppy's, wat leidde tot tevreden klanten die hun vrienden over Emils kleine dierenwinkel vertelden. Geleidelijk voerde Emil zijn prijzen verder op en al snel maakte hij aanzienlijke winst op de honden die hij verkocht.

Maar Emil had een hekel aan veel van de andere werkzaamheden die bij de winkel kwamen kijken. Hij had geen voorliefde voor honden, en hij kreeg al snel genoeg van hun stank, waar zijn hele leven langzaam van doordrongen raakte. Soms had hij 's avonds in zijn appartement het idee dat hij puppystront rook, ook al wist hij dat dit onmogelijk was. Maar overdag werd hij continu omringd door de geur van puppystront, en hij wist dat dit de rest van zijn leven zo zou blijven, of in ieder geval zolang hij eigenaar was van de zaak. Naarmate de jaren verstreken en er geen enkele serieuze relatie op zijn pad kwam, begon hij de stank van puppystront de schuld te geven van het feit dat hij geen succes had bij de vrouwen. Het geld dat hij verdiende hielp hem om zich over zijn negatieve gevoelens rond zijn werk heen te zetten, maar als dat geld er niet was geweest, zou hij niets met puppy's te maken willen hebben. Dag in, dag uit zag hij mensen vertederd naar zijn puppy's kijken, maar hij begreep niet waarom. Een hond was een dier, meer niet. Kom op, de Chinezen aten ze zoals kippen, dacht hij soms bij zichzelf.

Met grote ergernis hoorde Emil mevrouw Andersons verzoek aan om twee bastaardpuppy's te verkopen. Hij vond haar suggestie om ze te verkopen als nieuwe 'beadels' of 'poegles' maar niets. Een bastaard was een bastaard. Een bastaard was een nutteloos dier dat veel minder waard was dan een van zijn raszuivere honden. De kosten voor het voeden van een bastaard, het schoonwassen van een bastaard, en het dagelijks opruimen van de poep uit zijn hok waren waarschijnlijk hoger dan het bedrag waarvoor hij het beest zou kunnen verkopen. Hij was ook bang dat het verkopen van bastaards in zijn winkel zijn zorgvuldig opgebouwde reputatie zou schaden.

Maar mevrouw Anderson was een van zijn beste fokkers. Hij wist dat King altijd prachtige beagles produceerde en dat Lola altijd vriendelijke en beminnelijke poedels voortbracht, met het soort karakter waar de vrouwen uit Cambridge die hij aanduidde als 'rijke teven' zo dol op waren. Hij wist dat mevrouw Anderson slechts een oude excentriekeling was die in haar eentje op een boerderij woonde, maar hij wilde haar niet boos maken en het risico lopen haar kwijt te raken als goede fokker die altijd zijn eerste bod accepteerde. Dus stemde hij ermee in om de twee bastaardpuppy's van haar over te nemen om te verkopen. Hij was opgelucht dat een dierenwinkel in Connecticut bereid was geweest de andere drie uit het nest op zich te nemen.

Toen hij de twee puppy's zag kreeg hij echter meteen spijt van zijn besluit. Zoals vaak het geval was bij bastaardnestjes zagen de twee puppy's er nogal verschillend uit. De kleinste, het teefje, was best schattig, maar het reutje had vreemde kleuringen, vooral rond zijn ogen. Hij leek wel een tekenfilmhond. Hun vacht was ook ongewoon: niet glad zoals die van een beagle, maar ook niet krullend zoals die van een poedel. Het piekte alle kanten op. Hij dacht dat hij dit misschien nog kon verhelpen door ze te scheren voor ze in de verkoop gingen.

Wat Emil nog het ergst vond aan de bastaardpuppy's was hun staart. Mensen die een raszuivere puppy kwamen kopen stelden het op prijs als hun staart was gecoupeerd. Dat was gebruikelijk. Al zijn fokkers leverden hun puppy's in die zeer verkoopbare staat aan, en dat deed mevrouw Anderson normaal gesproken ook. Kennelijk had ze niet de moeite genomen de staart van deze bastaards te couperen, wellicht omdat zij ook alleen interesse had in raszuivere exemplaren, meende hij.

In de regel coupeerde mevrouw Anderson de staart van haar puppy's inderdaad wanneer ze twee of drie dagen oud waren, maar dat vond ze nooit prettig om te doen. Sommigen zeiden dat jonge puppy's hier niets van voelden, maar zij wist wel beter. Alle pups jankten bedroefd nadat ze hen stevig had vastgehouden en hun staart eraf had gesneden met een scherp mes. Tegen de tijd dat ze ontsmettingsmiddel aanbracht en het kleine overgebleven stukje staart verbond was ze heel verdrietig. Maar ze wist dat de puppy's binnen een dag weer de oude zouden zijn, en ze wist ook dat ze dit wel moest doen om verzekerd te zijn van een fatsoenlijke marktprijs voor haar nestjes.

Iets in haar had zich echter verzet tegen het couperen van de staart van Nelson en zijn broertjes en zusjes. Deze puppy's waren toch bastaards, dus er was geen concrete reden om hun staart te couperen, dacht ze bij zichzelf. Ze probeerde zich voor te stellen hoe deze pups er later uit zouden zien, en ze dacht dat ze misschien profijt zouden hebben van wat haar grootmoeder altijd 'de vijfde poot van een hond' noemde. Zij had beweerd dat de staart een hond in evenwicht hield onder het lopen.

Maar Emil was ervan overtuigd dat hij deze puppy's alleen zou kunnen verkopen als hij hun staarten coupeerde. Dat had hij zelf nog nooit gedaan, dus moest hij zo snel mogelijk een afspraak maken met de dierenarts. Dat zou nog meer van zijn winst op deze verdraaide honden opslokken. Nu hij erover nadacht, had hij nog maar één klein hok vrij onder in zijn puppywand. Daar zou hij de twee onderkruipsels voorlopig in zetten, maar als ze niet verkocht waren tegen de tijd dat hij zijn nieuwe lading dwergkeesjes binnenkreeg, dan moesten ze weg.

De dierenwinkel was schoon en licht en goed onderhouden. Emils klanten waren over het algemeen welgesteld en hij was er al snel achter gekomen dat ze het prettig vonden om naar een winkel te komen die een zekere klasse uitstraalde. Er stonden rijen met honden- en kattentoebehoren uitgestald, en de puppy's waren allemaal in kleine vitrines of hokken geplaatst die een hele wand besloegen aan de ene kant van de winkel. De puppywand was gemaakt van wit bladmetaal, en elk hok was fel verlicht. Het water werd aangevoerd via een centraal systeem, waar de puppy's via een tuitje van konden drinken wanneer ze dorst hadden. Aan weerszijden van het hok stond een klein bakje met puppybrokjes. Elk hok had een apart deurtje, uitkomend aan de andere kant van de puppywand, in Emils magazijn.

De voorkant van de puppywand was afgedekt met glas. Dat was om te voorkomen dat potentiële klanten hun vingers naar binnen staken en zich door de puppy's lieten likken en bijten. Emil was bang dat een of andere 'rijke teef' hem wellicht zou aanklagen of iets dergelijks wanneer een van de pups haar te hard beet. Dus een klant moest eerst vragen of hij een bepaalde pup voor haar in de ren vlakbij wilde zetten, en dan kon ze daar een tijdje met het hondje spelen.

Het kleine witte metalen hok waar Nelson en zijn zusje in terecht kwamen was haast compleet verstoken van enige geur. Hij kon het water ruiken, maar dit rook anders dan het water op de boerderij. Nelson bespeurde vreemde chemicaliën in het water van de dierenwinkel, en hij probeerde er zo min mogelijk van te drinken. Ergens in de verte meende hij andere puppy's te ruiken, maar het glas en het bladmetaal leken de meeste geuren uit de kleine ruimte te weren. Nelson en zijn zusje troostten elkaar door zich diep in elkaars vacht te nestelen. De geur van zijn zusje was sterk, en in haar vacht kon hij nog steeds zijn moeder Lola en mevrouw Anderson ruiken. Hij ademde diep in, al wist hij niet dat die geuren over een paar dagen voorgoed zouden verdwijnen.

Er hing nog een andere vreemde geur in het hok, van het bakje met de kleine brokjes dat in de hoek stond. Nelson wist dat het hondenvoer was. Mevrouw Anderson had hun hier kleine hoeveelheden van gegeven, samen met de melk en het brood en de andere lekkernijen die ze voor hen meebracht uit haar keuken. Maar deze brokjes smaakten en roken echt vreselijk. Aanvankelijk liet Nelson ze dan ook onaangeroerd, maar uiteindelijk werd zijn honger zo overweldigend dat hij ze moeizaam naar binnen begon te werken.

Er drong weinig geluid door in het kleine hok. Nelsons kleine zusje jankte zachtjes, en het water drupte gestaag, maar verder hoorde hij vrijwel niets. In de winkel kon hij mensen zien rondslenteren. Vaak zag hij alleen hun voeten, terwijl ze naar puppy's boven hem in de puppywand keken. Slechts weinigen bukten zich helemaal omlaag naar hem en zijn zusje. Soms zag hij hen grijnzend en glimlachend naar hen kijken, maar meestal keken ze slechts vluchtig naar binnen om vervolgens weer uit het zicht te verdwijnen.

Nelson begon uit te kijken naar de avonden in de dierenwinkel. Elke dag rond vijf uur, wanneer Emil de winkel begon af te sluiten, arriveerde er een oudere man met een donkere huidskleur in de winkel. Dan vertrok Emil zonder veel ceremonieel en begon de man de vloeren te vegen en de ramen te lappen.

Daarna maakte hij een voor een alle puppyhokken open. Als Nelson hem hier verderop mee hoorde beginnen, raakte de hond al snel opgewonden, omdat hij wist dat hij en zijn zusje ook zo aan de beurt zouden zijn. Dan ging het deurtje van hun hok open en haalden de grote warme handen van Vernon McKinney de twee puppy's uit hun hok. Hij aaide ze altijd even, net als mevrouw Anderson had gedaan. Al snel begon hij Nelson een kus te geven op zijn kopje, en dan likte de hond over zijn gezicht. Vernon smaakte anders dan mevrouw Anderson, maar Nelson vond het een aangename smaak. De man leek het ook leuk te vinden als Nelson hem likte.

Vervolgens zette Vernon de twee puppy's in de kleine ren naast de puppywand. Er lagen veel speeltjes in de ren: kleine knuffelbeesten, ballen en piepspeeltjes. Die vond Nelson leuk, en al snel begon hij enthousiast te stoeien met deze speeltjes en met zijn zusje. Maar nog veel interessanter was het feit dat hij kon ruiken dat er veel andere honden in deze ren waren geweest. Hij speurde elke centimeter van de kleine ruimte af naar nieuwe geuren, en deze werden allemaal opgeslagen in zijn zich alsmaar verder ontwikkelende brein.

Vernon waste de puppy's om de paar dagen. Nelson genoot hiervan: alleen van het in het water zijn werd hij al veel gelukkiger. Hij was alleen niet zo dol op de laatste stap. Dan hield Vernon hem in zijn grote handen terwijl hij hem verder droogde met een föhn. De puppy's werden echter al snel weer naar hun geurloze en klinische leefruimte teruggebracht. Dan had Vernon de uitwerpselen van de puppy's opgeruimd en hun bakje gevuld met brokjes, en als het stro waar ze overdag op lagen vuil was, verving hij dat. Soms moest Nelson bijna kokhalzen van de stank van chemicaliën. Maar hij rook Vernon nog in zijn vacht, en dat rook lekker. Als hij zich concentreerde op de geuren van de man en zijn zusje, viel hij langzaam in slaap. Dan droomde hij van gras en worstjes.

Op hun derde dag in de dierenwinkel verdween een van de jonge vrouwen die in het hok van Nelson en zijn zusje tuurde om even later terug te keren met Emil. Kort daarna haalde Emil Nelson uit zijn hok. Hij was bang, en hij hoorde zijn zusje janken toen het deurtje van hun hok weer dicht werd gedaan. Emil droeg de kleine hond naar de ren en zette hem op de grond. De vrouw die hij naar hem had zien kijken stapte ook in de ren en ging zitten. Hij keek naar haar op, niet wetend wat hij moest doen. Even verderop hield Emil hem nauwlettend in de gaten. Dit beangstigde hem. De jonge vrouw kwam dichterbij en tilde Nelson op. Ze aaide over zijn kopje en bekeek hem aandachtig. Nelson likte een paar keer aan haar vingers. Ze glimlachte en begon hem weer te aaien.

Maar even later zette ze de hond weer neer en liep weg uit de ren, zonder nog naar hem om te kijken. Nelson stond daar bijna tien minuten helemaal alleen. Toen kwam Emil binnen en pakte hem ietwat hardhandig op, wat pijn deed aan zijn kleine ribben. Hij zag dat Emil boos tegen hem praatte, en hij snoof de lucht op. Hij wist dat Emil niet te vertrouwen was, en zijn woede gaf Nelson een erg ongemakkelijk gevoel. Hij zou al het mogelijke doen om Emil te ontwijken. Even later werd Nelson terug in zijn hok gestopt, waar hij bevend naast zijn kleine zusje ging liggen.

In de daaropvolgende week werden Nelson en zijn zusje meerdere malen uit hun hok gehaald en in de kleine ren gezet, waar potentiële kopers met hen speelden. Nelson begon deze momenten te vrezen. Het waren niet de klanten die hij vreesde. Hun geur was vaak geruststellend, en hij zou wel uren met hen willen spelen. Hij ontdekte dat Emil juist minder boos op hem was als hij in de ren zo veel mogelijk met de mensen speelde. Hoe meer hij speelde, hoe meer ze glimlachten en hoe meer hij hun blijdschap kon ruiken.

Maar met elke potentiële koper die toch besloot om Nelson niet mee naar huis te nemen, behandelde Emil de puppy met meer verachting. Nelson was net twee maanden oud, en hij was nog steeds niet veel groter dan een mensenvuist. Hij was sterk voor zijn leeftijd, maar als Emil Nelson maar iets krachtiger vastpakte wanneer hij hem terugbracht naar zijn hok, kon dat al behoorlijk pijnlijk zijn. Toen Emil hem een keer onoplettend tegen de muur van het hok smeet, piepte Nelson van de pijn. Hij had er nog twee, drie dagen last van. Nelson had eens geprobeerd aan Emils hand te likken in een poging vriend-schap met hem te sluiten, maar Emil had hier een hekel aan en was te-gen de kleine hond uitgevallen. Nelson zat nog zeker een uur lang te bibberen.

Als het deurtje van het hok openging en Emils hand naar binnen reikte, kon hij ook de angst van zijn kleine zusje ruiken. Als Emil naar haar reikte, voelde Nelson zich even opgelucht, maar vervolgens maakte hij zich zorgen om zijn zusje. Hij wachtte verontrust terwijl ze weg was, en het was altijd een verademing wanneer het deurtje open-ging en ze weer terug in het hok werd gezet. Haar hartje ging altijd flink tekeer wanneer ze terugkwam, en dan likte hij haar en beet zachtjes in haar oor om haar gerust te stellen.

Op een ochtend vroeg ging het deurtje onverwacht open. Nelson had nog geen klanten in de winkel gezien. Emil haalde zowel Nelson als zijn kleine zusje uit hun hok en hield hen stevig vast. Hij zette hen samen in een kleine reismand, net zo een als waarin ze met de trein waren vervoerd, en hij deed het deurtje dicht. Hij vloekte te-gen hen terwijl hij naar hen tuurde door het deurtje van de mand. Toen gooide Emil de mand in de achterbak van zijn oude pick-up. Nelson en zijn zusje waren bang toen de pick-up brullend tot leven kwam en vervolgens voort begon te hobbelen. De mand werd heen en weer geslingerd in de achterbak, en Nelson en zijn kleine zusje begonnen te janken. Nelson kon ruiken dat ze weer in de stad wa-ren. Er klonk veel lawaai, vooral van auto's, en overal hingen giftige dampen.

Kort daarop kwam de pick-up tot stilstand en haalde Emil hen uit de achterbak. In de wachtkamer van de dierenarts hing dezelfde klinische geur als in hun hok in de dierenwinkel. Nelson rook Emils ongeduldigheid terwijl hij zat te wachten met de reismand met de twee puppy's op schoot. Een nabij gezeten jongeman die een grote labrador aan de riem had, keek naar de twee puppy's in de mand en glimlachte. Hij begon met Emil te kletsen, maar Nelson hoorde Emil korzelig antwoorden, waarna het gesprek stilviel. Nelson kon verscheidene andere honden in de wachtkamer ruiken, en hij rook ook mensen. Met Emil in de buurt was het lastig te bedenken dat de meeste mensen een vriendelijke en aangename geur afgaven, maar toch kon Nelson dit bij sommigen van de andere mensen in de wachtkamer ruiken.

Na enige tijd kwam er een lange man met krullend haar, gekleed in een witte doktersjas, de kamer binnen om Emil te halen. Binnen in de spreekkamer haalde de dierenarts Nelson en zijn zusje uit hun reismand en hield hen in zijn warme handen, aaiend over hun kopje. Nelson vond de dierenarts meteen aardig. Iets aan zijn geur en de manier waarop hij Nelson in zijn handen hield, zacht maar stevig, zorgde ervoor dat de hond ontspande. Emil en de dierenarts praatten, en al snel raakte het gesprek ietwat verhit. Op een gegeven moment trok Emil zacht aan Nelsons staartje. Kort daarna begon Emil te vloeken en liep hoofdschuddend de kamer uit.

Zo gebeurde het dat een vriendelijke dierenarts uit Boston Emils verzoek om de staart van Nelson en zijn zusje te couperen weigerde. De pups waren hier al veel te oud voor, wist de dierenarts. Hij zou een dier nooit zoveel pijn doen. Nelson en zijn zusje keken op naar de dierenarts en kwispelden met de staartjes die ze anders wellicht zouden hebben verloren, als om hem te bedanken. De dierenarts moest glimlachen.

Toen tilde de dierenarts Nelson op en haalde een glimmende injectiespuit tevoorschijn. Nelson vond de vloeistof die erin zat onaangenaam ruiken, maar hij vertrouwde de dierenarts. Er volgde een aantal korte, pijnlijke steken in zijn achterste toen hij driemaal werd ingeënt. De plek waar hij de injecties had gekregen zou nog een paar dagen gevoelig zijn, maar Nelson voelde dat het voor zijn eigen bestwil was. De dierenarts vaccineerde ook zijn kleine zusje, en Nelson knabbelde zachtjes aan haar oor toen ze piepte.

Toen Vernon de volgende avond arriveerde, haalde hij Nelson en zijn zusje als allereerste uit hun hok. Hij wist dat Emil van plan was geweest hun staart te laten couperen, en hij was opgelucht dat hij Nelson vol overgave zag kwispelen. Die avond had hij wat restjes meegenomen van de barbecue waar hij en zijn gezin afgelopen weekend van hadden genoten, en Nelson en zijn zusje schrokten het vlees naar binnen. Emil zou woedend worden als hij erachter kwam, maar Vernon kon het niet laten om extra eten mee te brengen.

Normaal gesproken werden de pups in Emils winkel binnen een week verkocht, maar Nelson en zijn zusje zaten er nu al bijna drie weken, en niemand had hen gekocht. Vernon begreep er niets van. Hij vond de twee puppy's met de dag schattiger worden. Hun vacht werd wat langer, en elke dag smolt zijn hart bij het zien van hun kleine kwispelende staartjes. Hij nam aan dat de clientèle van Emils winkel nogal pretentieus was, en dat ze alleen puppy's met een stamboom wilden.

Vernon was een nieuwsgierig persoon die, ondanks zijn gebrek aan opleiding, in zijn vrije tijd graag mocht lezen over allerlei ongewone onderwerpen die hem interesseerden. Hij verslond informatie over Galapagos-schildpadden, warmwaterbronnen in IJsland, en de Chinese geschiedenis. Dus hij vond dat de nieuwsgierige blik in Nelsons ogen hem juist tot een fascinerende jonge hond maakte. Natuurlijk waren het in werkelijkheid niet zijn ogen waarmee Nelson zijn nieuwsgierigheid bevredigde. Hij werd gedreven door geuren. Maar het klopte wel dat Vernon iets van zichzelf in de hond meende te herkennen.

Vernon wist dat Emil werd gedreven door geld, en een klein deel van hem maakte zich zorgen om wat Emil met deze puppy's zou doen als ze nu niet snel zouden worden verkocht. Emil betaalde zijn salaris elke maand stipt op tijd uit, en in de acht jaar dat hij nu in de dierenwinkel werkte was hij maar één keer tegen hem uitgevallen. Vernon was een zeer nauwgezette werknemer, dus Emil had weinig reden om boos op hem te worden. Maar hij wist dat Emil niet van honden hield. Soms werd Vernon bang van de blik in Emils ogen wanneer hij naar Nelson en zijn zusje keek.

Dus Vernon was enigszins ongerust toen hij op een avond bij de dierenwinkel aankwam en meteen opmerkte dat Nelsons kleine zusje niet meer bij hem in het hok zat. Hij keek naar Nelson, die daar helemaal alleen zat, met een bedroefde uitdrukking op zijn gezicht. Vernon haalde hem eruit, en hij kon merken hoe verdrietig de kleine puppy was. Normaal gesproken was hij dolblij wanneer hij hem uit zijn hok tilde. Dan kwispelde hij met zijn staart en likte hij over Vernons gezicht en aan zijn handen en beet hem zachtjes. Maar vanavond zat hij er lusteloos bij en bewoog amper. Hij negeerde het stuk gedroogd vlees dat Vernon uit zijn tas tevoorschijn haalde.

Heel even was Vernon bang dat Emil iets afschuwelijks met het kleine teefje had gedaan. Maar toen hij naar de voorkant van het puppyhok keek, zag hij een VERKOCHT-briefje onder het bordje met BEADEL-TEEFJE hangen.

Hij hield Nelson wel een halfuur lang in zijn armen, terwijl hij hem aaide en zijn best deed hem weer op te vrolijken. De hond likte een paar keer stilletjes aan Vernons handen, maar bleef bedroefd. De kleine hond had geen afscheid kunnen nemen van zijn zusje. Het deurtje van het hok was opengegaan en hij was zoals altijd gespannen geweest bij het ruiken van Emils hand. Zijn zusje werd uit het hok gehaald, en het deurtje werd dichtgesmeten. Hij wachtte verontrust op haar terugkeer. Maar er gingen uren voorbij en ze was er nog steeds niet. Tegen de tijd dat Vernon die avond aankwam, was Nelson in een diepbedroefde bui.

Hij kon zijn zusje nog in zijn vacht ruiken. Maar hoe hard hij ook zijn best deed, zijn moeder Lola en mevrouw Anderson rook hij niet meer. Hij kon zich hun geuren nog levendig herinneren, maar zijn neus kon deze niet langer in de buurt ruiken. Diep vanbinnen wist hij dat de geur van zijn zusje ook langzaam uit zijn wereld zou verdwijnen.

Die avond werd Nelson voldoende door Vernon getroost om te kunnen slapen. De kleine hond had nare dromen, doordrongen van de geur van Emil. Misschien dat Nelson aanvoelde dat Emil wakker lag in zijn bed en zijn voorraad puppy's aan het doornemen was in zijn hoofd, om tot de conclusie te komen dat er geen plek meer was voor Nelson wanneer de vier nieuwe chihuahua's de volgende dag zouden aankomen. De puppy moest uit de voorraad worden geschrapt.

4

Katey Entwhistle had genoten van haar twee weken durende huwelijksreis in Italië, al was er niet veel tijd geweest voor ontspanning. Don was onvermoeibaar als het op het bezoeken van bezienswaardigheden aankwam. Zijn verlangen naar het bedrijven van de liefde was al even ongeremd, dus waren ze nogal vermoeid naar Amerika teruggekeerd. Maar hoe moe ze ook waren, ze was gelukkiger dan ooit.

Ze hadden 's avonds door Rome gestruind, en genoten van talloze heerlijke diners. Ze waren door Toscane en Umbrië gereisd in een kleine opgevoerde Fiat en hadden het prachtige groene landschap gulzig in zich opgenomen en de verheffende invloed van de renaissancekunst gevoeld. Tot slot hadden ze enkele dagen in Positano doorgebracht, waar ze de steile bergachtige omgeving en de glinsterende meren en riviertjes hadden verkend. Beiden zagen er verbrand maar stralend uit. Katey voelde zich schuldig dat ze in die twee weken niet op haar geliefde piano had gespeeld, langer dan ooit was voorgekomen sinds haar kindertijd. Maar ze wist ook dat dat wel kon wachten. Na hun terugkomst zou het leven al snel weer zijn normale gang gaan, alleen was ze nu samen met een echtgenoot van wie ze zielsveel hield.

De vlucht naar Boston met Alitalia was lang en saai. Op aanraden van Don hadden ze besloten een paar dagen in Boston te blijven voor ze met een huurauto naar Albany terug zouden rijden. Zijn moeder was te ziek geweest om naar hun bruiloft in New York te komen, en hoewel ze weinig weet meer had van wat er allemaal om haar heen gebeurde, dacht hij dat ze het wel zou waarderen als ze haar zouden opzoeken.

Tijdens hun verblijf in Boston brachten ze elke dag een paar uur bij haar in het bejaardentehuis door. Net als de rest van het gebouw was haar kamer doordrongen van de geur van oude mensen: een mengeling van goedkope luchtverfrissers, stijfsel, onaangeroerd warm eten en een flauwe urinegeur. Het was niet direct onaangenaam, maar het maakte je wel meteen duidelijk waar je was.

Katey kon zien dat Dons moeder Estelle ooit een knappe vrouw was geweest, en erg levendig bovendien. Ze werden getrakteerd op flarden van verhalen, en Katey wilde dat ze kon voorspellen of reconstrueren hoe het verhaal verder ging voordat Estelle ineens verdwaasd in de verte begon te staren. Even later praatte ze wel weer verder, maar over een heel ander onderwerp. Na een tijdje werd Don dan ongeduldig, en vaak stelde hij al voor om te vertrekken voordat Katey het tijd vond om te gaan. Ze probeerde maar het beste te maken van haar ontmoetingen met Dons moeder, die ze pas had leren kennen toen ze al ziek was. Soms dacht Estelle dat Katey haar zus was, of de dochter die ze nooit had gehad, of Dons vorige vriendin, en één keer dacht ze dat ze haar werkster was. Hoe vaak Don ook herhaalde dat Katey nu zijn knappe vrouw was, Estelle kon het niet onthouden. Wel genoot ze van de smaakvolle truffelkaas die Katey in haar tas voor haar had meegesmokkeld uit Italië. Dus begon Katey elke dag iets te eten voor haar mee te brengen, waar ze altijd blij mee was.

Na hun terugkomst uit Italië had Katey het vreemde gevoel dat haar iets was ontnomen, en ze merkte dat Don hetzelfde voelde. Het leven hoorde te zijn zoals op hun huwelijksreis: struinend door prachtige plaatsen, samen genietend van heerlijke maaltijden, en elke nacht vrijend tot vroeg in de ochtend. Katey had zich gelaafd aan Dons warme glimlach, zijn passie voor geschiedenis en zijn kwieke gevoel voor humor. Ze wilde dat het leven altijd zo kon blijven als in Italië. Ze probeerden hun huwelijksreis te rekken door romantisch te dineren in restaurants in Boston en door te wandelen door het stadspark. Maar de beroemde zwanenboten op het kleine meer deden wat goedkoop aan in vergelijking met de boten waarop ze de baaien aan de Italiaanse kust hadden verkend.

Op een middag, na een bezoek aan Dons moeder, slenterden ze door de straten van Boston, arm in arm, giechelend en lachend als een typisch pasgetrouwd stel. Ze snoepten van een zoute krakeling en snuffelden rond in de antiekzaakjes. Ze hadden al zo'n beetje alles wat ze nodig hadden in hun kleine huis in Albany, en hun huwelijksgeschenken zouden de resterende gaten opvullen. Maar ze waren nog steeds op zoek naar een klein aandenken dat hen altijd zou herinneren aan hun huwelijksreis. Dit was meer een idee van Katey dan van Don. Hij had ruim zeshonderd foto's gemaakt met zijn dure camera, en die zouden hun meer dan genoeg herinneringen opleveren, zei hij. Tijdens hun reis door Italië had Katey een paar keer een mooi klein beeldje of een stuk servies gevonden, en ze hadden er ook een paar gekocht. Maar om de een of andere reden leek niets wat ze vonden precies het juiste aandenken te zijn. Katey was bijgelovig en bleef hopen dat ze dat ene speciale voorwerp zouden vinden. Dat was een traditie van haar ouders: om altijd iets mee te nemen van een vakantie wat die ervaring min of meer samenvatte.

Vele jaren geleden, toen Katey negen jaar oud was, was haar moeder op een dag haar kamer binnengekomen om haar bedroefd te vertellen dat haar vader, een militair, niet meer thuis zou komen. Hij was omgekomen in een land ver weg. Jarenlang had Katey troost geput uit een speelgoedkrokodil die hun ouders hadden meegenomen van een van hun vakanties naar Florida. Als je in het speeltje kneep, zong het een liedje van Elvis. Haar grootmoeder had haar vader altijd berispt om zijn gebrek aan smaak, maar na zijn overlijden was Katey erg dankbaar voor de prullige speelgoedkrokodil.

Don was degene die voorstelde om de kleine dierenwinkel binnen te gaan die ze in een van de zijstraten passeerden. Toen hij klein was, had Dons moeder parkieten en een papegaai gehad, en hij vond het altijd leuk om vogels te kijken wanneer hij de kans kreeg. Eenmaal binnen zagen ze al snel dat de winkel geen vogels had, en Don wilde weer vertrekken. Maar tegen die tijd stond Katey al voor de grote puppywand aan de ene kant van de winkel. Toen ze eenmaal volwassen was had ze niet vaak meer aan honden gedacht, maar als kind was ze altijd dol op ze geweest. Ze kon zien dat deze winkel een keur aan puppy's had. Ze zag dwergkezen, terriërs, mopshonden, poedels en chihuahua's. In een van de grotere hokken zat een grote Deense dogpup, en een zwarte labrador. Katey had hier wel uren kunnen blijven, maar ze merkte dat Don ongeduldig werd, dus liepen ze naar de deur.

Nelson zat ineengedoken in de kleine reismand waar Emil hem een uur geleden in had gesmeten. De puppy had tijd genoeg om alle geuren in de kleine winkel op te snuiven terwijl hij wachtend op de toonbank naast de kassa stond. Onder normale omstandigheden zou hij ze met plezier hebben verkend, maar nu voelde Nelson vooral angst terwijl hij in de kleine mand zat te wachten. Emil liep door de winkel om dozen uit te pakken en andere klusjes te doen. Af en toe glimlachte hij vriendelijk naar een nieuwe klant die de winkel binnenstapte, en Nelson kon zijn blijdschap ruiken toen hij een kleine chihuahua aan een oudere dame verkocht. Maar het grootste deel van de tijd rook Nelson slechts woede, vooral wanneer Emil naar hem keek en hardop vloekte.

Nelson had amper opgemerkt dat er zojuist een jong stel de winkel was binnengelopen. Hij hield Emil nauwlettend in de gaten, en zag slechts uit zijn ooghoek dat de jonge vrouw naar alle puppy's in de puppywand stond te kijken. Nelson was verbaasd toen ze even later haar vingers door het deurtje van zijn kleine reismand stak en naar hem glimlachte.

Net toen ze de winkel wilden verlaten, zag Katey de puppy eenzaam in een mand op de toonbank zitten. Hij was klein en pluizig, en had allerlei kleuren: witte, lichtbruine en donkerbruine vlekken. Hij had opvallende ogen, alsof iemand er cirkels omheen had getrokken: een bruine kring om zijn linkeroog en een witte om zijn rechter. Zijn staart viel ook op. Deze was ongeveer half zo groot als de rest van zijn lijf en had meerdere kleuren. Maar ze werd geraakt door de droefheid van de puppy en ze stak haar hand door het deurtje in een poging hem op te vrolijken. Aanvankelijk negeerde de kleine hond haar, maar al snel begon hij opgewonden aan haar vingers te likken en staarde hij haar aan met zijn grote bruine ogen.

Katey had in geen jaren meer overwogen een puppy te nemen. Het was nooit mogelijk geweest in de tijd dat ze in een appartement had gewoond. Ze wist dat anderen wel kleine honden in een appartement hielden en hen dan twee keer per dag uitlieten, maar als zij een hond zou nemen, wilde ze dat hij een tuin had om in te spelen. Dat had ze nog wel onthouden over honden uit haar kindertijd. Maar toen zij en Don een paar maanden geleden in hun huis waren getrokken, was de gedachte aan een hond niet eens in haar opgekomen, misschien omdat ze het zo druk hadden met het uitpakken van dozen en het leren samenwonen.

Maar toen ze die dag met de kleine puppy speelde in de ren van Emils winkel, werd het verlangen om hem met haar mee naar huis te nemen al snel overweldigend. De kleine hond likte opgewonden over haar gezicht en sprong op en neer bij de dierenspeeltjes, om haar over te halen met hem te spelen. Toen ze hem optilde, kroop hij als vanzelfsprekend dicht tegen haar aan en begon haar te besnuffelen. Ze keek haar echtgenoot vragend aan terwijl hij naar haar glimlachte. Nelson voelde zich meteen op zijn gemak door de hartelijke geur van de jonge vrouw en door haar zachtaardigheid en haar vriendelijke donkerbruine ogen. Toen ze op hem neerkeek, met een verwelkomende glimlach op haar lippen, die omlijst waren door een egale, parelwitte huid en licht krullend zwart haar, voelde Nelson zijn hele lichaam ontspannen.

Nadat ze hem had opgetild en weer mee had genomen naar de toonbank, verwachtte hij dat ze hem terug zou geven aan Emil, zoals zoveel klanten al hadden gedaan nadat ze een paar minuten met hem hadden gespeeld. Maar dat deed ze niet. Er vond een gesprek plaats. Emil was beleefd en vriendelijk tegen de jonge vrouw. De jonge vrouw sprak zachtjes, op een toon die Nelson aangenaam kalmerend vond klinken. De man met wie ze was mengde zich ook in het gesprek. Hij was omgeven door de geur van de vrouw, zo rook Nelson, en de vrouw door de geur van de man, en ze leken sterk met elkaar verbonden. Nelson bespeurde een sterke geur bij hen allebei die hij nog nooit was tegengekomen, doordringend en sprankelend en erg fascinerend. Later zou hij ontdekken dat dit de geur van menselijke verlangens was.

Nelsons lichaam verstijfde toen de vrouw hem voorzichtig terug in de reismand zette en het deurtje sloot. Hij kroop dicht tegen de deuropening aan, zachtjes jankend, en hij probeerde aan haar vingers te likken. Hij keek op naar Emil, die even op hem neerkeek, en de jonge hond sidderde. Maar het was niet Emil die hem de winkel uit droeg, zoals hij diep vanbinnen had aangevoeld. Het was Katey.

Die dag wist Nelson nog niet dat Katey zijn Grote Liefde zou worden.

5

De eerste zes maanden van Nelsons leven bij Katey en Don werden al snel gekenmerkt door een plezierige routine. De jonge hond werd zich vlotjes bewust van een woord dat ze allebei herhaaldelijk gebruikten als ze naar hem keken of hem aaiden, en hij begon al snel te reageren op zijn naam 'Nelson' wanneer ze hem riepen als hij in de tuin was.

Tijdens hun autorit van Boston naar Albany was er enige discussie geweest over hoe ze de jonge pup zouden noemen. Het was lastig om een naam voor de hond te bedenken, aangezien hij zo'n specifiek uiterlijk en karakter had. Toen ze na enkele uren door een groot deel van de standaardopties heen waren, bladerde Katey door de papieren die Emil hun na hun aankoop had meegegeven en zag ze dat de puppy was geboren in Nelson in New Hampshire. Om de een of andere reden leek de naam Nelson perfect bij de puppy te passen. Don vond het een leuke naam omdat het hem deed denken aan Lord Nelson, de Britse admiraal, die hij zeer bewonderde en over wie hij met veel enthousiasme lesgaf aan de universiteit. Katey vond de naam ook goed klinken, en ze had altijd grote bewondering gehad voor Nelson Mandela. Nelson zelf maakte het niet veel uit, maar hij was wel zeer verheugd over het feit dat er een speciaal woord voor hem was. Het duurde niet lang voor zijn hart een sprongetje maakte wanneer Katey hem riep.

Het huis in Albany was vrij klein, met twee slaapkamers, waarvan één heel klein. De badkamer en de keuken waren oud, en het dak moest worden gerepareerd. Maar het was onlangs geverfd, en Katey had het met veel zorg ingericht. Het was licht en vrolijk. Maar nog belangrijker voor Nelson, het rook aangenaam. Het rook al aangenaam vanaf het moment dat hij met Katey en Don naar de voordeur liep en rond begon te snuffelen terwijl zij elkaar uitbundig kusten om hun thuiskomst te vieren.

Het huis stond in een groene buitenwijk, en Nelson was dol op de frisse lucht en de uitgebalanceerde geuren die op het constante briesje naar binnen dreven. Binnen was het huis warm en knus. Nelson rook wederom de geur van schoon wasgoed. De zakjes met lavendel die Katey op zorgvuldig uitgekozen plekken had gelegd maakten het prettige geurlandschap compleet.

Buiten hadden ze een tuin. Deze bedroeg slechts enkele tientallen vierkante meters en was lang niet zo groot als die van mevrouw Anderson. Maar mettertijd zou Nelson een hechte band krijgen met die tuin. Toen de jonge hond eenmaal een thuis vond bij Katey en Don was hij al flink aan het groeien, en zijn neus groeide met hem mee. Hij zou elke vierkante centimeter van de tuin tot in detail leren kennen. En al zou hij het nooit onder woorden kunnen brengen, in zijn hoofd ontstond al snel een verhaal dat dikker was dan de Bijbel. Het was geen mensenverhaal, dat aaneen was geregen tot een begrijpelijk geheel. Het verhaal in Nelsons hoofd bestond enkel uit een scala aan onderling verbonden geuren. Dit verhaal kwam aan de oppervlakte door simpelweg het gras in Kateys tuin te verkennen. Het was een verhaal over alle dieren van elk formaat die al millennia lang in deze contreien hadden geleefd. Het was een verhaal over het water dat uit de lucht viel en het gras en de bloemen liet groeien. Het was een prachtig en soms droevig verhaal waar Nelson elke nacht over droomde en waar hij elke dag weer iets aan toevoegde.

Katey en Don hadden verscheidene perken met mooie bloemen geplant: vlijtige liesjes, afrikaantjes, madeliefjes en rozen. Als de rozen in bloei stonden kon de jonge hond ze niet weerstaan. Maar zijn absolute favorieten waren de prachtige witte tuberozen die Katey een paar maanden daarvoor had geplant. Overdag roken ze aangenaam, maar Nelson genoot er vooral van om er 's avonds aan te ruiken, wanneer hun ware, mystieke parfum tevoorschijn kwam. Katey en Nelson gingen na het avondeten regelmatig de tuin in om samen aan de tuberozen te ruiken. Dan hield ze hem vast, krabbelend achter zijn oren met haar lange vingers, wat hij heerlijk vond, en dan snoven ze samen de doordringende geur van de bloemen op, tot hij er duizelig van werd. Katey was helemaal gek op de sierlijke witte bloemen, vanaf het moment dat haar indiaanse kamergenoot ze regelmatig had meegenomen voor in hun studentenkamer.

Nelson bleef groeien en hij barstte van de energie. In de eerste paar dagen bij Katey en Don at hij weinig, maar toen hij zich realiseerde dat Emil slechts een nare herinnering was, ontwikkelde hij al snel een ongeremde eetlust. Hij stortte zich op de twee bakjes hondenvoer die Katey hem dagelijks gaf, en schrokte elk ander mensenhapje dat zij of Don hem toegooide op. Katey vond het leuk om hem verschillende soorten menseneten te laten proeven, waarbij ze druiven en chocolade vermeed, zoals de boeken voorschreven. Al het andere at Nelson gewillig op, waarbij hij eerst de geur in zich opnam om het vervolgens met smaak te verslinden.

Zijn eerste maaltijd kreeg hij in de ochtend, nadat Katey en Don hun ontbijt op hadden. Kort daarna vertrok Don voor de rest van de dag, en hoewel Nelson enigszins bezorgd was dat hij misschien niet terug zou komen, bood Katey hem al snel de nodige afleiding. Ze gaf hem zijn ontbijt en nam dan een paar minuten de tijd om achter zijn oren te krabbelen en met hem te stoeien met een van zijn speeltjes. Dan ruimde ze de borden in de keuken af en ging hij vlak bij haar zitten terwijl zij haar ochtendgymnastiek deed en vervolgens ging douchen. De daaropvolgende vier uur oefende ze op haar piano. Nelson was dol op dit deel van de dag. Dan lag hij onder de Steinway-vleugel die ze van haar grootmoeder had geërfd en die in de hoek van de woonkamer van Katey en Don stond gepropt. Katey bewoog haar handen sierlijk op en neer, en dan kwamen er soms zachte en soms harde klanken uit de piano. Nelson vond de klassieke muziek erg kalmerend. Hoewel zijn oren de klanken van de muziek niet zo gedetailleerd konden waarnemen als mensenoren, kon hij wel de sterke variaties in toonhoogte en ritme horen, en dat vond hij meestal aangenaam klinken. Hij kon ook vele hoge en harmonische tonen uit de piano horen komen die mensen niet konden waarnemen.

Maar de geur van de piano beviel hem nog beter. Kateys geur hing overal. Maar de piano zelf gaf ook een flauwer maar aanlokkelijk parfum af. Na verloop van tijd kon Nelson dertig, misschien wel veertig verschillende houtsoorten onderscheiden die waren gebruikt voor de bouw van de piano. Sommige geuren waren van jong hout, andere van heel oud hout. Elk stuk hout bevatte een verhaal, een verhaal over het leven van de boom, zijn ontwikkeling, zijn tijden van overvloed, zijn tijden van schaarste. Soms kon Nelson kortere verhalen onderscheiden van dieren die in de boom hadden geleefd, zoogdieren of vogels. Al deze verhalen bij elkaar fascineerden de jonge hond. Hij zou ze nooit in woorden kunnen vatten, of als een lineair verhaal kunnen begrijpen. Het waren verhalen verteld in de vluchtige, dynamische, veranderlijke taal van geuren.

Elke dag als Katey klaar was met het oefenen van haar klassieke stukken, begon ze speels met haar voeten op de grond te tikken en een van haar favoriete popnummers te spelen: 'Here Comes the Sun' van de Beatles. Toen ze nog een peuter was, zong haar vader altijd mee met de lp terwijl hij haar knuffelde op schoot. De vrolijke melodie van het nummer vormde de perfecte onderbreking van de strikte toewijding die haar klassieke training vereiste. Nelson raakte al snel gewend aan dit dagelijkse ritueel. Hij wist dat hij haar niet mocht storen tijdens het oefenen. Maar als ze met haar voeten begon te tikken, gonsde het ritme door zijn lichaam, en dan sprong hij op de pianokruk en begon haar opgewonden te likken terwijl ze hem toezong met een zorgeloze, opgewekte stem. Hij begon het liedje te herkennen en ervan te houden, want hij wist wat erna kwam. Als het nummer afgelopen was, haalde Katey zijn riem, en dan gingen ze hun dagelijkse wandeling maken, het meest favoriete deel van zijn dagen met haar.

Een halfuur lang, soms langer, slenterden ze door de buitenwijk waar hun huis stond. Nelson vond het moeilijk om niet aan zijn riem te trekken, maar al snel leerde hij zo dicht mogelijk bij Katey in de buurt te blijven. Voor hem was zijn wandeling een dagelijks bezoek aan een opera van geuren. Er was nooit genoeg tijd om ze allemaal in zich op te nemen, nooit genoeg tijd om ze allemaal op te slaan in zijn zich ontwikkelende brein.

Naarmate Nelson ouder werd, en de kracht van zijn neus toenam, werd hij tijdens zijn dagelijkse wandelingen soms gegrepen door nieuwe, sterke impulsen. Hij bespeurde flauwere geuren die hem fascineerden, luchten die zijn neus binnendrongen en na slechts een ogenblik weer verdwenen: geuren van verre bossen en bergen en steden. Al snel herkende hij de geuren van bepaalde mensen en honden en andere dieren die altijd in de buitenwijk te vinden waren. Maar hij rook ook verscheidene andere mensen en dieren daar ergens in de wijde wereld. Wat was daar allemaal te vinden? Was het universum oneindig, zoals zijn neus suggereerde? Soms trok hij aan zijn riem in een wanhopige poging antwoorden te vinden. Maar dan trok Katey hem terug en werd hij weer overspoeld door haar geur, en dan vergat hij al zijn verlangens om de geuren van de wereld te verkennen. Na een tijdje keerden ze terug naar huis. Als ze zijn riem had afgedaan, tilde ze hem op, en dan likte hij over haar gezicht om haar te bedanken voor zijn dagelijkse avontuur.

In de middagen liet Katey hem buiten in de tuin. Soms rook hij haar binnen in huis, maar soms hoorde hij de klik van de voordeur en het gepiep van haar autoportier dat opening, en dan was ze een paar uur weg. Dit maakte hem diep ongerust. Hij hield zichzelf bezig met rondneuzen in de tuin en stoeien met zijn speeltjes. Maar hij wachtte bezorgd op haar terugkomst. Wanneer hij haar bij terugkomst haar auto met een piep weer op slot hoorde doen, was zijn reactie niet te stuiten. Zijn staart kwispelde van blijdschap, en zijn langzaam luider wordende geblaf kwam bulderend op uit zijn keel. Kort daarna kwam ze dan de tuin in om hem te begroeten, en dan verwelkomde hij haar met heel zijn wezen. Hij was trots dat hij hun terrein had beschermd terwijl ze weg was.

Op het eind van de middag gaf ze hem zijn avondeten, en vlak daarna kwam Don thuis. Zodra haar echtgenoot thuiskwam, richtte Katey haar aandacht vooral op hem, maar dat vond Nelson niet zo erg. Don toonde niet veel belangstelling voor hem, maar wanneer hij dat wel deed, was hij over het algemeen vriendelijk. Soms rook Nelson wat irritatie en af en toe de eerste sporen van woede wanneer Don Katey voor zichzelf wilde hebben. Wanneer hij dit rook, verliet Nelson stilletjes de kamer of ging in een hoekje zitten, behoedzaam, om Don niet voor de voeten te lopen.

Nelson mocht niet in de buurt van de eettafel zitten wanneer Katey en Don hun avondeten aten. Dan werd hij opgesloten in het kleine washok aan de achterzijde van het huis, waar hij gespannen voor de deur wachtte terwijl de aroma's en geluiden van hun avondmaaltijd naar hem toe dreven. Katey en Don kletsten met elkaar terwijl een van hen het eten klaarmaakte. In het begin van hun huwelijk rook Nelson de blijdschap in de lucht terwijl ze keuvelden over wat ze die dag hadden meegemaakt. Don vond het leuk om te koken, en Nelson hoorde hem vlees, kip, vis of groenten snijden en hakken en vervolgens bakken of braden. Soms liep het water hem in de mond en hoopte de kleine hond wat kliekjes te krijgen. Meestal kreeg hij die ook wanneer het stel klaar was met eten. Dan werd hij in de keuken gelaten en liet Katey hem watertanden door stukjes vel of restjes pasta hoog in de lucht te houden. Al snel leerde Nelson dat hij niet moest opspringen om ze te pakken als hij deze lekkernijen wilde krijgen, maar dat hij juist moest gaan zitten. Dan gaf Katey ze aan hem. Voor hem was het net een toetje, na zijn avondmaal van brokjes en hondenvoer.

Soms mocht de hond bij hen liggen terwijl ze een tijdje televisie keken. Op sommige avonden keek Don opgewonden naar een sportwedstrijd, waarbij hij druk naar de tv schreeuwde en bulderde op een manier die Nelson soms een beetje angstwekkend vond. Hij lag dan bij Katey op schoot terwijl zij een boek las. Soms kroop ze tegen Don aan terwijl ze samen een film of tv-serie keken. Dan lag Nelson aan hun voeten. Al snel leerde hij dat dit soort geknuffel tussen Katey en Don vaak tot een vrijpartij leidde.

In de eerste maanden van hun huwelijk vreeën Katey en Don bijna elke nacht in hun slaapkamer. Vanaf de eerste nacht dat Nelson in Albany was aangekomen had hij bij hen in bed geslapen. Hij voelde enige weerstand van Don toen Katey hem mee de slaapkamer in droeg, maar uiteindelijk spraken ze af dat ze een kleine stoffen bench met een rits in de slaapkamer zouden zetten, waar Nelson in kon slapen als ze privacy wilden. In de praktijk sliep hij de meeste nachten bij hen in bed.

Elke avond, als Katey hem in de slaapkamer liet, ging Nelson eerst op zoek naar de grote, lelijke speelgoedrat die Katey op een dag in een melige bui voor hem had gekocht in de supermarkt. Al snel werd het zijn favoriete speeltje, waarschijnlijk omdat het niet kapot te krijgen was, in tegenstelling tot veel van zijn andere speeltjes. Als hij de speelgoedrat had gevonden, rende Nelson ermee naar Katey en haalde haar over met hem te spelen. Dan pakte Katey de rat van Nelson af en gooide hem door de kamer, waarna hij hem moest gaan halen. Uiteindelijk trok hij zich terug in een hoekje om op het speeltje te kauwen terwijl Katey en Don zich klaarmaakten om naar bed te gaan. Nelson begon zich al snel opvallend koppig vast te houden aan dit avondritueel. Soms bedacht Katey hoe belangrijk dit soort gezinsroutines voor het kleine dier waren. Het leek alsof de vele andere menselijke waarden, zoals ambitie en gedrevenheid en ego, er voor honden simpelweg niet toe deden.

Even later trokken Katey, Don en Nelson zich dan terug in het grote tweepersoonsbed. Nelson wist wanneer ze op het punt stonden te gaan vrijen, omdat ze dan beiden sterke geuren afgaven. Nelson wist niet wat hij van hun gevrij moest maken. Hij ging aan de andere kant van het bed liggen wanneer het begon, en soms keek hij toe in een poging erachter te komen wat ze nu precies aan het doen waren. Don stootte enkele harde geluiden uit, en Katey ook af en toe. Soms duurde hun vrijpartij behoorlijk lang, en dan scheidden hun lichamen nog meer geuren af. Uiteindelijk bereikten de geuren een piek, waarna ze afnamen. Even later vielen ze dan in slaap.

Gedurende hun vrijpartij hield Nelson zich vooral bezig met kauwen op zijn rat. Wanneer hij wist dat ze klaar waren, zocht hij een plekje om te gaan slapen. Katey vond het fijn om in Dons armen in slaap te vallen, maar hij had liever ruimte voor zichzelf wanneer hij sliep, dus na een tijdje lieten ze elkaar los. In het begin verplaatste Nelson zich naar welk plekje het meest comfortabel leek, en vaak was dat een behaard deel van Dons lichaam: zijn benen of zijn borst. Maar Don vond het niet prettig om met de hond tegen zich aan te slapen. Hij tilde hem van zich af, of duwde hem weg, niet hardhandig, maar wel zo dat het Nelson verwarde. Katey, daarentegen, vond het heerlijk als Nelson dicht tegen haar aan sliep. Hij rolde zich op tot een klein balletje vlak naast haar buik, en dan viel hij kalm in slaap. De nabijheid van haar geur was aangenaam en kalmerend. Hij bleef de hele nacht dicht tegen haar aan liggen. Af en toe had Katey een nare droom. Na al die jaren werd ze soms nog steeds met een schok wakker, nadat een fragmentarische herinnering aan haar vader was bovengedreven. Soms hoorde ze dan nog het gebulder van machinegeweren of agressieve stemmen die spraken in een taal die zij niet kende. Na enkele maanden was het vooral Nelsons zachte gesnurk dat haar na zulke dromen weer kalmeerde. Dan gaf ze de kleine hond een kus op zijn kop terwijl zijn lijf kalm op en neer rees. Hierna viel ze snel weer in slaap, overspoeld door kalmere dromen.

Dus het leven van de kleine Nelson raakte nauw verweven met dat van Katey. Ja, Don maakte ook deel uit van hun gezinnetje, maar Nelsons dagen en nachten stonden zo in het teken van Katey dat zij de allesbepalende figuur in zijn leven werd. Haar complexe geur was kenmerkend voor de lucht die hij inademde. Diep in het hart van de kleine hond ontstond er een sterke liefde voor haar. Dat gebeurde niet van de ene op de andere dag, maar in de loop der tijd. Het was een Grote Liefde. Het draaide niet om het eten dat ze hem gaf, al was hij haar daar wel dankbaar voor. Het was een Grote Liefde omdat ze zijn hele wereld tot een prachtige plek maakte, een plek die hem intens gelukkig maakte. De jonge hond had nog geen verlies gekend, al zou hij daar op een dag op een vreselijke manier mee worden geconfronteerd, maar zelfs in de paar uur per dag dat Katey weg was, was hij zich pijnlijk bewust van haar afwezigheid. Zo nam zijn liefde alsmaar toe. En met die liefde ontkiemden er ook andere emoties in zijn hondenhart. Hij voelde de behoefte om haar te beschermen, de behoefte om zijn liefde voor haar zo veel mogelijk te tonen. Hij voelde de behoefte om haar te prijzen, de behoefte om alles wat hij had met haar te delen. Hij wist dat hij haar uit alle macht zou verdedigen tegen elke bedreiging die ze ooit zou tegenkomen.

Nelson voelde ook dat Katey van hem hield. Het lag besloten in de manier waarop ze hem aaide en over zijn kop kriebelde. Het lag besloten in de manier waarop ze meestal tegen hem sprak, als ze klaar was met oefenen op haar piano, of met schoonmaken, of met koken. Hij wist niet wat ze precies zei, op een enkel woord na, maar hij wist dat ze het tegen hem had, en daar genoot hij intens van.

Nelson ontwikkelde ook een liefde voor botten, zij het minder sterk. Die bracht Don soms voor hem mee. Dan ging de hond er in de tuin op liggen kauwen. Wanneer hij zijn dagelijks sterker wordende tanden in het bot zette, kwamen er allerlei geuren vrij, verhalend over het dier waarvan het was geweest en over diens verleden. Botten bevatten bijna net zoveel verhalen als gras. Maar als Nelson wat op het bot had geknaagd, groef hij graag een klein gat in de tuin om het in te begraven. Misschien dat Katey het ooit nog nodig zou hebben. Stel dat haar eten op raakte? Hij legde zijn eigen speciale voorraad aan, zodat ze altijd iets te eten zou hebben en nooit honger zou hoeven lijden.

Soms blafte Nelson nadat hij een bot had begraven. Als kleine pup was zijn gekef alleen maar schattig geweest. Maar het geblaf van de jonge hond werd steeds krachtiger. Het klonk even doordringend als het geblaf van een poedel, en even diep, zwaar en hees als het geblaf van een beagle. Katey glimlachte in zichzelf als ze hem in de tuin hoorde blaffen. Hij blafte nooit meer dan twee of drie keer achter elkaar, behalve wanneer de postbode kwam. Ze wist wat het betekende. *Ik, Nelson, de grote beschermheer van Katey Entwhistle, laat hierbij zien dat ik de grootse, trotse bewaker ben van dit huis en deze tuin en dit gezin.*

Op een ochtend haalde Katey Nelsons riem tevoorschijn in plaats van te gaan oefenen op de piano. Hij was zoals altijd opgewonden bij het horen van het gerinkel van de riem, maar hij was ook verward. Normaal gesproken deden ze dit pas later op de dag. Maar Katey stelde hem gerust, dus vertrouwde Nelson haar.

Toen ze het huis uit liepen, trok Nelson aan de riem om dezelfde kant op te gaan als altijd op hun dagelijkse wandeling, maar in plaats daarvan tilde Katey hem op en zette hem op de passagiersstoel van haar auto. Zij stapte in aan de andere kant en startte de motor. Nelson was verward. Hij was inmiddels lang genoeg bij haar om niet bang te zijn voor wat er zou gebeuren, maar hij was erg gewend aan hun dagelijkse routine, en hij genoot van die voorspelbaarheid. Alsof ze zijn bezorgdheid aanvoelde, zette Katey het raampje aan de passagierskant op een kier, en meteen stroomden er allerlei geuren de auto in. Dit leidde Nelson af en nam hem de rest van de vijftien minuten durende rit naar de dierenarts in beslag.

Nelson had nog een aardig levendige herinnering aan die keer dat Emil hem had meegenomen naar de dierenarts, maanden geleden. De steriele geuren deden hem weer aan Emil denken, en even ging zijn hart tekeer. Maar hij werd nog steeds omringd door Kateys hartelijke geur, en ze kriebelde over zijn kop en aaide hem, terwijl ze tegen hem praatte. Hij wist zeker dat alles in orde was.

Maar er lag een verdrietige glans over haar ogen toen Katey Nelson gedag kuste en hem aan de dierenarts gaf. Toen hij samen met de dierenarts de operatiekamer binnenging, stond hij amper stil bij de geur van de dierenarts, behalve om op te merken dat deze niet bedreigend rook. Zijn gedachten waren bij Katey. Nelson jankte zachtjes om haar. Waar was ze gebleven?

Hij werd snel weer rustig, al was hij ietwat bevreesd toen de arts en twee assistenten om hem heen dromden en op hem neerkeken. Nelson rook de vloeistof die uit de grote spuit in de hand van de dierenarts drupte, maar voor hij tijd had om te bepalen wat het was, had de dierenarts hem al geprikt en viel Nelson als een blok in slaap.

6

Katey wilde Nelson helemaal niet laten helpen. Ze was dol op het hondje, en koesterde de droom dat hij op een dag zelf jongen zou verwekken. Maar zowel Don als haar dierenarts had haar aangespoord het toch te doen. Ze was in een mailwisseling verwikkeld geraakt met een aantal dierenrechtenactivisten die ze op internetfora had leren kennen, en hoewel sommigen wat te radicaal waren naar haar zin, met uitspraken als 'fokkers zijn moordenaars' en dergelijke, kwamen de meer benaderbare activisten met overtuigende argumenten. Als er in de Verenigde Staten elk jaar honderdduizenden honden in asiels werden afgemaakt, hoe moreel verantwoord was het dan om je hond toe te staan zich voort te planten? Goed, misschien vond je wel een thuis voor die pups, maar dat betekende dat andere honden in het asiel geen thuis zouden vinden en zouden worden afgemaakt.

Dus Katey besloot dat dit de juiste stap was. Toch voelde ze een steek in haar hart toen ze Nelson op die ochtend aan de dierenarts gaf, wetend dat hij straks pijn zou lijden zonder te begrijpen waarom, en dat hij zich bij terugkomst niet meer zou kunnen voortplanten. Hij was behoorlijk versuft toen ze hem een paar uur later kwam ophalen. Katey voelde zich een beetje schuldig om wat ze de hond had aangedaan en kocht een dure nieuwe bruinleren halsband voor hem, met grote metalen sierspijkers. Ze kocht ook een nieuw zilveren naamplaatje voor hem met haar naam en telefoonnummer erin gegraveerd, om zijn kleine plastic naamplaatje te vervangen. De hond leek zich echter niet bewust van deze materiële cadeaus. De rest van de dag leek hij in stilte de pijn na de operatie te ondergaan.

Nelson kon zich zijn ontwaken na de operatie amper herinneren. Hij werd nog een paar keer geprikt, en werd heen en weer getild van het ene naar het andere apparaat, die allemaal luid piepten. Toen hij die avond bij Katey lag, nadat hij een speciaal hamburgerdiner had gehad, was hij zich er niet echt van bewust dat hij die dag een operatie had ondergaan, op de doffe pijn bij zijn achterste na. Hij jankte zachtjes, en Katey kriebelde wel een uur lang over zijn kop, precies zoals hij het graag had. Don gaf haar een kus en zei dat ze zich geen zorgen hoefde te maken en dat Nelson met een dag of twee weer de oude zou zijn.

En dat was ook zo. Zijn energie keerde terug, en al snel was ook de doffe pijn verdwenen. Katey meende een kleine verandering in zijn gedrag op te merken, alsof de scherpe randjes eraf waren. Hij was een beetje minder wild, een beetje minder rumoerig. Don vond dat dit zijn karakter alleen maar ten goede kwam.

Toen Nelson de ochtend na zijn operatie de lucht opsnoof in de tuin, roken de geuren van de buitenwereld nog net zo sterk als daarvoor. Zijn neus werd slechts geleid door nieuwsgierigheid, niet door de wetenschap dat hij zich niet langer kon voortplanten. Als Katey hem niet had laten helpen, hadden er uiteindelijk wellicht vele nazaten van hem op de wereld rondgelopen, waarvan sommige het geluk zouden hebben een thuis te vinden bij mensen, maar andere al snel aan hun einde zouden komen ergens in een grauw asiel. Maar het mocht niet zo zijn. Nelson zou de laatste zijn van zijn familielijn. Nooit in zijn leven zou de hond hierbij stilstaan en zich afvragen met welke reden hij dan hier op aarde was nu hij niet voor nageslacht kon zorgen. Katey was de enige die hierover nadacht.

De reis die Katey een week later zou maken was veel verontrustender voor de jonge hond dan zijn operatie was geweest. Ze zou zes dagen wegblijven, en Nelson was zich bewust van elke minuut dat ze er niet was. Don liet hem overdag alleen achter in de tuin en keerde vroeg in de avond terug. Soms nam hij Nelson dan mee voor zijn dagelijkse wandeling, maar soms leek Don een beetje verveeld en afgeleid tijdens deze uitjes, en meestal plofte hij gewoon voor de tv neer om bier te drinken en pizza te eten met Nelson aan zijn voeten. Dat was zeker iets waar Nelson naar uit begon te kijken. Soms gaf Don hem de volgende ochtend een restje koude pizza. Het smaakte koud net zo goed als warm. Soms gooide Don hem een hele punt toe, en Nelson genoot er net zo van als van een bot, erop kauwend tot het op was.

Katey miste Nelson meer dan ze had verwacht tijdens haar kleine concerttour. Haar spel werd goed ontvangen in vier verschillende steden, en dat schonk haar veel voldoening. Haar impresario meldde haar dat er nog veel meer boekingen waren binnengekomen voor het komende jaar. Ze was blij dat het zo goed ging met haar carrière, maar ook een beetje ongerust. Een deel van haar wilde niet te lang bij Don vandaan zijn. Of, als ze eerlijk was tegen zichzelf, niet te lang bij Nelson vandaan. Het verbaasde haar dat ze er, ondanks alle optredens voor duizenden mensen, ontmoetingen met boeiende musici en dirigenten van over de hele wereld en diners met haar collega's in dure restaurants, vaak alleen maar naar verlangde weer thuis te zijn bij haar man en haar hond.

Toen ze eindelijk thuiskwam, werd ze meer dan twintig minuten lang door Nelson begroet. Zijn staart zwiepte wild door de lucht, hij sprong op en neer en hij blafte van blijdschap. Toen ze hem optilde, likte hij verwoed over haar gezicht, en hij snuffelde onstuimig om haar geur op te snuiven. Ze knuffelde en kuste het hondje. Hij volgde haar de hele dag en verloor haar geen moment uit het oog. Hij was door het dolle heen.

7

Toen hij ongeveer een jaar oud was, was Nelson helemaal volgroeid. Maar hij was nog net zo speels als een puppy, en hij kauwde op alles wat hij maar te pakken kon krijgen. Tegen de tijd dat hij twee jaar was, gedroeg hij zich wat volwassener. Zijn staart stond fier overeind als een banier van het Romeinse leger, om zijn aanwezigheid kenbaar te maken. Hij rende enthousiast door de tuin. En Katey meende een zekere wijsheid in zijn ogen te bespeuren. Misschien kwam het slechts door de gekleurde vlekken eromheen, maar ze leken haar met veel verstand aan te kijken.

Vlak na zijn tweede verjaardag begon het leven van Katey, Don en Nelson behoorlijk snel te veranderen. Ineens was Don continu thuis. Eerst dacht Nelson dat het voor altijd weekend zou zijn, maar al snel merkte hij op dat Don het niet leuk vond om zo vaak thuis te zijn. De jonge hond wist niet welke gebeurtenissen tot zijn oneerlijke ontslag bij de universiteit hadden geleid, maar hij bespeurde wel de woede en frustratie die uit Dons poriën droop. Don vond het geweldig om hoogleraar te zijn, en hij bracht zijn geschiedenislessen altijd met veel humor, levendigheid en aandacht voor detail. Toen bezuinigingen van de regering werden gevolgd door rigoureuze ontslagen bij de universiteit, zag Don met stille verbijstering toe hoe andere hoogleraren hun baan behielden vanwege hun anciënniteit en hun vaste aanstelling, ook al hadden zij allang niet meer dezelfde passie en interesse voor hun vakgebied en voor de studenten als Don. Toen hij net zijn baan was kwijtgeraakt, zat hij elke dag zeer gedreven een paar uur achter de computer om nieuwe vacatures te zoeken. Ook probeerde hij zijn tijd te vullen met het bijhouden van alle publicaties binnen zijn vakgebied, en met het schrijven van enkele wetenschappelijke artikelen. Maar naarmate de maanden verstreken, leek de kans op het vinden van een nieuwe baan in de academische wereld steeds kleiner te worden en begon hij steeds meer tijd door te brengen met tv kijken of doelloos door het huis dwalen. Als Nelson rook dat er een bierflesje werd geopend, was hij op zijn hoede. Soms volgde er later die dag een woordenwisseling. Hij begreep niet waar Katey en Don het dan over hadden; hij begreep niet dat Dons heimelijke gevoel van mislukking toenam naarmate het steeds beter ging met Kateys carrière. Maar de hond merkte wel dat de irritatie en spanning in hun stem toenamen. Soms ging het verder dan alleen praten. Dan begon Don tegen Katey te schreeuwen, en heel af en toe schreeuwde ze terug. Hier voelde Nelson zich erg ongemakkelijk bij. Dan kroop hij weg in een hoekje en keek behoedzaam toe, terwijl hij de spanning in de lucht rook.

Af en toe probeerde hij Don op te beuren door hem te likken of met hem te spelen in de tuin. Soms ging Don erop in en was Nelson blij een glimlach op zijn gezicht te zien en te ruiken dat zijn negativiteit afnam. Maar op andere momenten stuurde Don Nelson slechts op norse toon weg. Katey had ook troost nodig, en dat bood Nelson haar in overvloed. Hun tijd met zijn tweetjes wanneer ze haar dagelijkse piano-oefeningen deed was niet meer zoals vroeger. Vaak genoeg werden ze onderbroken door Don die de kamer binnenkwam, en dan volgde er een negatief gesprek over het een of ander. Als hij weer wegging, ging ze verder met oefenen, maar Nelson kon ruiken dat ze elders was met haar gedachten, en niet bij de muziek. Af en toe sloeg ze zelfs haar dagelijkse ritueel om 'Here Comes the Sun' voor Nelson te zingen over. Dan keek de hond haar met treurige ogen aan, zich ervan bewust dat er iets was veranderd.

Als Don en Katey nu meer dan twee keer per week met elkaar vreeën, dan was het veel. Hun vrijpartijen werden niet langer gekenmerkt door de explosie van geuren die Nelson hiervoor had geroken. Ze vreeën in stilte en waren snel klaar. Voorheen vielen ze altijd kort na afloop in slaap. Maar tegenwoordig merkte Nelson dat ze soms beiden lang wakker lagen voor ze de slaap konden vatten. Hij wachtte altijd tot ze allebei onder zeil waren voor hij zelf ging slapen. Hij wilde er zeker van zijn dat ze allebei in orde waren.

Katey moedigde Don meerdere malen aan om Nelson uit te laten, met het idee dat dit wellicht zijn hoofd leeg zou maken, wat zij ook altijd ervoer als ze met Nelson ging wandelen. Maar waar Katey Nelson liet stoppen om te snuffelen aan de bomen en andere honden die ze tegenkwamen, leek Don altijd zo snel mogelijk weer naar huis te willen. Hij hield Nelson strak aan de riem.

Voor het eerst sinds lange tijd voelde Nelson zich een beetje bang toen Katey Don op een ochtend gedag kuste met een grote koffer in haar hand. Als ze die koffer bij zich had, wist hij dat ze een flink aantal dagen weg zou blijven. Tot nu toe was ze altijd weer teruggekeerd, maar ook al wist hij dit, toch was hij bang dat ze op een dag misschien niet meer terug zou komen. Maar dat was niet wat Nelson bezighield. Het was de vreemde geur die hij bij Don rook. Het was iets wat hij nog niet eerder had geroken, en dat gaf hem een verward en bezorgd gevoel.

Die avond, kort na het eten van een pizza voor de televisie, stapte Don onder de douche en deed wat cologne op. Nelson was gewend die cologne alleen in de ochtend te ruiken. Even later ging de deurbel. Nelson rende zoals altijd blaffend naar de deur, erop gericht zijn gezin te beschermen tegen indringers. Hij was eerder bij de deur dan Don, en hij kwispelde met zijn staart toen Don aankwam om te laten zien hoe goed hij zijn taak vervulde.

Don deed de deur open, en er stond een vrouw op de stoep. Ze was ongeveer van dezelfde leeftijd als Katey, eind twintig. Nelson rook direct haar parfum en de penetrante geur van haar nagellak. Zijn hart bonsde wild. Wie was deze vrouw? Waar was Katey? Dus begon hij luid te blaffen. De vrouw lachte, en Don lachte nerveus mee. Hij bukte zich en probeerde het hondje te aaien, maar dit deed Nelson alleen maar harder blaffen. Toen de vrouw dichterbij kwam en haar onbekende geur zich vermengde met de lucht in huis, die altijd helemaal was doordrongen van Kateys geur, voelde Nelson diep vanbinnen dat er iets mis was. Hij begon haast bezeten te blaffen.

Don schreeuwde tegen de hond dat hij moest ophouden. Nelson luisterde niet, omdat hij zo sterk het gevoel had dat er iets mis was, maar uiteindelijk gaf hij toch toe toen Don dichterbij kwam en hem met een licht dreigende blik aankeek. Don pakte hem op en zette hem in het washok, waarna hij de deur weer achter zich dichttrok. Nelson wachtte de hele avond bezorgd bij de deur. In de verte hoorde hij Don en de vrouw giechelen en lachen. Hij begon weer te blaffen toen ze in de keuken kwamen, en Nelson hoorde dat er een fles wijn werd geopend. Hierna hoorde hij hen naar boven gaan.

Dit was de eerste keer dat Nelson alleen in het washok sliep, en hij vond het vreselijk. Het was koud, zelfs in de mand met kussens die Katey voor hem had neergezet om op te liggen wanneer ze de was deed. Toen Don de volgende ochtend binnenkwam om Nelson eruit te laten, vond hij een hondendrol keurig in het midden van de kamer. Hij berispte de rillende Nelson, maar toen de hond hem wantrouwig aankeek, had Don het lef niet nog meer te zeggen.

De volgende avond leek alles weer normaal te zijn. Nelson mocht mee naar boven en Don liet hem bij zich op bed slapen. Normaal gesproken zou dit hem erg blij hebben gemaakt, maar Nelson kon amper slapen. De vrouw van de avond ervoor had haar geur over heel het bed verspreid. Het rook sterk, met penetrante ondertonen die Kateys warme en geruststellende geur grotendeels verdreven. Nelson rook ook de laatste sporen van de geur die Don altijd afgaf wanneer hij gepassioneerd de liefde bedreef met Katey. Dit nieuwe, akelige geurlandschap in de slaapkamer baarde de hond zorgen. Hij was gewend dat dingen op een bepaalde manier verliepen, en hij wilde niet dat dit zou veranderen.

De vrouw kwam meerdere malen naar het huis terwijl Katey weg was. Toen Nelson haar eenmaal herkende, met haar sproeten en haar korte haar, blafte hij niet meer zoveel naar haar. Don liet hem nu boven in de slaapkamer slapen, wellicht uit schuldgevoel omdat Nelson het zo koud had gehad in het washok, maar hij sloot Nelson wel op in zijn bench. Daar lag Nelson te koken van woede terwijl Don en de roodharige vrouw urenlang vreeën. De geuren ontstemden hem. Hij wilde dat Katey terug naar huis kwam.

Toen ze na een week eindelijk weer terugkeerde, had ze het idee dat

Nelson wat terughoudend was, alsof hij een beetje gedeprimeerd was. Ze kreeg een warm onthaal zoals altijd, en hij volgde haar de rest van de dag overal naartoe, maar hij leek lusteloos en aanhankelijk. Katey vroeg Don of hij dacht dat er iets mis was met Nelson, maar hij mompelde slechts wat.

De vrijpartij van Katey en Don die avond was mat. Na afloop hadden ze een gesprek. Nelson kon de spanning in de lucht ruiken. In de twee weken daarop werd alles weer zo goed als normaal, en al snel had Nelson zijn vrolijke houding weer terug. De gebeurtenissen met de vrouw waren rap vergeten. Een enkele keer meende Nelson haar geur bij Don te kunnen ruiken wanneer hij terugkwam na een paar uur van huis te zijn geweest. Maar het belangrijkste was dat Katey weer thuis was.

Don en Katey hadden niet vaak ruzie, maar ze praatten ook niet veel. Ze hielden zich trouw aan hun dagelijkse routine. Katey oefende met de dag langer op haar piano. Wanneer Nelson onder de Steinway lag, kon hij een zekere ongerustheid in de lucht bespeuren terwijl ze speelde. Nelson wilde dat hij die kon wegnemen, dus overlaadde hij haar met alle liefde die hij in zich had. Naarmate zijn liefde voor Katey toenam, werd Don in het hoofd van de kleine hond langzaam iemand die werd getolereerd, maar niet volledig werd gerespecteerd als lid van het gezin. Hij toonde hem geen enkele genegenheid, en hij probeerde hem vooral zo veel mogelijk te vermijden. Langzaam sloop er een zekere kilte in de relatie tussen Katey en Don, en Katey bracht steeds meer tijd door met Nelson. Soms ging ze 's avonds met Nelson in de tuin zitten, wel een paar uur lang. Dan snoven ze samen aan de tuberozen, maar Nelson kon merken dat ze haar hoofd er niet bij had. Ze zat stilletjes op een ligstoel, opkijkend naar de sterren terwijl ze over Nelsons kop aaide. Nelson hoorde Don binnen naar sport kijken op tv.

Sneller dan verwacht pakte Katey wederom haar spullen om op tournee te gaan. Nelson stond treurig bij de voordeur terwijl zij en Don elkaar omhelsden ten afscheid, beiden met weinig enthousiasme. Ze knuffelde Nelson gedag, maar toen ze was vertrokken, voelde Nelson zich diepbedroefd. Die middag bracht Don een behoorlijk aantal uren met de hond door, spelend in de tuin. Dit was ongewoon, maar Nelson ging erin mee. Hopelijk betekende dit dat alles nu beter zou worden. Don gooide met een bal en stoeide met Nelson in het gras. De zon was warm, en Nelson werd overweldigd door een gevoel van speels plezier. Die avond lag Nelson tevreden aan Dons voeten terwijl hij tv keek. Hij aaide en knuffelde het dier, en hoewel Nelson Katey miste, voelde de situatie tussen hem en Don beter.

Later die avond ging de deurbel. Nelson sprong overeind en rende blaffend naar de deur. Hij merkte dat Don maar langzaam achter hem aan kwam. Nelson kon de andere vrouw onder de deur door ruiken. Hij blafte uit alle macht. Don aarzelde even bij de voordeur. Toen deed hij hem een klein stukje open, waarna hij Nelson oppakte en in zijn armen hield. Hij zei dat hij moest stoppen met blaffen, en de hond gehoorzaamde met tegenzin. Toen de deur openging, dreef de doordringende stank van het parfum van de vrouw het huis binnen.

Don hield de deur slechts op een kier, met de ketting er nog op, en hij en de vrouw praatten een tijdje. Een paar keer merkte Nelson dat ze in de richting van de deuropening stapte alsof ze binnen wilde komen. Maar Don stond dat niet toe. Af en toe raakte het gesprek aardig verhit, maar het eindigde op kalmere toon. Don deed de deur dicht, en zij vertrok.

Don leek afgeleid toen ze weer op hun plek voor de televisie gingen zitten. Nelson probeerde hem op te beuren door over zijn gezicht te likken, maar Don duwde hem weg. Don keek naar een sportwedstrijd, maar ging er niet zo in op als anders. Hij zat daar maar zwijgzaam, terwijl hij af en toe een zucht slaakte en van zijn biertje dronk. Langzaam viel Nelson in slaap. Hij droomde dat hij in de tuin was, en dat de bloemen allemaal naar het parfum van de vrouw stonken. Toen Nelson een paar uur later wakker werd, was Don aan de telefoon. Hij sprak op gedempte toon. De geur van verlangen hing in de lucht.

Die nacht sliep Nelson weer in het washok. Af en toe hoorde hij de gedempte geluiden van Don en de vrouw die de liefde bedreven in de slaapkamer boven. Hij krabbelde aan de deur, in een wanhopige poging bij de slaapkamer te komen om hen tegen te houden. Katey moest beschermd worden. Maar de deur zat stevig op slot.

De volgende ochtend blafte Nelson naar Don toen hij binnenkwam. Don draaide zich om naar de keuken en kwam terug met een bot. Toen Nelson bleef blaffen, riep Don naar hem dat hij moest ophouden. De hond gehoorzaamde alleen maar omdat hij woede van Don voelde afkomen, en dat maakte hem bang.

Nelson was opgelucht toen Katey later die dag terugkwam. Hij wist nu dat ze beschermd moest worden tegen Don. Hij bleef dicht bij haar en blafte af en toe als Don in de buurt kwam. Don grinnikte nerveus, maar Katey was verbaasd. Ze bracht een uur alleen met Nelson in de tuin door, met hem spelend en aaiend over zijn kop terwijl ze probeerde te achterhalen wat er met hem aan de hand was. Ze vreesde dat haar veelvuldige tripjes wellicht hun weerslag hadden op de hond. Ze overwoog hem met zich mee te nemen, maar gezien de strakke tourschema's was dat niet erg praktisch. Ze wilde dat ze Nelson gewoon kon vragen wat er aan de hand was, maar wanneer ze dat probeerde, keek hij haar uiteraard slechts vragend aan.

Die avond ging Katey eerder naar boven dan Don. Hij wilde een laat programma op tv kijken, en zij maakte daar geen bezwaar tegen. Ze was toch te moe van haar reis. Ze haalde Nelson naar binnen en nam hem mee naar de slaapkamer. Ze zette hem op het bed neer en liep naar de spiegel om haar haar te borstelen, wat haar altijd ontspande voor het slapengaan.

Nelson sprong op en neer op het bed. Hij kon de andere vrouw overal ruiken. Het was net of ze op dat moment in de kamer was. Nelson snoof diep, ook al haatte hij de geur. Hij wilde dit tot op de bodem uitzoeken. Ze was daar ergens tussen de onopgemaakte lakens en dekens. Hij begroef zijn neus erin en kwam steeds dichter bij de bron van de doordringende geur.

Ineens hoorde Katey Nelson luid blaffen. Ze riep naar hem dat hij moest ophouden, maar hij luisterde niet. Hij blafte wild, en ze rende naar het bed, vrezend voor een indringer of iets dergelijks. Daar stond hij midden tussen de lakens en dekens te blaffen. Ze kroop op het bed om hem te kalmeren, en toen zag ze een zilverkleurige damesslip die niet van haar was.

8

Nelson kon Kateys heftige emoties nog wekenlang ruiken. Hij begreep niet precies waarom ze zich zo voelde. Hij snapte niet hoe het voelde om je huwelijk als een kaartenhuis in elkaar te zien storten. Hij kende die typisch menselijke emotie van zich bedrogen voelen niet. Maar hij begreep wel heel goed dat deze gevoelens pijnlijk en verschrikkelijk waren en dat zijn Grote Liefde diep was gekwetst. Dus de jonge hond deed alles wat hij kon om haar op te beuren en haar eraan te herinneren dat de wereld nog steeds een fijne plek kon zijn. Katey ging urenlang met Nelson in het gras liggen wanneer de zon scheen. Ze wilde niet spelen, maar Nelson haalde haar over en sprong boven op haar. Als ze huilde, likte hij haar tranen weg. Als ze vreemde nachtmerries had waarin Don en haar vader samensmolten, was Nelson er voor haar wanneer Katey wakker schrok, vol verscheurde emoties. Dan kroop hij dicht tegen haar aan, en werden de schaduwen van de nacht om haar heen geleidelijk verdreven.

Er waren een aantal heftige aanvaringen tussen Katey en Don. Na de ontdekking van het ondergoed van de andere vrouw in hun bed, was Katey eerst een halfuur lang diep in gedachten verzonken geweest, waarna ze bedeesd haar man ermee had geconfronteerd. Hij begon meteen te snikken, wat Katey ertoe aanspoorde om tegen hem tekeer te gaan zoals Nelson nog nooit had meegemaakt. De hond was niet bang. Haar woede was puur op haar echtgenoot gericht, en hij wist dat ze hen allebei nooit lichamelijk pijn zou doen.

Don vertrok niet uit hun huis. Wekenlang sliep hij op de bank in de woonkamer. Vaak probeerde Don op zachte toon met Katey te praten, soms huilend, maar ze vond het moeilijk om hem dichtbij te laten komen. Soms was hij ook boos.

Na een week of wat begon Don alle huishoudelijke taken over te nemen. Hij maakte het huis schoon en kookte, zonder veel te zeggen tegen Katey, maar hij deed wel continu kleine dingen voor haar. Ze negeerde hem, maar Nelson merkte dat haar woede langzaam afnam. Geleidelijk aan vervloog de geur van de andere vrouw in het huis, en Nelson voelde hoe ze langzaamaan terugkeerden naar een zekere normale routine.

Na een maand kwam Don weer bij hen boven slapen. Hij en Katey raakten elkaar niet aan en spraken niet met elkaar. Ze lag met haar rug naar hem toe. Nelson kon ruiken dat ze allebei wakker lagen. Het was tenminste stil.

Katey ging dagelijks met Nelson wandelen. Daar namen ze alle tijd voor. Vaak liet Katey hem zo lang bij een bepaalde boom of een bloembed snuffelen als hij maar wilde. Met grote interesse snoof hij de geur van andere honden op. Zijn verlangen om de hele wereld te ruiken en te doorgronden werd alleen maar groter, en hij liep continu aan zijn riem te trekken. Soms nam Katey hem mee naar een stadspark waar ze hem los liet lopen op de uitgestrekte groene grasvelden. Als hij te ver bij haar vandaan ging riep ze hem, en dan kwam hij teruggerend en sprong tegen haar op. Na deze wandelingen keerde hij altijd moe maar opgewekt huiswaarts. Zijn blijdschap werd alleen getemperd door Kateys stille verdriet.

Op een avond strekte Don zijn hand uit en begon Kateys rug te strelen met zijn vinger. Nelson gromde naar hem, maar Katey trok de hond tegen zich aan om hem te kalmeren. Ze reageerde niet op Don maar liet hem wel doorgaan. Dit deed hij een uur lang, en hij stopte pas toen hij Katey zwaar hoorde ademen en zachtjes hoorde snurken. Die nacht sliep Nelson vredig.

In de nachten daarop begonnen Katey en Don weer met elkaar te vrijen. Ze waren erg stil en bewogen niet veel. Nelson rook wel enig genot, maar het was een heel verschil met het stel dat een paar jaar eerder was teruggekeerd van hun huwelijksreis in Italië.

Op een zomerochtend in juli was Nelson buiten in de tuin toen hij binnen een fikse ruzie hoorde uitbreken. Katey en Don schreeuwden tegen elkaar. Nelson luisterde stilletjes. De stank van hevige woede dreef door het keukenraam naar buiten. Dat was het enige wat Nelson ervan meekreeg, niet de inhoud van hun discussie, namelijk dat Don vond dat Katey niet genoeg met hem meeleefde toen een van zijn sollicitaties, waarbij hij wel kans leek te maken, wederom op het laatste moment op niets uitliep. Die avond was Nelson opgelucht toen hij zag dat ze elkaar omhelsden nadat Katey haar koffer had gepakt en de voordeur uit liep naar de taxi die op haar stond te wachten.

Er waren geen verdere bijzonderheden die avond. Don viel in slaap voor de tv. Nelson lag aan zijn voeten. De volgende ochtend was Don in een slechte bui. Nelson keek toe terwijl hij zich douchte, schoor en aankleedde. Hij wist het niet zeker, maar het leek alsof Don meer cologne opdeed dan normaal. Nelson blafte naar hem. Don draaide zich om en ging tekeer tegen het kleine dier. Hij zette hem buiten in de tuin, waar Nelson zachtjes jankte. Een paar minuten later bracht Don een klein bakje met eten voor de hond naar buiten en zette het neer terwijl hij hem dreigend aankeek.

Een uur later kwam Don de tuin weer in. Hij liep met een verwaande en ietwat geprikkelde tred en Nelson kon merken dat er iets mis was. Hij blafte naar Don, luid en zonder zich in te houden. Hij negeerde het bot dat Don naar hem toe gooide en bleef blaffen. Don vloekte en tierde tegen de hond, maar Nelson voelde zich aangespoord door iets diep vanbinnen, en hij bleef luid blaffen.

Don liep gelaten weg en smeet het hek achter zich dicht. Hij rende naar zijn auto en zette de radio op vol volume. Toen reed hij weg naar zijn vriendin.

Er zat een ingewikkelde klink op het tuinhek. Als je hem behoedzaam dichtdeed, werd het hek afgesloten door een kleine metalen grendel. Maar toen Don hem die dag dichtsmeet, sloot het hek niet helemaal goed. Het leek op slot, maar de grendel zat niet goed dicht, en het hek stond een paar centimeter open. Normaal gesproken zouden hij en Katey het hek nog een keer extra controleren voor ze weggingen, maar die dag deed hij dat niet. Een paar uur later duwde een zacht briesje het hek nog een centimeter of dertig verder open.

Nelson lag bedeesd in de tuin nadat Don was vertrokken. Hij maakte zich grote zorgen om Katey. Hij wilde dat ze thuiskwam. In de loop van de dag begon hij wat door de tuin te snuffelen, zoals hij altijd deed. Gedurende de dag liep hij regelmatig naar de voorzijde van het huis om te kijken of er iemand aankwam. Rond het middaguur patrouilleerde hij om te kijken of de postbode in de buurt was. Vandaag had zijn wandeling naar de voorzijde van het huis een duidelijk doel: was Katey in de buurt? Kwam ze naar huis?

Aanvankelijk was de jonge hond verward toen hij het hek open zag staan. Gewoonlijk ging het hek alleen open als Katey met hem ging wandelen. Een paar minuten lang stond hij uitvoerig te snuffelen. Hij rook het bekende geurlandschap van hun huis, en van Katey en Don. Maar het briesje bracht flauwe geuren mee van stroomopwaarts langs de rivier die door Albany kronkelde. Nelson had deze geuren nu al een jaar lang geroken. Met grote ogen keek hij door het openstaande hek, en voor één beslissend moment nam de hevige nieuwsgierigheid van de jonge hond het over. Even waren Katey en Don en zijn leven hier in hun huis in Albany totaal vergeten. Hij wilde weten wat hij in de verte rook. Hij wilde alles ruiken in de wereld die zich daarbuiten bevond. Die drang was sterk en overweldigend, op dat moment net zo sterk en overweldigend als zijn gevoelens voor zijn Grote Liefde. Nelson liep door het open hek en begon rond te dwalen.

9

De kleine hond rende over het midden van de hoofdweg. Aan weerskanten van hem scheurden auto's met hoge snelheid voorbij, hun claxons galmend in zijn oren. Hij hijgde en zijn hart ging tekeer. Op de stoep stonden kinderen van de middelbare school uit de buurt naar hem te lachen. Een aantal volwassenen riep naar hem wanneer er een gat tussen het verkeer was, maar hij luisterde alleen naar Katey. Hij haalde diep adem om de koude middaglucht op te snuiven, speurend naar haar geur. Ze was nergens te bekennen.

Nelsons middag was vrolijk van start gegaan toen hij het huis van Katey en Don had verlaten en vrij had rondgezworven door de straten waar hij daarvoor alleen aan de riem had gelopen. Het was een vreemd gevoel. Als hij zin had om een geurspoor uitgebreider te verkennen, of als een verleidelijke geur hem in een onverwachte richting leidde, hoefde hij niet zoals gewoonlijk aan zijn riem te trekken, waarbij zijn verlangen soms werd bevredigd en soms werd genegeerd. De kleine hond was door het dolle heen. Hij verslond het geurlandschap, alles markerend met zijn eigen geur, en voor het eerst was hij compleet vrij om zijn neus te volgen. Hij dacht niet eens aan Katey in het eerste uur dat hij van huis was.

De geuren van de buitenwereld trokken hem in alle richtingen, en hij was zich er niet van bewust dat hij langzaam steeds verder verwijderd raakte van de rustige, lommerrijke buitenwijk waar hij woonde. De tuinen werden wat kleiner, de huizen wat meer vervallen, en de luchtvervuiling nam langzaam toe. Katey had hem nooit ergens anders uitgelaten dan in een rustige straat in de buitenwijk. De hoofdweg die naar het hart van de stad liep had vier banen, en de auto's zoefden voorbij met snelheden die Nelson niet gewend was van de met verkeersdrempels bezaaide straten van de buitenwijk. Maar hij werd aangetrokken door geuren aan de andere kant van de hoofdweg. Hij moest weten waar deze van waren. Hij rook honden en mensen en planten. Hij werd aangetrokken door verhalen waarvan hij niet eens had durven dromen. Hij was bang voor de auto's, maar hij zou de grote weg snel oversteken wanneer er geen auto's in de buurt waren, en dan zou hij de andere kant bereiken, waar zijn neus zich te goed kon doen. Dat was tenminste de bedoeling. Nelson wist niet helemaal hoe het was gebeurd dat hij midden op de hoofdweg vast was komen te zitten terwijl hij de auto's van beide kanten ontweek. De geuren die hem hadden aangetrokken waren nu zwak. Hij rook slechts de uitlaatgassen van honderden auto's. De stank was weerzinwekkend en het lawaai was oorverdovend.

Even nam het verkeer af. Nelson zat als bevroren midden op de weg, wild hijgend. Voor hij tijd had om te reageren werd hij beetgepakt en opgetild door een stinkende man met een lange baard die met hem naar de stoep rende. De man ging zitten met Nelson in zijn armen en hield hem dicht tegen zich aan op een manier die Nelson niet prettig vond. Hij keek de hond recht in de ogen en sprak tegen hem op geïrriteerde toon. Zijn lange haar stonk, zijn kleren waren ongewassen en zijn lichaamsgeur deed denken aan het bier dat Don 's avonds voor de televisie dronk, maar dan sterker. Nelson begon te spartelen, maar de man hield hem nog steviger vast. Vlak naast hen lag een berg rommel die Nelson naar vuilnis vond stinken. De man stak zijn hand erin en vond een smerig kippenbot waar de vliegen omheen zoemden, en hij duwde het in Nelsons gezicht. De hond draaide zijn kop weg. De man duwde het in zijn mond. De hond blafte en de man begon te schreeuwen. Drie kinderen die vlakbij liepen riepen naar de man. Hij schreeuwde terug. Terwijl ze ruzieden, verslapte zijn greep op Nelson even, en Nelson worstelde zich vrij en wist zijn kop los te trekken uit de leren halsband met sierspijkers die Katey een paar weken daarvoor nog voor hem had gekocht. De dakloze man had alleen nog de halsband en het glimmende naamplaatje in zijn hand. Hij verkocht de halsband de volgende dag voor een dollar.

Nelson rende voor zijn leven. In de tegenovergestelde richting lonkte een groene, voorstedelijke weg zoals hij die zo goed kende. Hij rende ernaartoe. Toen de stank van de dakloze man helemaal was verdwenen, rolde Nelson zich op onder een schaduwrijke boom en sloot hijgend zijn ogen. Waar was Katey?

Toen hij een uur later wakker werd, ving hij sporen op van bekende geuren. Hij was dicht bij huis. Dat wist hij zeker. Hij rook de geur van andere honden die hij eerder in het gras had geroken. Het gras was vergelijkbaar met dat van de straat waaraan zijn huis lag. Zijn neus speurde de lucht af en sloot zich af voor alle aanlokkelijke geuren die hem slechts een paar uur geleden nog door het tuinhek naar buiten hadden gelokt.

De kleine hond liep langzaam door de straat in de richting die hem volgens de geuren naar huis zou leiden. Maar het was een winderige dag. De geuren in de lucht veranderden continu. Ze waren onbetrouwbaar, maar Nelson zag geen enkel visueel aanknopingspunt dat hem naar huis zou kunnen leiden. Urenlang zwierf hij zo rond. Soms probeerden mensen op straat naar hem toe te lopen. Sommigen leken vriendelijk, maar hij kon hen niet meer vertrouwen na die stinkende man. Als ze te dichtbij kwamen rende hij grommend weg.

Nelson begon moe te worden en hij begon honger te krijgen. Het was bijna tijd voor zijn dagelijkse avondeten. Het was zo'n acht uur geleden dat Don hem zijn ontbijt had gegeven. Zijn maag was leeg en begon te protesteren. Zijn mond was droog en hij hijgde onbedaarlijk. De moed zonk hem in de schoenen toen hij zich realiseerde dat hij door dezelfde straat liep als een uur geleden. Toch leken de geuren bekend. Hij moest dicht bij huis zijn.

Hij had Katey niet één keer geroken die middag. Dat was de geur waar hij het meest naar verlangde. Zijn neus filterde de complexe mengeling van geuren in elke ademtocht, en het was haar rijke geur waar hij met heel zijn hart naar zocht. Maar deze was nergens te bekennen. De zon ging onder, de wind ritselde beangstigend door de bomen om hem heen, en het begon te schemeren.

Toen, na uren zoeken, hoorde hij vanuit het niets haar stem. Eerst klonk die in de verte. Ze riep hem. Aanvankelijk was de stem zo ver weg dat hij dacht dat hij het zich slechts verbeeldde. Maar toen werd hij langzaam luider. Het was Katey. Onmiskenbaar. Zelfs van een afstand kon hij de wanhoop in haar stem horen. Hij wilde in haar armen springen. Hij wilde haar kussen en troosten en haar laten weten dat alles in orde was.

Haar roepende stem kwam steeds dichterbij. Nelson blafte zo hard als hij kon. Hij speurde de omgeving af op zoek naar haar. Hij ademde diep in, fanatiek snuivend, in een poging haar geur op te sporen. Hij was ervan overtuigd dat ze in de buurt was. Met alle kracht die hij nog in zich had, sprintte Nelson in de richting waaruit hij haar stem dacht te horen. Kateys geroep werd luider en luider. Nelson blafte weer uit alle macht.

Toen viel er een korte stilte. Nelson bleef staan, met bonzend hart. Ze moest in de buurt zijn. Hij zou haar nu vast elk moment zien, en dan zou hij naar huis gaan en zijn avondeten krijgen. Vlak daarna begon haar stem weer te roepen. Het klonk zo dichtbij, zo dichtbij. Even vulde zijn neus zich met haar geur. Hij ademde diep in, exploderend van blijdschap. Hij rende door een steeg in de richting van de geur, zo snel als hij kon.

Maar op onverklaarbare wijze begon haar stem langzaam weer te verdwijnen. Binnen een paar seconden stierven de klanken weg in de avondlucht. Haar geur was weg, evenals het geluid van haar auto in de verte, wegrijdend in de nacht.

Nu raakte de kleine hond in paniek. Hij blafte en blafte. Er stapte een vrouw naar buiten uit een nabijgelegen huis, die tegen hem begon te schreeuwen om hem weg te jagen. Met zijn staart tussen zijn benen rende de jonge hond weg.

De nacht viel en Nelson ging hijgend onder een grote boom zitten. Door de kille wind raakte hij verkleumd tot op het bot, en voor het eerst voelde hij hoe het was om verdwaald te zijn.

10

Toen Katey die middag was thuisgekomen en het hek open zag staan, was ze in paniek geraakt. Ze was de tuin in gerend, in de hoop dat Nelson er nog was. Maar hij was nergens te bekennen. Ze had Don gebeld, maar ze kreeg zijn voicemail. Boos liet ze een bericht achter. Ze begon door hun buurt te rennen op zoek naar Nelson, en ze riep hem in de hoop dat ze hem naar zich toe zou zien rennen zoals hij altijd deed, wild kwispelend met zijn staart. Ze had een paar buren gevraagd of ze de hond hadden gezien, maar ze antwoordden allen van niet. Het was een vreselijk en leeg gevoel om niet te weten waar Nelson was. Maar ze zou hem vast vinden. Het gebeurde zo vaak dat mensen hun zoekgeraakte hond weer terugvonden. Ze wist al dat het Don moest zijn geweest die het hek achteloos had opengelaten, maar ze onderdrukte de golf van woede die ze in zich op voelde komen. Ze wist dat het haar niet zou helpen Nelson terug te vinden.

Na een uur keerde ze terug naar huis en keek nog eens in de tuin, maar Nelson was er nog steeds niet. Ze rende naar haar auto en probeerde haar zoekgebied systematisch uit te breiden vanaf hun buurt. Eén keer werd ze gebeld door een nummer dat ze niet kende, en ze hoopte dat het een buur was die belde om te zeggen dat Nelson veilig en wel was. Maar het was verkeerd verbonden. Ze was zich er ook vaag van bewust dat Don haar nog steeds niet had teruggebeld.

Er gingen uren voorbij. De zon ging onder en in de vroege avond stak er een koude wind op. Katey had geen trui meegenomen, en ze rilde van de kou. Maar ze merkte het niet eens. Ze bleef naar Nelson roepen, terwijl ze telkens een paar keer dezelfde straat door reed om hem te zoeken voordat ze verder ging naar de volgende straat.

Eindelijk, even na negenen, hoorde ze een bekend geblaf door de avondlucht schallen, dan weer toenemend en dan weer afnemend in volume. Ze was ervan overtuigd dat het Nelson was. Dat was het geblaf waarmee hij haar verwelkomde wanneer ze thuiskwam van haar concerttournees. Ze stopte de auto even en riep naar hem terwijl ze probeerde te bepalen waar het geblaf vandaan kwam. Hij moest in de buurt zijn. Ze probeerde kalm te blijven en speurde de donkere straten in de buurt af terwijl ze de auto zachtjes liet voortrollen, hopend dat Nelson uit een van de steegjes of tuinen tevoorschijn zou komen. Ze kon hem keer op keer horen blaffen, ergens vlakbij, alsof hij wist dat ze in de buurt was.

Maar zowel geur als geluid werden op misleidende wijze meegevoerd op de harde wind. Zijn geblaf verdween langzaam uit haar gehoor, net zoals Kateys geroep langzaam uit Nelsons gehoor verdween. Ze bleef nog uren verder zoeken en reed trouw keer op keer dezelfde straten door, speurend naar hem. Maar na een tijdje viel Nelson in slaap onder een grote boom in de bosjes, en hij hoorde haar geroep niet langer. Uiteindelijk reed Katey om vier uur 's nachts terug naar huis. Het huis was in duisternis gehuld, en er was geen spoor van haar echtgenoot te bekennen. Dat feit schoof ze voor zich uit als iets om zich later druk om te maken, wanneer ze Nelson had gevonden.

Toen ze uitgeput op de bank in haar woonkamer neerplofte, vroeg ze zich af of de hond ook maar iets had gegeten of gedronken. Als hij buiten was, moest hij het ijskoud hebben. Lange tijd vroeg ze zich af of hij soms was overreden door een auto. Morgenvroeg zou ze meteen weer naar Nelson gaan zoeken.

Deel 2

Zwerftocht

11

Nelson sliep onrustig. Een paar keer werd hij bibberend wakker, maar zelfs de koude nacht kon hem er niet van weerhouden snel weer in slaap te vallen. De gebeurtenissen van die dag hadden het kleine dier uitgeput. Hij had urenlang gelopen en gerend, en hij was door honderden nieuwe prikkels bestookt.

Hij droomde over zijn Grote Liefde. Hij lag bij haar op bed. Hij lag onder haar piano. Hij speelde met haar in de tuin, waar de bloemen worstjes waren en het gras van strengen kaas was. Vlak voordat hij de volgende ochtend wakker schrok, droomde hij over Don. Hij was helemaal omgeven door de stank van zijn minnares en hij beet Katey overal. Nelson kon haar bloed ruiken. Hij sprong tegen Don op en probeerde hem tegen te houden. De droom was gewelddadig en doordringend. Nelson ontwaakte met bonzend hart.

Nelson snoof de geur van de buitenwijk op. Hij kon nog steeds wat van de vertrouwde geuren van thuis ruiken, maar het meeste was nieuw en vreemd voor hem. Overal om hem heen rook hij onbekende honden en mensen en eekhoorns. Katey was nergens te bespeuren. De kleine hond bleef een paar minuten op zijn plek zitten. Hij jankte, maar er kwam niemand. In de verte blafte een grote hond. Nelson hield zich gedeisd.

Toen werd hij overvallen door honger. Die welde in hem op als nooit tevoren in zijn jonge leven. Hij had al een dag niet gegeten, langer dan hij ooit zonder voedsel had gezeten, en toen de honger eenmaal kwam opzetten, was het gevoel intens en allesoverheersend. Hij was ontwaakt met het overweldigende verlangen om Katey te vinden, maar dat gevoel werd al snel verdreven door een veel dringendere behoefte. Hij moest iets eten.

Nelson speurde de lucht af. Normaal gesproken werden geuren geanalyseerd en gecategoriseerd door zijn brein op basis van vele verschillende factoren, gedreven door zijn nieuwsgierigheid. Vandaag was zijn sterke reukvermogen puur gericht op het vinden van voedsel. Hij snoof en snoof in een poging een geur te vinden die hem zou leiden naar iets wat zijn honger zou kunnen stillen.

Nelson had in zijn jonge leventje regelmatig speels op vogels en eekhoorns gejaagd. Hij wist niet dat deze speelse drang in feite het gedrag was van opgroeiende wolven, die door hun ouders werden onderwezen in de kunst van het doden voor voedsel. Nelson had nog nooit een vogel of een eekhoorn gevangen, en hij had ze nooit echt als voedsel gezien. Toen hij die ochtend de lucht afspeurde naar iets te eten, hopte er een kleine zingende zwaluw rond op de grond vlakbij. Zonder nadenken viel Nelson de vogel aan. Maar niemand had hem vroeger geholpen toen hij speels oefende met jagen, hij was niet onderwezen door een oudere wolf, dus hij wist niet precies wat hij moest doen om een kleiner dier succesvol te doden. De vogel ontsnapte en steeg op in de lucht. Nelson zag hem wegvliegen. Zijn geur leek op die van de vele andere vogels die hij in zijn leven had geroken, maar dit was de eerste keer dat hij deze geur interpreteerde als mogelijk voedsel. Dat was een vreemde gewaarwording voor de hond.

Er kwamen vergelijkbare vreemde gevoelens in Nelson op toen hij een stel sjansende eekhoorns over de met gras begroeide stoep zag rondrennen. Met zijn voorpoten stevig op de grond geplant en zijn achterste in de lucht geheven keek Nelson toe terwijl de twee eekhoorns elkaar het hof maakten. Toen ze even stil zaten om elkaar te wassen, sprong Nelson stuntelig naar voren in een poging hen op de grond te duwen. De ene rende meteen weg. Het lukte Nelson met zijn poot op de andere te landen, maar die worstelde zich binnen een paar seconden los. De beide eekhoorns verdwenen in een boom, waar ze hun geflirt voortzetten. En dus kon Nelson niet proeven van het rauwe vlees dat hem nu voor het eerst van zijn leven deed watertanden. Als Nelson zijn hele leven bij mensen in huis zou hebben gewoond, zou hij levende dieren nooit als voedsel hebben gezien, en zou hij er geen enkel probleem mee hebben gehad om voor altijd onvolwassen te blijven wat zijn jachtvaardigheden betrof, gezien het smakelijke voedsel dat zijn menselijke verzorgers hem zouden geven.

In een huis vlakbij stond een man eieren met spek klaar te maken voor zijn ontbijt. De aroma's dreven door het keukenraam naar buiten en Nelson zat heimelijk te watertanden. Hij begon te janken en hield niet op. Uiteindelijk hoorde de man, die inmiddels aan zijn ontbijt zat, de jonge hond buiten. Hij keek uit het raam, maar Nelson was bang en rende weg.

Nelson liep langzaam door onbekende straten op zoek naar eten, en af en toe vond hij een plasje water langs de weg, dat hij gulzig opdronk. Na een paar uur snakte hij zo naar eten dat hij een steegje achter een rij huizen in werd gedreven. Tot nu toe had hij de geur van vuilnis nooit met voedsel geassocieerd. Maar toen hij de geuren rook die opstegen uit de vuilnisbakken langs de weg, ontwaarde hij tussen de overheersende stank ook sporen van het eten waar hij zo dol op was, de kliekjes van Katey en Don. Hij rook de geur van rauwe eieren, en stukjes vlees, en andere restjes. Hij rende naar een van de vuilnisbakken en snoof diep. Er zat eten in. Hij kon het ruiken. Hij wist dat zijn honger nu snel zou zijn gestild, en dan kon hij weer op zoek gaan naar Katey.

Maar Nelson was een kleine hond. Hij sprong op maar kon niet bij de bovenkant van de vuilnisbak komen. Hij probeerde hem omver te gooien, maar moest het al snel opgeven. Uitgehongerd rende hij van vuilnisbak naar vuilnisbak. Uiteindelijk vond hij aan het einde van de steeg drie overvolle vuilnisbakken waar een grote zwarte vuilniszak naast stond. Nelson beet in de zak en scheurde hem aan stukken. Hij rook het ontbijt dat op hem lag te wachten. Hij rommelde tussen de lege flessen en snoeppapiertjes en ander afval, en uiteindelijk vond hij wat hij zocht. Hij at wat kip kung pao van een week oud en wat oudbakken brood, en kauwde op een stuk harde kaas. Al snel zat hij vol.

Bij een ander huis in de buurt stond een kapotte oude bank buiten voor het grof vuil. Nelson sprong op de bank en viel wederom in slaap in het warme zonlicht.

De volgende ochtend reed er langzaam een grote vuilniswagen door de steeg om de vuilnisbakken in zijn grote buik te legen. Nelson was bang voor de lawaaiige grote truck, en hij verstopte zich snel onder wat struiken voor de vuilniswagen aankwam bij de bank waarop hij de nacht had doorgebracht. Hij hoorde de vuilnismannen op de wagen vloeken toen ze zagen wat een zooitje hij ervan had gemaakt. Stukje bij beetje smeten ze het vuilnis uit de zwarte vuilniszak achter in de wagen, waarna ze de overige vuilnisbakken leegden.

Nelson rook de rottende stank van de vuilniswagen. De truck zat vol vuilnis en gaf sterke geuren af. Hij had genoten van zijn maaltijd van de vorige dag, en hij bespeurde nog veel meer maaltijden in die wagen. Even overwoog hij tevoorschijn te komen en achter in de wagen te springen, maar de vuilnismannen maakten hem een beetje bang. In het hoofd van de jonge hond werden vuilnis en voedsel nu echter synoniemen.

In de weken erna werd vuilnis de geur waar de jonge hond continu naar op zoek was. Wanneer hij net had gegeten en langzaam in een rusteloze slaap viel, dacht hij aan Katey. Dan snoof hij de lucht op, hopend op haar komst. Maar zijn verlangen naar Katey moest telkens weer plaatsmaken voor zijn zoektocht naar vuilnis. Soms kostte het hem weinig moeite iets te eten te vinden. Soms moest hij het wel een hele dag of nog langer zonder eten stellen. Soms smaakte het eten goed en waren het restjes van een maaltijd van de avond ervoor. Dan at Nelson gebraden kip of restjes hamburger, of koude pizza die hem aan Don deed denken. Maar soms bevatte een berg vuilnis bijna niets wat het eten waard was. Verscheidene keren werd Nelson vreselijk ziek van een maaltijd, vooral van kliekjes die veel te lang bij iemand in de koelkast hadden gelegen. Nelson leerde chocolade te vermijden. Twee keer had hij aan een chocoladepapiertje gelikt en een uur later overgegeven. Ook had Nelson een keer een halve tros druiven opgegeten, waarna hij vreselijk moest kokhalzen. Hij zou nooit meer een druif eten, ook al roken ze nog zo verleidelijk.

De jonge hond volgde de geur van vuilnis en legde zo dagelijks vele kilometers af. Al snel rook hij geen enkele geur meer die hem ook maar enigszins aan thuis deed denken. Thuis was weg, iets wat alleen nog in zijn dromen bestond. Hij sliep onder bomen of struiken, of soms op een vies oud kussen of kledingstuk dat buiten bij het vuilnis lag. Hij probeerde zich zo klein mogelijk te maken om warm te blijven, zichzelf oprollend tot een balletje, terwijl hij zich probeerde in te beelden dat hij tegen Kateys warme lichaam aan kroop.

Sinds zijn belevenis op de hoofdweg had Nelson geleerd auto's zo veel mogelijk te vermijden, en hij vervolgde zijn weg voornamelijk over stoepen en door achterafsteegjes en verlaten straten. Nelson was nu tien dagen van huis en bevond zich inmiddels in de achterbuurten aan de rand van Albany, waar hij vaak agressie en angst in de lucht rook. De geur van vuilniswagens bleef constant en werd steeds sterker. Langzaam werd hij zich ervan bewust dat hij steeds dichter bij een plek kwam waar gigantische bergen afval lagen, vuilnis zover als het oog reikte, een plek met eindeloos veel voedsel. Hier werd Nelson naartoe gedreven. De kleine hond met de grote ogen en het warme hart deed elke dag urenlang zijn best om die plek te vinden. En al snel bevond hij zich voor de ingang van de vuilnisbelt van de stad. Het was precies zoals hij het zich had voorgesteld. Hij werd omringd door kilometers afval. De stank was overweldigend, maar tussen die stank kon Nelsons uitstekende neus al meteen veel eetbaars ontwaren. Zijn hart begon wild te bonzen.

Aan één kant van de vuilnisbelt stonden gigantische generators die het vuilnis verwerkten tot pakketten die met vrachtwagens naar de stortplaats werden gebracht. Ze stonden de hele nacht te gonzen. Op zijn eerste nacht op de vuilnisbelt sliep Nelson dicht bij ze in de buurt, want ze waren warm. Hij sliep vredig en hij voelde zich warmer dan hij zich in weken had gevoeld.

In twee weken tijd was Nelson vijftig kilometer van zijn huis gedwaald. Hij stond niet stil bij het feit dat veel honden, vooral grotere honden die veel voedsel nodig hadden, al stierven na twee of drie dagen van huis te zijn geweest, door de hitte, of door gebrek aan voedsel en water. Dat wist hij niet. Het enige wat hij wist, was dat hij wanhopig graag zijn Grote Liefde terug wilde vinden, en dat hij tot die tijd eten nodig had.

12

Nelson begon zich al snel een bepaalde routine aan te wennen op de vuilnisbelt. Hij was altijd erg blij geweest met zijn vaste dagindeling bij Katey en Don thuis. Zijn brein was erop ingesteld om overal een routine in te vinden, ongeacht de omstandigheden. Dat gaf hem op de een of andere manier het gevoel dat hij deel uitmaakte van een gezin, ook al was hij nu alleen.

Hij leerde al snel dat hij alleen vroeg in de ochtend of vroeg in de avond op zoek moest gaan naar eten op de vuilnisbelt. Overdag waren er overal werklui en reden de vuilniswagens af en aan om hun afval te lozen. Een paar keer werd Nelson achternagezeten door een agressieve vuilnisman die hem probeerde te verjagen met een hark, en Nelson wist maar net te ontsnappen. Dat leerde hem voorzichtig en op zijn hoede te zijn wanneer hij de vuilnisbelt op glipte.

Hij had nooit honger. Maar hij leerde behoedzaam te zijn bij het doorzoeken van de bergen afval. Verscheidene keren haalde hij zichzelf open aan oude scheermesjes. Eén keer prikte hij zijn poot aan een naald die hij niet had zien liggen onder een hoop wortelschraapsels. Zijn poot deed dagenlang pijn en hij kon er niet van slapen. Hij likte eraan, in een poging de pijn weg te zuigen, knagend aan de wond. Uiteindelijk nam de pijn af.

Er leefden verscheidene andere honden op de vuilnisbelt. Toen Nelson voor het eerst met hen in contact kwam, benaderde hij hen speels, hopend op wat gezelschap. Maar ze gromden naar hem en waarschuwden hem uit de buurt te blijven. Hij snoof de lucht op om hun geuren te ruiken, en hij bespeurde vooral angst en pijn. Hij kende de stank van dood en ziekte nog niet, maar ook die geuren werden door deze honden afgegeven, en dat vond hij maar niets.

Er zaten ook ratten, overal. Ze scharrelden om hem heen terwijl hij de vuilnisbelt uitkamde op zoek naar voedsel. Hij vond de beesten en hun bedompte geur erg onaangenaam, waardoor ze in zijn gedachten heel anders waren dan de speelgoedrat waar hij zo graag mee had gespeeld. Ze hadden hem een paar keer geprobeerd te bijten, waarop hij ze agressief had weggejaagd.

's Nachts sliep Nelson vlak bij de warme vuilnisverwerkingsmachines. Hij voelde zich veilig tussen de donkere schaduwen op die plek. Hij kon de andere honden in de buurt ruiken, maar zij lieten hem met rust als hij hen met rust liet. Elke ochtend bij het ontwaken werd hij overweldigd door verdriet wanneer hij zich realiseerde dat hij niet in Kateys warme bed lag en zo in de groene tuin zou gaan dollen. In deze buurt stonden maar weinig planten, slechts een paar grijze struiken en treurige bomen. Nelson snuffelde er regelmatig aan, terugverlangend naar de geuren van de natuur. Er was maar weinig in deze buurt dat Nelson lekker vond ruiken. Overal hing de geur van uitlaatgassen, en de rokerige stank van de vele fabrieken die in de industriële gebieden rond de vuilnisbelt stonden. Op winderige dagen ving Nelson af en toe de geur van de rivier op, of van de bossen of bergen ver daarvandaan. Dat gaf hem nieuwe kracht en vulde hem met energie. In die nachten had hij altijd fijne dromen. Maar dat kwam niet vaak voor.

Overdag deed Nelson zijn uiterste best om uit de problemen te blijven. Dat betekende uit de buurt blijven van vuilniswagens en werklui. Er leken ook enkele mensen in dit gebied te wonen, maar die roken net als de man die hem uit het verkeer had gered en zijn halsband had gestolen. De stank van alcohol en andere verdovende middelen sijpelde uit hun poriën. Vaak rook Nelson de geur van eenzaamheid en verdriet bij deze dakloze mensen, en dan overwoog hij hen te troosten. Maar in de paar weken dat hij nu weg was van huis had Nelson geleerd zichzelf te behoeden voor gevaar, dus vermeed hij menselijk contact. Geen van de mensen die hij hier tegenkwam gaf dezelfde hartelijke en aangename geur af als mevrouw Anderson, Vernon, de dierenarts of zijn Grote Liefde.

Soms, wanneer de jonge hond genoeg had gegeten, struinde hij uit pure nieuwsgierigheid rond over de vuilnisbelt. Het was interessant om te zien wat mensen weggooiden. Soms kon hij wel uren speuren naar de geur van oude kleding of versleten handdoeken. Menselijke geuren waren zeer complex en hij snakte ernaar ze te begrijpen. Soms vond hij wat oude, kapotte kinderpoppen of knuffelbeesten, en dan nam hij ze met zich mee naar zijn slaapplaats. Daar speelde hij in zijn eentje en schudde zijn vondst heen en weer terwijl hij zich inbeeldde dat hij met Katey stoeide. Op een keer begon een andere grote hond luid naar hem te grommen, waarop Nelson de kapotte speelgoedrat die hij had gevonden losliet en wegrende. De grote hond stal hem en begon erop te kauwen. Iets in Nelson zei hem dat hij altijd moest doen wat deze grote honden wilden. Hij zou wel weer een ander speeltje voor zichzelf vinden de volgende dag.

Op een nacht zag Nelson dat er een nieuwe hond vlakbij was gaan slapen. Zijn geur was sterk, en hij leek agressief. Nelson lag het grootste deel van de nacht wakker. Het was niet alleen de angst die hem wakker hield. De nieuwe gast bleek een luide, agressieve blaffer te zijn en ging bijna de hele nacht door. Het was een doordringend geluid, en toen Nelson bij zonsopkomst wakker werd, na amper te hebben geslapen, voelde hij zich moe en geïrriteerd. Hij liep traag naar de vuilnisbelt en stapte op een dode rat. Hij duwde het dier weg en ging op zoek naar zijn ontbijt.

De volgende nacht was de luid blaffende hond weer bezig. Maar dit keer kwam er na een uur van dat kabaal een dikke man naar buiten uit een van de gebouwen met vuilnisverwerkingsmachines. Soms kon Nelson de nachtploeg ruiken wanneer ze het gebouw in of uit gingen, maar hij had de werklui slechts een enkele keer gezien. Het was de eerste keer dat hij een van hen van dichtbij zag. De forse man kwam schreeuwend naar buiten met een krant in zijn hand. Hij had ook een zaklamp bij zich. Nelson keek toe terwijl hij schreeuwde naar de grote blaffende hond, een zwart beest dat naar hem gromde. De forse man sloeg hem hard op zijn neus, en de grote hond jankte en verdween in de schaduwen. De man liep terug naar binnen.

Maar de volgende nacht begon de grote hond weer luid te blaffen. Dit keer kwam de man met een van zijn maten naar buiten. Ze liepen vlak langs Nelson, die uitgeput was van twee nachten weinig slaap, maar ze moesten de grote hond hebben. Hij blafte luid en gromde naar hen toen ze dichterbij kwamen. De man sloeg de hond weer met een krant. Deze keer trok hij zich echter niet terug, maar sprong hij recht op de mensen af en probeerde de dikke man aan te vallen. Nelson rook het verse bloed dat door de lucht spetterde. Even zag hij iets zilverachtigs glinsteren toen de vriend van de man iets uit zijn zak haalde. Nelson wist niet wat het was, maar hij beefde toen er schoten door de lucht klonken en het geknal in zijn oren galmde. De grote hond rende voor zijn leven. Even was Nelson verstijfd van angst. De gewonde, dikke man schreeuwde en zijn vriend keek om zich heen met een zaklamp. Nelson zag dat drie of vier honden werden gevangen in de lichtstraal, en het pistool werd nog een paar keer afgevuurd. Nelson hoorde een van de andere honden piepen toen deze door een kogel werd geraakt en levenloos op de grond viel.

Nelson stoof weg door de donkere straten. Hij hoorde nog twee schoten in de verte. Vlakbij rook hij een aantal andere honden die ook wegrenden van de vuilnisbelt. Er klonk nog meer gegrom en gejank. Nelson voelde de adrenaline door zijn lijf stromen, en hij verdween in de duisternis.

Met wijd opengesperde ogen liep Nelson langzaam over de gebarsten stoeptegels, niet wetend waar hij naartoe moest. Hij bevond zich in een troosteloos landschap van beton, met slechts af en toe een straatlantaarn. Er hingen maar weinig aangename geuren. Dakloze mensen lagen weggekropen in kartonnen dozen, snurkend of snikkend of pratend op een toon die Nelson verontrustte. De lucht van drugs hing overal. Ratten en rook en afval maakten de stortvloed van nare geuren compleet.

Nelson rook de vlezige geur van gegrilde hamburgers met ui, een aantal huizenblokken verderop. Hij had geen honger, maar dit was de enige geur die nog iets van veiligheid leek te beloven op deze nachtelijke tocht. Nelson versnelde zijn pas en begaf zich half lopend, half rennend naar dit late avondmaal. Toen hij dichterbij kwam, zag hij een rij van twintig, dertig vrachtwagens op enorme parkeerplekken staan. Nu bespeurde hij ook de geur van goederen die klaar waren voor transport: verse groenten en nieuwe kleren, en rauw vlees, allemaal in grote houten kratten en plastic verpakt. De geuren leken het tegenovergestelde van vuilnis. Het waren de geuren van dingen die gereed waren voor consumptie door mensen, lang voordat de resten ervan weggegooid zouden worden om ergens op een vuilnisbelt te belanden.

Het kleine wegrestaurant bij de truckstop was tot zeer laat open, en de reden daarvoor was duidelijk. Zelfs om twee uur 's nachts wandelden er nog verscheidene truckers binnen, die zojuist waren aangekomen na een lange reis vanuit het westen, of die nog iets kwamen eten na een laatste nacht drinken en feesten voor ze de volgende dag weer op pad moesten met een nieuwe vracht.

Thatcher Stevens verliet het wegrestaurant met in zijn hand een hamburger met kaas en ei in een bruine zak. Hij had er zojuist al een op. Vooral de burgers van dit kleine wegrestaurant waren erg lekker, en hij zorgde ervoor er minstens een te bestellen wanneer hij in Albany was. De extra burger zou morgen prima als ontbijt kunnen dienen. Hij kon hem opwarmen in de kleine rammelende magnetron achter in zijn cabine.

Hij was op weg naar zijn truck toen hij het kleine keffertje rillend onder de grote wielen van een andere truck zag zitten. Thatcher had altijd genoten van het gezelschap van honden, al van kinds af aan, toen hij in de weekends bij zijn grootmoeder drie zwarte labradors als speelmaatjes had gehad. Hij had nooit zelf een hond gehad, al had hij het wel eens overwogen. Maar dat idee hield nooit lang stand omdat hij geen vaste thuisbasis had, buiten het kleine huis even ten noorden van New York dat zijn ouders hem hadden nagelaten, en daar verbleef hij maar drie of vier weken per jaar.

Thatcher floot naar het hondje, maar die kroop nog verder weg in de schaduwen. Thatcher haalde zijn schouders op en liep door naar zijn truck. Hij klom de grote cabine in en ging op het smalle bed liggen waarin hij meestal sliep. Er waren herhalingen van oude politieseries op de kleine tv die hij in zijn cabine had staan, en meestal viel hij hier zo bij in slaap.

Maar om de een of andere reden viel Thatcher die nacht niet meteen in slaap zoals gewoonlijk. Hij bleef maar denken aan dat hondje. Er was iets aan zijn blik en de manier waarop hij naar hem had opgekeken waardoor hij maar door Thatchers gedachten bleef rondspoken. Uiteindelijk sprong hij uit zijn cabine en liep met een zaklamp om de trucks heen op zoek naar het kleine keffertje.

Nelson had zich het afgelopen uur niet bewogen. Het aroma van het wegrestaurant was aangenaam, maar hij had geen honger, dus hij kwam niet te dichtbij. Hij bleef gewoon stilletjes zitten, wat hem op de een of andere manier kalmeerde. Toen de lange man met de paardenstaart en het sikje voor de tweede keer terugkwam en hem riep, zei zijn natuurlijke instinct hem dat hij bij hem uit de buurt moest blijven. Geen van de mensen die hij de afgelopen paar weken was tegengekomen was vriendelijk tegen hem geweest.

Maar toen strekte de man zijn hand uit en begon zachtjes voor hem te zingen. Zijn warme, rauwe stem klonk door de nacht en kalmeerde Nelson net zoals Kateys pianospel altijd had gedaan. De stem was niet vervuld van woede of frustratie of waanzin zoals de stemmen van alle andere mensen die hij de afgelopen maand was tegengekomen. Toen de man op nog geen halve meter afstand van de hond was genaderd, kroop Nelson naar hem toe en snuffelde aan zijn hand. Deze had een rijke, aangename geur, vergelijkbaar met die van Vernon. Nelson likte eraan. Het smaakte zout en bezweet, en best lekker. De man begon hem glimlachend te aaien, en hij zong verder terwijl Nelson hem nog eens likte. Het was weken geleden dat hij echt contact had gehad met een mens, en hij was vergeten hoe fijn en hoe natuurlijk dit kon voelen.

Als Thatcher zich laat op de avond even wilde ontspannen, vond hij het altijd fijn om naar liedjes van Willie Nelson te luisteren, dus hij zag niet in waarom de hond niet op dezelfde manier op zijn gezang zou reageren. Nadat hij een paar minuten met de kleine hond had gespeeld, probeerde Thatcher hem op te tillen zodat hij hem mee kon nemen naar de truck. Maar de hond sprong opzij en gromde zachtjes naar hem. Thatcher hield zich even stil, waarna hij zijn hand weer uitstak en weer een stukje Willie begon te zingen. Voorzichtig begon de hond hem weer te likken. Toen kwam Thatcher langzaam overeind en liep met kleine passen terug naar zijn truck, terwijl hij zijn blik op de hond gericht hield. De hond volgde hem zeer behoedzaam. Toen hij bij zijn cabine aankwam, klom Thatcher naar binnen en pakte de nog warme hamburger die hij had willen bewaren voor het ontbijt. Hij haalde er een stukje af en sprong weer omlaag. De hond stond een meter of wat van hem vandaan. Thatcher wenkte hem met een klein stukje hamburger in zijn hand.

Nelson snoof de lucht op. De burger rook lekker, en vers. Vers eten was zo anders dan de kliekjes die hij op de vuilnisbelt had gegeten. Hij had niet echt honger, maar toch sprong hij naar voren en stortte zich op het stukje vlees. Binnen een paar minuten was de helft op. Toen Thatcher hem nogmaals probeerde op te tillen stond Nelson dit toe. In de cabine van Thatchers truck at Nelson met smaak de rest van de burger op terwijl Thatcher hem grinnikend aaide. De overweldigende stank van de kleine hond prikte in Thatchers neus, maar hij was te moe om het dier zo laat op de avond nog te wassen, dus zette hij de ramen van zijn truck wijd open. Nelson had makkelijk kunnen ontsnappen als hij wilde. Maar toen Thatcher luid snurkend onderuitzakte, rolde de hond zich op aan zijn voeten en begon zelf ook langzaam in slaap te vallen. Het was warm in de cabine, en het rook er aangenaam, zij het een beetje muf van de sigarenrook. Van alles wat Nelson de afgelopen maand had geroken kwam dit het dichtst bij de geur van Kateys huis, en dus bleef hij hier en viel in een diepe slaap.

Toen hij de volgende ochtend wakker werd, raasde de truck over het platteland. Aanvankelijk schrok de hond van het luide gebrom van de truck terwijl ze over het asfalt scheurden. Nelson werd heen en weer geslingerd op de achterbank wanneer de truck afremde en een scherpe bocht maakte. Maar de ramen stonden open en Nelson werd opgebeurd door de geur van gras. Thatcher zat op de bestuurdersstoel opgewekt mee te zingen met een countryzender. Nelsons lichaam ontspande zich en hij voelde dat zijn staart begon te kriebelen. Al snel begon hij onbedaarlijk te kwispelen.

13

Thatcher Stevens was een eenzame man, al was hij zich hier niet echt van bewust. Als hij nadacht over zijn leven, was hij best tevreden. Hij was niet gebonden aan vrouw of kinderen. Zijn geld was alleen van hem, en hij kon ermee doen wat hij wilde. Zijn baan was interessant. Hij reisde telkens weer naar nieuwe plaatsen en zag steeds meer van de grote natuurpracht van zijn land, Amerika. Hij wist dat velen ernaar verlangden zoveel te reizen als hij deed. Hij had de constante ruzies tussen zijn vader en moeder gezien in zijn jeugd. Zijn moeder wilde wanhopig graag op reis, maar haar echtgenoot was een echte huismus. Dat was niet de belangrijkste oorzaak van het stuklopen van hun huwelijk, maar hij wist dat dat eraan had bijgedragen. Toen hij twaalf jaar geleden aan het begin van zijn carrière als trucker stond, besefte hij al snel wat zijn moeder had gemist. Reizen naar nieuwe plaatsen gaf een kick. Een nieuwe omgeving, nieuwe mensen en nieuw eten, allemaal dingen om van te genieten.

Dus hij vond niet dat hij veel te klagen had. Zijn leven kende zeker momenten van oprecht geluk. Als hij op pad ging op een nieuwe route, met een nieuwe vracht, naar een plek waar hij nog nooit was geweest, zette hij de radio hard en zong mee. Dat was zijn alter ego, bedacht hij. Als jongen had hij ervan gedroomd zanger te worden, en hoewel deze droom nooit werkelijkheid was geworden, geloofde hij nog steeds dat hij talent had. Op die momenten, wanneer de weg zich voor hem uitstrekte, voelde hij een hevige opwinding en keek hij verwachtingsvol uit naar wat komen zou. Dit gevoel hield vaak wel weken aan, terwijl hij de grote bergketens en bossen van Amerika doorkruiste, langs de immense rivieren en meren.

Als de eenzaamheid die hij diep vanbinnen voelde al naar de oppervlakte kwam, dan gebeurde dit alleen op momenten dat het eindeloze rijden saai begon te worden. Een groot deel van de Verenigde Staten was vlak, en gezien de manier waarop de wereld tegenwoordig in elkaar stak, begonnen veel delen van dit uitgestrekte land op elkaar te lijken, met dezelfde warenhuizen, winkelcentra en doorsnee nieuwbouwwoningen. Wanneer de weg zich eindeloos in het niets leek uit te strekken, bekroop Thatcher een gevoel van zinloosheid. Maar zijn droefheid was nooit groot, aangezien hij geen man van uitersten was, behalve wanneer hij veel had gedronken of zich had vergrepen aan andere verdovende middelen.

Als hij het einde van een reis bereikte en terugkeerde naar zijn kleine huis in Sullivan County ten noorden van New York werd Thatcher door eenzelfde droefheid overvallen. Het was een prachtig deel van de wereld, maar wanneer hij daar was bracht Thatcher zijn tijd vooral binnen door. Hij had de mistroostige oude meubels en gordijnen van zijn ouders nooit vervangen, en zij hadden ze ook al jarenlang voor hun dood gehad. Thatcher lag daar maar wat tv te kijken op zijn bed terwijl hij bier dronk en een van de kant-en-klare maaltijden uit zijn vriezer opwarmde. Dan keek hij om zich heen naar de muren, en nam zich voor wat nieuwe schilderijen mee te nemen de volgende keer dat hij op pad was, maar dat deed hij nooit. Hij spoorde zichzelf aan de lekkende kraan te repareren, en misschien wat nieuwe kleurrijke gordijnen te kopen, maar hij bleef al die dingen voor zich uit schuiven zodat ze nooit echt werden uitgevoerd. De avond voordat hij weer op pad moest, werd hij altijd overweldigd door een gevoel van opluchting. Als hij de volgende ochtend dan weer op weg was, werd zijn dag gekleurd door het gebulder van de motor van zijn truck en het voorbij flitsende nieuwe landschap, waardoor ook de eenzaamheid die langzaam zijn leven binnen sijpelde werd teruggedrongen.

Thatcher was een aantrekkelijke man. Als achtendertigjarige was hij wat aan de gezette kant doordat hij altijd in wegrestaurants at, maar door zijn grote postuur bleef zijn buikje aardig goed verborgen. Zijn donkerblonde haar hing in een paardenstaart op zijn rug, en zijn sik omlijstte een vriendelijk gezicht met doordringende blauwe ogen. Aan het begin van zijn carrière als trucker was hij een aantal keer behoorlijk verliefd geworden op een vrouw. Maar hij had al snel geleerd dat het vrijwel onmogelijk was om een echte relatie met iemand op te bouwen als je zoveel reisde als hij. Een eerdere relatie, met Ivy, had zo'n acht maanden standgehouden, maar in werkelijkheid had hij haar in die periode slechts een dag of zestien gezien, en hoewel ook zij diep voor Thatcher was gevallen, had ze er uiteindelijk voor gekozen hem te verlaten voor een andere jongeman die woonde en werkte in haar eigen woonplaats in Wisconsin.

Een aantal van Thatchers andere avontuurtjes was uitgegroeid tot een soort van langdurige relatie. In zijn kleine adresboekje stonden zo'n tien tot vijftien vrouwen opgeschreven, verspreid over het land, die hij belde als hij in de buurt was. Dan spraken ze af om kip en spareribs te gaan eten of wat ook maar de lokale specialiteit was, en daarna hadden ze seks in het huis van de vrouw, of in een motel, of meestal in de cabine van Thatchers truck. Om de een of andere reden vonden vrouwen het leuk om daar seks te hebben. Dat wond ze op. Thatcher vond het daar ook fijn. Als hij eens bij hen thuis bleef slapen viel het hem altijd weer behoorlijk zwaar om hun warme bed en warme huis de volgende ochtend vroeg te moeten verlaten, vooral als het koud was buiten.

Thatcher zei dat hij zich op een dag wel zou willen settelen, maar naarmate de jaren verstreken realiseerde hij zich dat de kans daarop steeds kleiner werd. Hij zou tot zijn vijfenzestigste moeten blijven werken, en hij kon niet veel meer dan rijden in een truck. Hij wist dat geen enkele vrouw met hem wilde trouwen als hij het grootste deel van de tijd op reis was, weg van huis. Dus nam hij genoegen met de vier of vijf intieme nachten per maand met zijn vaste scharrels, of onenightstands, wanneer hij op pad was.

Toen Nelson die zomerochtend wakker werd en Thatcher hoorde zingen, werd hij op grote snelheid weggevoerd van Albany en Katey. Na te hebben genoten van de overweldigende graslucht die naar binnen waaide, besnuffelde hij het kleine slaapgedeelte van Thatchers cabine waar hij afgelopen nacht had geslapen. De bank zelf rook naar oud, versleten leer, en de dekens waren al een tijdje niet gewassen. De geur van Thatcher hing overal. Ook rook hij de geur van verse sigaren uit een doos met cubanen onder de bank, en de flauwe stank van opgerookte exemplaren was doorgedrongen in de dekens en de bekleding die door de scheuren in het leer naar buiten piepte.

Nelson rook de restjes van de hamburger van de vorige avond, naast chocolate chip cookies en Pringles en studentenhaver. Een paar dagen daarvoor had Thatcher een was gedaan bij een wasserette, en de geur van de schone was deed Nelson aan thuis denken. Dat zorgde ervoor dat hij bij Thatcher wilde blijven, alsof die hem op de een of andere manier terug zou brengen naar Katey. Verder waren er vlakbij ook een paar flesjes goedkope cologne opgeborgen, en een paar stukken zeep en flessen shampoo. Dat waren geuren die Nelson met thuis associeerde en die de jonge hond kalmeerden.

Thatcher zat voor hem op de bestuurdersstoel en trommelde met zijn handen op het stuur terwijl hij meezong met de countryzender. Nelson kon de blijdschap in de lucht ruiken, en dat rook aangenaam. Hij sprong op de passagiersstoel naast Thatcher. Thatcher leek blij te zijn de jonge hond te zien en aaide hem terwijl hij verder reed. Nelson likte aan zijn vingers en kwispelde met zijn staart terwijl hij naar hem opkeek.

De geuren van het voorbijrazende landschap drongen de cabine van de truck binnen. Thatcher reed hard, en Nelsons neus werd bestookt door de geuren van nieuwe bomen en planten. Na de stank van rook en vuilnis waar hij de afgelopen maand aan gewend was geraakt, had Nelson nu het gevoel alsof zijn hele binnenste werd schoongespoeld. De angst van de afgelopen nachten verdween snel, en de jonge hond voelde zich weer helemaal opgepept.

Een paar uur later stopten ze bij een tankstation voor trucks. Thatcher tilde Nelson op, die zich dit keer zonder moeite liet meenemen. Hij pakte ook een stuk zeep en een handdoek, en even later stond Nelson in de open douches een stukje verderop. Thatcher waste hem grondig en uitvoerig. Het ging er wat ruiger aan toe dan bij de wasbeurten van Katey, maar de hond genoot ervan. Toen Nelson eenmaal schoon was, waste Thatcher zichzelf terwijl de hond aan zijn voeten wachtte. Thatcher droogde eerst zichzelf af met de handdoek, en wreef toen Nelson bijna droog. Katey föhnde hem altijd, in plaats van hem gewoon met een handdoek af te drogen, maar Nelson gaf de voorkeur aan het frissere gevoel dat hij nu had. Hij schudde zichzelf uit zoals honden dat doen en kwispelde met zijn grote pluizige staart naar Thatcher, die begon te grinniken.

Thatcher kocht geen riem voor Nelson. Hij droeg hem mee of hij liet Nelson achter zich aan lopen. Hij hield de hond nauwlettend in de gaten en floot of riep hem als hij meer dan een paar meter bij hem vandaan dwaalde. Thatcher zag zijn eigen onbedwingbare nieuwsgierigheid in de hond terug. Hij wist dat nieuwsgierigheid tot de meest fantastische dingen kon leiden, maar dat het ook een valkuil kon zijn.

Nadat ze zich hadden gewassen, ging Thatcher lunchen. Officieel hanteerden de meeste eetgelegenheden waar hij kwam de regel dat er geen huisdieren waren toegestaan. Maar hij was een graag geziene gast in de meeste restaurants waar hij iets kwam eten, ook al zagen de serveersters die hem bij naam kenden hem maar één of twee keer per jaar. De glinstering in zijn blauwe ogen werd niet snel vergeten. Dus vonden ze het prima dat hij zijn hond mee naar binnen nam. Terwijl Thatcher de menukaart bekeek, zat Nelson rustig naast hem op de bank aan hun tafeltje. Hij voerde Nelson heimelijk stukjes biefstuk en patat, en zelfs wat van de appeltaart met slagroom die hij als toetje nam en die Nelson met smaak verslond. In zijn tijd bij Thatcher raakte Nelson behoorlijk gewend aan het eten van mensenvoedsel, waardoor hij ingeblikt hondenvoer later nooit meer echt als een acceptabel alternatief zou zien. Zijn spijsvertering was ingesteld op kliekjes, en naarmate de hond verder opgroeide en steeds meer aan bepaalde dingen gewend raakte, begon hij hondenvoer te mijden. Het werd normaal voor hem om steeds kleine beetjes van Thatchers maaltijden te eten.

Op hun reizen door de Verenigde Staten huurde Thatcher soms een motelkamer voor de nacht. Nelson raakte gewend aan de geur van deze plekken, die altijd hetzelfde was, in welke stad of staat ze ook waren. Hij rook de hardnekkige lucht van oude sigarettenrook, en handdoeken en lakens die met iets te veel bleek waren gewassen. In de oudere hotels hadden de tapijten vaak een muffige geur. Soms klonken er 's nachts vreemde geluiden terwijl Thatcher lag te slapen. Dan nam Nelson de taak op zich om Thatcher te beschermen en begon hij te grommen en blaffen tegen alle gasten van het motel die ook maar enigszins een bedreiging voor hen leken te vormen. Thatcher sliep vast en snurkte luid, dus hij werd niet vaak wakker van Nelsons geblaf wanneer hij vreemden in de kamer naast hen de liefde hoorde bedrijven, of wanneer hij werd opgeschrikt door luidruchtig gedrag van mensen die iets te diep in het glaasje hadden gekeken. In de ochtend likte Nelson over Thatchers gezicht om hem te wekken, en dan slofte Thatcher in zijn boxershort naar buiten om de hond te laten plassen. Dat was Nelsons beloning omdat hij zijn werk goed had gedaan.

Soms liet Thatcher Nelson een paar uur alleen in de motelkamer. In het begin was Nelson een beetje angstig wanneer dit gebeurde. Maar de kleine hond leerde zich te verzetten tegen dat gevoel van angst. In plaats van zich bang te verstoppen stond hij trots naast het bed om hun tijdelijke huis te bewaken tot Thatcher terugkwam. Op een keer kwam er een schoonmaakster de kamer binnen, maar die maakte zich haastig weer uit de voeten toen Nelson luid naar haar begon te blaffen en haar niet binnen wilde laten. Dit soort incidenten bevestigden de hond in zijn groeiende overtuiging dat hij sterk en indrukwekkend was, ondanks zijn formaat.

Soms kwam Thatcher alleen terug en stonk zijn adem naar alcohol.

Hier werd Nelson nerveus van, omdat het vage herinneringen opriep aan de dakloze man die zijn halsband had gestolen. Maar meestal viel Thatcher meteen in slaap wanneer hij onder invloed was en snurkte hij slechts wat harder dan normaal. Eén keer was Thatcher in slaap gevallen na een kort avontuurtje met een lange vrouw die hij in een café had opgepikt, toen de vrouw zachtjes naar zijn spijkerbroek sloop, op zoek naar zijn portemonnee. Maar Nelson was wakker, en hij begon luid te blaffen. Toen Thatcher wakker schrok en de vrouw schuldbewust over zijn broek gebogen zag staan, wist hij dat Nelson ervoor had gezorgd dat hij de honderden dollars uit zijn portemonnee niet kwijt was. De vrouw haastte zich de kamer uit, en Thatcher beloonde de hond met een eigen bord vol bacon bij het ontbijt.

Meestal sliep Thatcher echter in de cabine van zijn truck. Nelson raakte langzaam aan de plek gehecht. Hij vond het prettig dat het een kleine ruimte was, vergeleken met de motelkamers waar ze soms in sliepen. Nelson vond het fijn om in een kleine, afgesloten ruimte te zijn die hij goed kon verdedigen. Het gaf hem een veilig en beschut gevoel. Aanvankelijk sliep de hond aan Thatchers voeten, maar op een koude nacht kroop hij dicht tegen zijn brede borst aan, waar hij sliep als een jonge pup ondanks Thatchers onophoudelijke gesnurk. Dit werd zijn favoriete slaapplek. Soms werd Thatcher 's nachts wakker en zag Nelson dan diep in slaap op zijn borst liggen, en dan glimlachte hij bij zichzelf.

Soms liet Thatcher Nelson 's nachts ook een paar uur alleen in de cabine van zijn truck, net als in de motelkamer. Dan zette hij een van de ramen op een kier zodat de hond zich kon vermaken met het opsnuiven van alle geuren uit de buurt tot hij weer terug was. Nelson raakte er al snel aan gewend dat Thatcher soms vrouwen meenam, en dat ze stuntelig de liefde bedreven in de krappe ruimte in de truck. Soms schudde de hele cabine heen en weer, aangezien Thatcher nogal een gepassioneerd mens was. Telkens als Nelson dacht dat hij een plek had gevonden waar hij rustig kon slapen, werd hij weer verdreven door de bezwete mensenlijven die bijna boven op hem kwamen liggen. Soms blafte hij zelfs om Thatcher en zijn scharrel te laten weten dat ze hem stoorden, maar dan giechelden ze slechts en gingen weer verder met hun bezigheden. De vrouwen probeerden het verstoren van zijn rust weer goed te maken door na afloop met Nelson te spelen. Hij genoot van de aandacht, evenals van het gedroogde vlees of de pinda's die ze soms uit hun handtas tevoorschijn haalden.

In de periode dat Nelson bij Thatcher was zouden ze Amerika wel zeker tien keer doorkruisen. Ze volgden de us 20 helemaal tot voorbij Chicago, over de vlakten van Iowa, door de bergen van Montana, om hun vracht uiteindelijk in Oregon af te leveren. De us 2 volgend vanuit Seattle reden ze terug door de vs langs de grens met Canada, door Montana, over de Great Plains waar Nelson kennismaakte met de onmiskenbare geur van buffels, en door de bossen van Minnesota, overladen met de geuren van vele dieren en planten. Ze staken de Mississippi over via de ms 50, om uiteindelijk de steile Rocky Mountains te beklimmen, waar Nelson adelaars en haviken rook, en eeuwenoude indianendorpen. Ze denderden door de Sierra Nevada, waar de zuivere, sterke geuren van de woestijn de neus van de jonge hond betoverden. Ze tuften door het verre zuiden van het land, vlak langs de grens met Mexico, waar Nelson olie en vee rook in Texas, wat uiteindelijk plaatsmaakte voor de cajungeuren van de Mississippidelta's. Ze reden omhoog langs de bergkammen van de Appalachen, waarna Nelson een weekend in Sullivan County doorbracht, in het huis van Thatchers ouders.

Nelson verlangde ernaar de bossen en rivieren die hij in de verte rook te verkennen, maar Thatcher wilde alleen maar binnen blijven. De nieuwsgierigheid van de hond werd niet bevredigd door de talloze geuren die hij onderweg ontdekte. Hij wilde alleen maar meer naarmate de geuren van elk van de staten hem meer stof tot nadenken gaven. Vroeger in Albany had hij zich de wereld als een fascinerende plek voorgesteld. Nu hij wist dat dit waar was, werd zijn verlangen naar meer alleen getemperd wanneer hij aan zijn Grote Liefde terugdacht en wist dat niets haar ooit zou kunnen vervangen. 's Nachts droomde hij over weelderige witte tuberozen die naar Katey roken.

Op een avond in North Carolina, een staat die Thatcher zo mooi vond om zijn combinatie van prachtige kusten en schitterende bergketens, kwam er een vrouw bij hem op bezoek. Hij had haar al meer dan een jaar niet gezien, en hij keek ernaar uit. De seks met haar was altijd opwindend en maakte hem gelukkig. Maar bovendien had ze er de laatste keer dat hij haar had gezien vaag op gezinspeeld dat ze hem iets moest vertellen, al was ze dichtgeklapt toen hij doorvroeg en had ze gemompeld dat het wel een andere keer zou komen. Thatcher stond voor een raadsel, en een klein deel van hem hoopte heimelijk dat ze iets serieus met hem wilde beginnen, al kon hij zich niet eens voorstellen wat voor gevolgen dat zou hebben voor zijn leven. Hij schoor zich die dag extra zorgvuldig en deed wat van de dure cologne op die hij alleen gebruikte bij speciale gelegenheden. Nelson keek toe terwijl hij zijn vingernagels knipte, en hij wist dat hem een interessante avond te wachten stond.

De vrouw klopte rond zes uur 's avonds op de deur. Nelson blafte en stond op wacht naast de deuropening. Thatcher, die op het bed van de motelkamer naar Animal Planet lag te kijken, sprong overeind en keurde zijn haar nog een laatste keer. Hij gebaarde dat Nelson zich koest moest houden. Toen deed hij de deur open.

De vrouw die voor de deur stond was knap, met bruin haar. Nelson kon geen geuren bespeuren die hij associeerde met een avondje stappen, zoals parfum, lippenstift of haarlak. Ze rook aangenaam, maar de meest sterke geur die ze afgaf kwam van haar fris gewassen spijkerbroek en T-shirt. Thatcher wilde haar omhelzen, maar hield zich in toen hij het vierjarige jongetje naast haar zag staan.

Het jongetje was meteen opgewonden toen hij Nelson zag. Hij rende naar binnen en begon met hem te spelen. Thatcher had altijd een klein hondenspeeltje en een bal bij zich voor Nelson, en hij had ook nog een grote T-bonesteak over van het avondeten van de dag ervoor. Het jongetje barstte van de energie en speelde een potje touwtrekken met Nelson en zijn kleine speeltouw. Nelson was gek op de energieke manier van spelen van kleine kinderen, en hij was zich niet helemaal bewust van het gesprek dat tussen Thatcher en de vrouw plaatsvond.

Nelson had zich voorbereid op een nacht alleen in de motelkamer, maar in plaats daarvan mocht hij een uur lang met een klein jongetje spelen. Dit jongetje bleek Thatcher Stevens' zoon te zijn.

Thatcher belde een pizzatent in de buurt en al snel werden er twee grote pizza's aan de deur bezorgd. Ze deelden ze met z'n allen, en Thatcher vond het goed dat zijn zoon Nelson wat kleine stukjes gaf. Er werd nog meer gepraat, dit keer met het jongetje. Op een gegeven moment wenkte Thatcher hem, en ze omhelsden elkaar kort. Nelson rook de emotie op Thatchers huid, maar het jongetje had meer zin om weer verder te spelen met Nelson, dus de omhelzing duurde niet lang.

Een paar uur later merkte Nelson dat het jongetje moe begon te worden, en vlak daarna verlieten de vrouw en het jongetje de kamer. Ze namen afscheid van elkaar met een omhelzing. Die nacht sliep Nelson niet veel, vooral omdat Thatcher niet kon slapen en lag te woelen en draaien in bed. Nelson was zo gewend aan zijn onophoudelijke luide gesnurk, dat hij zich niet op zijn gemak voelde wanneer dat niet te horen was.

In de ochtend vond er een reeks gehaaste telefoontjes plaats. Nelson was er niet aan gewend de dag in een motelkamer door te brengen. Over het algemeen checkten ze pas 's avonds in, als ze niet in de truck sliepen, en vertrokken ze weer vroeg, vaak nog voor zonsopkomst. De dag nadat Thatcher zijn zoon voor het eerst had ontmoet, brachten ze het grootste deel van de tijd in de kamer door terwijl ze films keken en de overgebleven stukken pizza opaten. Nelson kon de spanning op Thatchers huid ruiken. Rond vier uur in de middag keerden de vrouw en het jongetje terug. Hun bezoek verliep grotendeels hetzelfde als de dag ervoor. Nelson was blij met zijn nieuwe speelmaatje. Maar nadat ze Chinees hadden gegeten, liep het gesprek tussen Thatcher en de vrouw al snel uit op geschreeuw. Nelson werd herinnerd aan de ruzies tussen Katey en Don vele maanden geleden. Hij had de geur van woede niet vaak bij Thatcher geroken, en het gaf de hond een misselijk gevoel in zijn maag. Toen hun geschreeuw aanhield, kroop het jongetje weg in een hoek van de kamer en begon kort daarop te huilen. Nelson liep naar hem toe en likte hem in een poging hem op te vrolijken. Het jongetje tilde hem op, maar bleef huilen. Even later stopten zowel Thatcher als de vrouw met schreeuwen. De vrouw kwam naar hen toe en troostte het jongetje, maar hij bleef snikken. Thatcher deed ook een poging, maar zowel de vrouw als het jongetje duwde hem weg. Kort daarop vertrokken de vrouw en het jongetje weer.

Die nacht moest Thatcher ook huilen. Nelson lag stilletjes naast hem, niet wetend wat hij met dit onverwachte gedrag aan moest. Uiteindelijk viel Thatcher in slaap, maar Nelson lag wakker omdat hij voelde dat er een verandering aan zat te komen. Hij kroop dicht tegen Thatchers borst aan, en Thatcher aaide de hond zachtjes terwijl hij werd geplaagd door onaangename dromen.

In de weken daarna was Thatcher meer ingetogen dan anders terwijl hij en Nelson in zijn grote truck door Amerika scheurden. Nelson zag vaak een kleine traan in zijn ooghoek glinsteren. Hij zong niet zo vaak mee met de radio als hij voorheen altijd met veel enthousiasme had gedaan. Hiervoor was er elke week wel één vrouw, of soms twee, geweest die Thatchers bed deelde met hem en Nelson. Nu waren ze slechts met zijn tweetjes.

Nelson voelde ook woede in Thatcher opborrelen. Meestal bleef dit verscholen, maar af en toe, wanneer een bestuurder wat te dicht voor Thatchers truck invoegde, of wanneer een bestelling in een restaurant wat te lang op zich liet wachten, dan kwam de woede aan de oppervlakte. Dan vloekte en tierde Thatcher zoals Nelson hem nog niet eerder had zien doen.

Ze zagen de moeder van Thatchers kind en zijn zoon nog twee keer. Thatcher leek zijn uiterste best te hebben gedaan om onderweg weer in North Carolina te kunnen stoppen en hij had soms wel vijftien uur per dag gereden, waardoor hij een groot deel van de tijd moe en geïrriteerd was, verzonken in zijn eigen gedachten. De volgende ontmoeting met het jongetje werd niet gekenmerkt door hetzelfde geruzie als hiervoor. Er hing een beheerste stilte tussen Thatcher en de vrouw, die slechts werd onderbroken door een korte confrontatie toen de stapel rekeningen die ze hem overhandigde hem niet beviel. Nelson kon sterke emoties bespeuren toen Thatcher zijn zoon omhelsde, en hij zag hoe hij met het jongetje probeerde te praten. Ze gingen wel een uur of twee overgooien met een bal op de parkeerplaats van het motel. Nelson deed mee, en hij genoot ervan.

Nelson raakte in de war door de wisselende emoties waar Thatcher de laatste tijd door werd overvallen. Zijn liefde voor het jongetje was duidelijk merkbaar, maar op andere momenten kwam die vreemde nieuwe woede weer naar boven. Na de ontdekking dat hij een zoon had, kwam de eenzaamheid in Thatchers leven, die eerder slechts op de achtergrond aanwezig was geweest, ineens in alle hevigheid opzetten, waardoor Thatchers plezier in het continu op pad zijn flink afnam. Hij voelde zich net een spook terwijl hij eindeloos over de snelwegen en landweggetjes van het uitgestrekte land reed. Telkens wanneer hij het jongetje zag, kwamen er verwarrende en weerbarstige gevoelens uit zijn eigen jeugd naar boven die hij al die tijd had onderdrukt. Nelson was een zegen, vond Thatcher. God had hem deze kleine hond precies op het juiste moment gestuurd. God had geweten dat zijn zoon binnenkort in zijn leven zou komen, en Hij had Nelson gestuurd om hem te helpen daarmee om te gaan. Thatcher aaide de kleine hond 's nachts wel urenlang en hield hem dicht tegen zich aan. Hij probeerde zijn zoon nu zo vaak mogelijk te bellen, en dan hield hij Nelson stevig vast terwijl hij probeerde te communiceren met het kind dat in zijn leven was gekomen.

Maar Thatcher realiseerde zich dat het erg moeilijk zou worden om zijn leven zo aan te passen dat het jongetje er volledig deel van uit kon maken. Ineens verlangde hij naar alles waar hij zo'n hekel aan dacht te hebben. Hij wilde een gesetteld leven met een gezin. Hij wilde niet continu op pad zijn. Maar het was moeilijk om zijn leven te veranderen. Hoe moest hij zijn geld verdienen met iets anders dan vrachtwagen rijden? En hoewel hij van de kleine jongen hield, realiseerde hij zich dat hij niet van diens moeder hield. Ze was een fijne sekspartner geweest gedurende een flink aantal nachten, maar als het erop aankwam, kon hij hun relatie niet zien uitgroeien tot meer dan dat. Dus daar zat hij dan, bijna veertig, met een bepaald leven waar hij voor had gekozen. Ineens realiseerde hij zich dat dit toch niet helemaal was wat hij wilde, maar nu had hij geen andere keuze dan het te accepteren zoals het was. Hij zou misschien wat kleine veranderingen kunnen doorvoeren, maar er bestond geen compleet nieuw leven waarvoor hij dit leven kon inruilen, zoals een tweedehandsauto. Het feit dat hij geen goede vader kon zijn voor zijn jonge zoon frustreerde hem, en ergens had hij het idee dat het de schuld was van zijn ouders, ook al wist hij dat dit totaal irrationeel en oneerlijk was tegenover hen.

Op een avond reed Thatcher het klein plaatsje Kalispell in Montana binnen. Hij was die dag met een slecht humeur opgestaan. Nelson lag stilletjes te slapen op de dekens achter in de truck en had zich niet veel voorin gewaagd. Hij wist dat Thatcher met rust gelaten wilde worden.

Toen ze de parkeerplaats van de truckstop opreden, kon Nelson sparrenbomen ruiken. Thatcher parkeerde de truck. Hij tilde de hond op en nam hem mee naar buiten. Nelson snuffelde aan het volle gras en deed zijn behoefte. Hij vond deze kleine plattelandssteden wel aangenaam. De truckstops in de grotere steden stonken altijd naar rook en naar de industriële gebieden die Nelson voor het eerst rond de vuilnisbelt had geroken. In de kleine steden was er nog meer dan genoeg natuur, en dat maakte de kleine hond blij.

Weer terug in de truck brak Thatcher een paar Pringles in kleine stukjes en legde ze op de grond als snack voor Nelson. Hij zei hem amper gedag, en liet het raam op een kier staan.

De avond viel, en Nelson bleef rustig in de truck liggen. Soms doezelde hij even, maar hij bleef altijd alert om de truck te bewaken terwijl hij wachtte tot Thatcher terugkeerde van het restaurant of waar hij ook naartoe was. Nelson had dit al zo vaak meegemaakt. Hij voelde zich aardig veilig in de cabine van de truck, en ook al keek hij uit naar Thatchers terugkeer, hij dacht dat alles wel weer goed zou komen.

Laat in de avond hoorde hij het lawaai van dronken feestvierders vlakbij, en hij was meteen klaarwakker. De jonge hond wist niet hoe laat het was, dus hij wist niet dat het al drie uur 's nachts was, veel later dan het tijdstip waarop Thatcher normaal gesproken terugkeerde. Nelson voelde slechts een knagend onbehagen. Toen de eerste zonnestralen de cabine van de truck binnen schenen, wist Nelson dat er iets mis was. Thatcher had hem nog nooit de hele nacht alleen gelaten.

Toen de zon verder steeg en het steeds warmer werd in de cabine, begon Nelson luid te blaffen. Uiteindelijk plaste hij uit wanhoop op de passagiersstoel van de cabine, ook al vond hij het vreselijk dat te moeten doen. Hij werd wederom overvallen door de vreselijke honger die hij voor het eerst had gevoeld toen hij verdwaald raakte in Albany. Hij snuffelde door Thatchers spullen en vond een zak zoute krakelingen die zijn honger stilden. Maar hij had ook dorst, en het begon erg warm te worden in de truck. Nelson ging stilletjes in de schaduw onder het stuur liggen en probeerde zo zijn krachten te sparen.

De dag ging over in nacht. Nelson was opgelucht toen de temperatuur afnam. Hij at de overgebleven krakelingen op en poepte op de passagiersstoel vlak naast de plek waar hij had geplast.

Nelson maakte zich zorgen om Thatcher. Hij wilde dat hij bij hem was. Als Nelson er niet was om hem te beschermen zouden hem vreselijke dingen kunnen overkomen, wist Nelson. En inderdaad, Thatchers woede was uiteindelijk tot uitbarsting gekomen in een klein plattelandscafé in Montana. Een norse barman had Thatchers herhaaldelijke pogingen om een drankje te bestellen genegeerd, en dat was uitgelopen op een knokpartij. Thatcher was een vriendelijke man en was niet snel uit de tent te lokken. Maar hij had al vier biertjes op toen hij opstond en de barman bij zijn kraag pakte, nadat deze Thatcher een vreemdeling en een schooier had genoemd. De barman haalde naar hem uit, maar Thatcher dook weg. Hierop stompte Thatcher de man hard in zijn maag, en de barman zakte op de grond ineen. Twee van de dorpelingen die bevriend waren met de barman mengden zich in het gevecht. Thatcher was een sterke man, maar het was lastig om het tegen drie man tegelijk op te nemen. Ze bleven meedogenloos op hem in slaan en schoppen.

In dit soort plattelandscafés wist je nooit wie een pistool bij zich droeg en wie niet. Thatcher had nooit een pistool bij zich. Zijn vader was dol geweest op pistolen, en toen hij klein was had Thatcher zijn vader eens zijn moeder met een pistool zien bedreigen. Dus had hij als tiener gezworen er nooit een bij zich te dragen. Maar toen Thatcher opkeek naar de mannen die op hem inbeukten, terwijl het bloed ondertussen vanuit zijn neus over zijn gezicht gutste, zag hij de glinstering van staal toen een van de mannen naar zijn broeksband reikte. Thatcher vloog op het pistool af om zichzelf te beschermen. De mannen botsten tegen elkaar op, waardoor het wapen afging en er een kogel in Thatchers scheenbeen vloog. De andere stamgasten die hen hadden staan opjutten, kwamen nu snel in actie en haalden de twee partijen uit elkaar.

Toen Thatcher eenmaal in het ziekenhuis lag, zijn been kloppend van de pijn en zijn gezicht en lijf bont en blauw van de harde klappen, probeerde hij de politieagent te vragen of hij zijn hond wilde meenemen wanneer hij Thatchers truck naar het politiebureau zou verplaatsen. Maar de politieagent was eind vijftig en had zo zijn eigen problemen. Op het moment dat hij Thatchers truck in klom, waren zijn gedachten vooral bij zijn hoge cholesterolgehalte en zijn onhandelbare zoon, en hij deed dan ook geen moeite om achter de kleine hond aan te gaan die uit de truck sprong en in het bos verdween zodra hij de deur opendeed. Hij bedacht dat hij hem nog wel kon proberen te zoeken wanneer hij de truck naar het politiebureau tweehonderd meter verderop had verplaatst. Maar nadat hij een halfuur bezig was geweest met het opruimen van Nelsons poep en pies, en zijn vrouw hem belde om te laten weten dat zijn macaroni met kaas koud werd, besloot de agent Thatcher te vertellen dat de hond was ontsnapt en dat hij hem niet had weten te vinden.

Thatcher snikte onbedaarlijk toen de verpleegkundige in het ziekenhuis hem vertelde dat zijn hond uit zijn truck was ontsnapt en nergens te vinden was. Hij smeekte de verpleegkundige hem te helpen, maar ze toonde geen medeleven, omdat ze een nicht was van een van de mannen met wie Thatcher had gevochten. De pijnstillers en de antibiotica voerden hem mee in een lange, duistere slaap. Hij droomde dat hij gevangenzat in een diepe kuil in een dicht bos. Nelson stond luid naast de kuil te blaffen en was Thatchers enige hoop om door iemand te worden gevonden.

14

De kleine hond droomde ook. Hij was nog maar jong, heel jong vergeleken met sommige andere wezens met wie hij deze wereld deelde, maar diep in zijn hersenen lagen nu al gedetailleerde en spectaculaire herinneringen opgeslagen, herinneringen die uit een complex netwerk van geuren bestonden. Als Nelson droomde, werden de vele geuren die hij in zijn korte leven was tegengekomen, zowel de aangename als de penetrante, op nieuwe en ongewone manieren gecombineerd, en gekoppeld aan de diepe emoties, verwachtingen en angsten en aan de gevoelens van liefde en verdriet die de jonge hond tot nu toe had ervaren.

Nelson trok al dromend zijn neus op terwijl hij een complex pad volgde van de zoetgeurende bloemen en het gras van de boerderij van mevrouw Anderson naar de warme handen van Vernon in de dierenwinkel. Hij droomde over de verscheidene houtlagen van de piano van zijn Grote Liefde. Meestal droomde hij in de taal van geuren, maar in deze droom hoorde hij ook de allerhoogste noten van haar piano, die hemelse klanken waarvan mensen slechts echo's konden horen. De geuren van het hout en de geluiden van de piano waren prachtig, maar in zijn droom werden ze continu teruggedrongen door duistere en beangstigende geuren en het gerammel van de talloze vuilnisbakken en bergen menselijk afval die Nelson had moeten doorploegen. Hij zocht haar overal in zijn droom, maar zijn Grote Liefde was nergens te bekennen.

De geur van Thatcher was nog overal op de hond en in zijn vacht te ruiken. De man was sterk aanwezig in Nelsons gedachten, en op die halfbewuste momenten tussen slapen en waken verwachtte hij hem telkens weer te zien. Thatcher was het middelpunt van Nelsons leven geworden, net zoals Katey ooit was geweest. De hond verlangde naar een routine rond een bepaalde plek, een thuis, maar op zijn lange reizen met Thatcher had hij geleerd dat men geen specifieke plek nodig had om zich ergens thuis te voelen. Thatcher was zijn thuisbasis geworden, net zozeer als Nelson Thatchers thuisbasis was geworden.

Toen Nelson de volgende ochtend wakker werd, was Thatcher echter nergens te bekennen. De hond lag onder enkele grote sparrenbomen aan de rand van een bos dat zich kilometers ver uitstrekte. Hij snoof de koele ochtendlucht op. Het rook niet onaangenaam. Bomen en gras konden nooit onaangenaam ruiken. Diep vanuit het bos bereikten hem ook geuren van andere dieren: kleine knaagdieren, vogels en nog meer dieren die Nelson niet kon thuisbrengen. Hij rook bepaalde geuren die leken op de geur van hond, maar dan sterker, wilder. De haren in Nelsons nek stonden overeind toen de geuren van wolf en coyote in de verte de zenuwuiteinden van zijn krachtige neus prikkelden.

Maar als hij al bang was geweest, verdween dat gevoel snel. Hij rook de bekende geuren van menselijke nederzettingen in de buurt. De aanlokkelijke geur van gegrilde hamburgers en versgebakken patat. De geur van vers gemaaid gras, en auto's, en regen op teer, en hout, omgehakt en behandeld en verwerkt zoals alleen mensen dat konden. Als mensen hout gebruikten voor hun woning en voor op het vuur, had het een typische geur, anders dan die van natuurlijk hout van bomen, die Nelson in zijn geurenrepertoire had opgeslagen als groeiende, levende wezens. Bomen roken lekker, vond hij, maar voor Nelson stond de geur van menselijk hout voor veilige huizen, en vooral, voor onder de piano van zijn Grote Liefde liggen.

De hond kwam overeind. Het stadje was dichtbij. De vorige dag was hij totaal van streek uit Thatchers truck weggevlucht, zonder te weten waar hij naartoe ging, om uiteindelijk bij het vallen van de avond onder een boom aan de rand van het bos neer te ploffen. Nu slenterde hij langzaam terug naar het centrum van het stadje. Hij snoof de lucht op, speurend naar Thatcher. Even dacht hij hem te kunnen ruiken, en Thatcher lag inderdaad slechts op een paar honderd meter afstand in een ziekenhuisbed, diep in slaap. Maar het was niet voorbestemd dat die twee elkaar nog eens zouden zien.

Nelson had wederom honger. Dit riep niet meer dezelfde paniek en wanhoop in hem op als vroeger. Na meer dan een jaar te hebben rondgezworven, wist hij dat hij altijd wel aan voedsel zou kunnen komen. De honger veroorzaakte een doffe en lege pijn in zijn maag, maar toen de hond de zoete lucht van het kleine plattelandsstadje Kalispell inademde, wist hij dat zijn honger snel gestild zou worden.

De geur van hamburgers en friet die hij daarstraks had geroken kwam van een kleine herberg waar truckers konden overnachten en konden eten in een groot restaurant dat niet alleen hamburgers serveerde, maar ook biefstuk, gebraden kippenpoten, burrito's en pannenkoeken. Het vuilnis van het restaurant werd weggegooid in een grote vuilcontainer buiten, die elke drie dagen werd geleegd en die meestal overvol zat tegen de tijd dat de vuilnismannen langskwamen.

Nelson werd niet alleen naar het restaurant gelokt door de geur van het eten, maar ook door de geur van de truckers. Natuurlijk was Thatchers geur uniek, maar die had ook bepaalde kenmerken van een algemene truckersgeur, die bestond uit een mix van goedkope motelzeep, een specifiek soort zweet dat ontstond na urenlang in de airco in een afgesloten truckcabine te hebben gezeten, en de geur van fastfood van restaurants zoals dat wat Nelson in dit kleine stadje had gevonden. Nelson verwachtte Thatcher nog steeds elke ochtend weer aan te treffen, dus de geur van truckers overal om hem heen stelde de kleine hond gerust.

Er zat een gat onder in de oude vuilcontainer waar het restaurant zijn vuilnis in gooide. Ratten en andere kleine dieren maakten hier gretig gebruik van. Nelson was inmiddels aardig gewend aan vuilnis door zijn tijd op de vuilnisbelt in Albany, dus hij scharrelde zonder moeite zijn ontbijt bij elkaar uit de grote container. Hij deed zich te goed aan enkele aardappelpannenkoeken besmeurd met gebakken eieren, en het vet van een entrecote dat een te zwaarlijvige trucker er met tegenzin vanaf had gesneden. Het eten was goed bereid, en Nelson genoot van het voedsel, dat aardig makkelijk te vinden was geweest. De kokkin zelf stond naar hem te kijken terwijl hij zat te eten. Marta Herrera, een forse dame geboren in Mexico, glimlachte in zichzelf toen ze de hond de restjes van haar eten zag opschrokken. Elders in het dorp zou een zwerfhond in de buurt van het vuilnis op een agressieve reactie hebben kunnen rekenen, maar Marta kwam uit Ciudad Juarez, waar veel zwerfhonden rondliepen en waar het oogluikend werd toegestaan dat ze de kliekjes die mensen weggooiden meepikten. Marta begreep juist niet dat haar Amerikaanse man erop stond hondenvoer voor hun Duitse herder te kopen en weigerde hem de restjes van hun eten te voeren. Haar man was hier heel stellig in en beweerde dat kliekjes slecht waren voor honden en dat ze er ziek van werden. Als kind in Mexico had Marta het vreselijk gevonden om zoveel zwerfhonden te zien lijden. Maar ze wist dat kliekjes prima voedsel waren voor een hond. Haar grootvader had haar verteld dat honden waren geëvolueerd uit de wolven die vele millennia geleden de restjes eten rond de kampvuren van mensen kwamen opeten, en hij zag geen reden om deze traditie niet voort te zetten.

Dus liet Marta de hond zoveel eten als hij maar wilde wanneer hij bij het restaurant rondscharrelde. Als ze zag dat haar medewerkers hem probeerden weg te jagen, berispte ze hen zacht, en al snel werd het algemeen aanvaard dat Nelson van het vuilnis van het restaurant kon eten wanneer hij maar wilde. In de ochtend bewaarde ze soms wat speciale kliekjes voor hem, zoals een half opgegeten varkenshaas of een stuk kwarktaart, en die voerde ze Nelson dan persoonlijk. Soms overwoog ze zelfs om de hond mee naar huis te nemen, maar daar wilde haar man niets van weten. Marta was verliefd geworden op de nieuwsgierige uitdrukking op Nelsons gezicht, en de manier waarop zijn staart door de lucht zwiepte als een olifant die een maharadja koelte toewuifde, en ze dacht dat hij vast flink zou opknappen van een goede wasbeurt. Maar haar man wilde alleen raszuivere honden op zijn terrein hebben, en ook alleen maar grote honden.

Nelson nam nooit bewust het besluit om in het stadje te blijven. Het was een combinatie van gebeurtenissen die leidde tot zijn verblijf daar. Het was de aangename geur van de lucht. Het waren Marta's kookkunsten. Het was het verlangen om Thatcher terug te vinden, dat langzaam wegsleet, maar tegen de tijd dat Thatcher nog slechts een vage herinnering was, had Nelson zich al aangepast aan het leven in Kalispell.

Nelson bleef namelijk vooral in Kalispell vanwege een vrouwtje.

15

Lucy had niet rondgezworven zoals Nelson. Ja, ze was ook een zwerfhond, maar ze was nooit buiten Montana geweest. Lucy was een bastaard waarin zoveel rassen samenkwamen dat je onmogelijk haar stamboom kon afleiden uit haar uiterlijk. Ze kwam uit een nest van vier pups, geboren op straat in Helena in Montana. Haar vader was een bastaard, en haar moeder ook. Haar vader was al dood voor haar geboorte, overreden door een truck. Haar moeder bracht hen ter wereld in een krappe, donkere airconditioningsbuis in een van de oude gebouwen van Helena. Ze was uitgeput na de bevalling, maar vond toch de kracht om de vuilnisbakken in de buurt te doorzoeken zodat ze melk kon produceren voor haar gulzige pups.

Ze had echter niet genoeg melk om al haar pups in leven te houden, en twee van hen overleden. Op een avond hoorden een man en zijn dochter het gejank van de overgebleven pups die piepten om meer eten. Hun moeder was op pad, op zoek naar genoeg eten om haar eigen honger te stillen. De dochter van de man smeekte haar vader om de puppy's mee naar huis te mogen nemen. Schoorvoetend stemde hij in. Lucy's zusje stierf twee dagen later.

Maar Lucy overleefde het. Haar nieuwe baasje, Caitlin, vernoemde haar naar een Beatles-liedje. Ze was een zandkleurige hond, klein, met korte poten en doordringende ogen. Haar staart was pluizig en expressief, net als die van Nelson. Ze was haar moeder en haar zusje al snel vergeten, en Caitlin werd haar Grote Liefde.

Zes maanden later kreeg Caitlins moeder, die bij haar man was weggegaan, eindelijk de voogdij toegewezen, waarop Caitlin naar Californië vloog om bij haar te gaan wonen. Caitlin was gek op Lucy en wilde de kleine hond wanhopig graag meenemen. Maar haar moeder was allergisch voor honden en katten, en zij was de baas in huis. Caitlin huilde een week lang. Haar vader hield Lucy in huis, maar hij had nooit bijzonder veel met honden opgehad, en hij deed het alleen zodat Caitlin regelmatig terug zou komen voor een bezoekje.

Maar Lucy bleef verlangen naar Caitlin. Ze realiseerde zich al snel dat ze uit het huis van Caitlins vader moest zien te ontsnappen om haar te gaan zoeken. Lucy was een bedreven graafster, en ze begon heimelijk een gat onder het hek te graven waardoor ze zou kunnen ontsnappen. Elke dag wanneer Caitlins vader op zijn werk was, was Lucy aan het graven. Toen hij op een dag thuiskwam, merkte Caitlins vader tot zijn verbazing dat de hond weg was, en al snel ontdekte hij het gat onder het hek waardoor ze was ontsnapt. Zijn dochter huilde dagenlang toen hij haar vertelde dat Lucy was verdwenen. Maar diep vanbinnen was hij opgelucht dat de hond weg was, dus hij deed dan ook niet veel moeite om haar te vinden.

Net als Nelsons reis was ook Lucy's reis naar Kalispell zwaar geweest, en op sommige momenten had ze zich bang en verloren gevoeld. De kans dat een zwerfhond lang wist te overleven was niet erg groot. Maar Lucy was een erg vindingrijke hond, met een levendig karakter en een vrolijke instelling. Dus had ze het gered. Haar voornemen om Caitlin te vinden werd al snel naar de achtergrond gedreven door de noodzaak om te overleven.

Over het algemeen werd Nelson niet snel wakker van een geur zoals een mens wakker kon worden van een hard geluid. Maar op een ochtend, ongeveer een maand na zijn komst naar Kalispell, schrok hij wakker van een krachtig en bedwelmend parfum dat zijn bewustzijn binnendrong.

Nelson was eraan gewend te slapen in de buurt van de luchtkokers van de truckersherberg waar hij elke ochtend zijn ontbijt bij elkaar scharrelde. De winter kwam eraan, maar de hete lucht die uit de kokers blies hield hem de meeste nachten warm. Hij kon merken dat het langzaam kouder werd, maar de kleine hond kon hier niet uit afleiden dat er een strenge winter aankwam. Als hij dat wel had geweten, zou hem dat veel angst hebben aangejaagd.

Nelson droomde over Thatcher en Katey. Hij sliep naast hen in een huis dat hij niet kende, gebouwd van vreemde houtsoorten. Nelson kon ratten ruiken op de dakspanten en onder de vloeren. Maar zijn verontrustende droom werd onderbroken door Lucy's geur. Het was geen gewone geur. Het regende licht toen Nelson klaarwakker overeind schoot, hoewel de zon nog steeds tussen de grijze wolken door scheen. Over het algemeen werden de meeste geuren door de regen weggespoeld, maar de geur die Nelsons neusgaten had bereikt leek op de een of andere manier juist door de regendruppels te worden versterkt. Nelson wist dat het de geur van een andere hond was. Maar het was nog veel meer dan dat. De geur bruiste van het leven, en van een belangrijk universeel aroma dat totaal onweerstaanbaar was. Het riep hem, nee, het lokte hem naar zich toe en zei hem op zoek te gaan naar de bron ervan.

Lucy zwierf rond over de parkeerplaats vlakbij, op zoek naar eten. Ze had het stadje die ochtend vroeg bereikt. Ze was uitgeput maar kon niet slapen met een lege maag. Wanneer ze loops was, nam haar eetlust altijd enorm toe, en dan was het moeilijk om genoeg eten te vinden om haar aanhoudende honger te stillen.

Ze werd naar Kalispell gelokt door de aroma's van menseneten die haar op de snelweg hadden bereikt. Het was altijd mooi meegenomen als ze menseneten kon vinden. Als ze een stadje vond waar ze wat tijd kon doorbrengen zonder in de problemen te raken, profiteerde ze daar altijd van. Eén keer was ze opgepikt door hondenvangers en in een grauw, deprimerend asiel gestopt waar ze het vreselijk vond. Ze kon de stank van de dood op de achtergrond ruiken. Soms werden andere honden uit hokken vlakbij tegenstribbelend opgetild door de vrijwilligers van het asiel en meegenomen naar een plek in de buurt, waar hun bekende hondengeuren transformeerden tot iets wat Lucy diep verontrustte. Dan rook ze de stank van vuur en rook, en dan hing de geur van de hond nog slechts vaag in de lucht. Lucy was vastberaden om aan dat lot te ontsnappen, en haar haren stonden recht overeind van angst.

Kleine honden hadden meer kans om uit het asiel te ontsnappen, om tussen de benen van de hondenvangers te glippen en weg te stormen, en Lucy had weten te ontkomen.

Door haar ervaringen kon Lucy goed inschatten wanneer de kans groot genoeg was om in een stadje te kunnen overleven zonder meegenomen te worden door hondenvangers en ze dus het risico kon nemen om er te blijven. In sommige plaatsen maakten de mensen actief jacht op elke hond zonder halsband of riem. Lucy wist dat veel van die mensen het goed bedoelden, maar ze wilde niet terug naar het asiel. In andere steden lieten de mensen zwerfhonden hoofdzakelijk met rust, en gaven ze hun alleen af en toe wat kliekjes, wat Lucy altijd waardeerde.

Toen ze die dag in Kalispell aankwam, wist ze niet meteen of het stadje een hond als zij zou verwelkomen. Maar dat was toch niet haar grootste zorg. Ze was vooral op zoek naar eten, en dus was het niet echt toevallig dat Lucy naar de truckersherberg werd gelokt waar Nelson lag te slapen. De heerlijke geuren van Marta's kookkunsten hingen in de regenachtige lucht.

Lucy schrok toen Nelson van achteren op haar af kwam gerend en haar wild begon te besnuffelen en probeerde te bespringen. Nelson schrok ook van zijn eigen gedrag. Hij was nog maagd, en anders dan bij mensen had hij geen enkele voorbereidende kennis over de daad doorgegeven gekregen van zijn ouders of zijn leeftijdsgenoten. Zijn zintuigen sloegen simpelweg op hol bij het ruiken van Lucy's geur, en zijn lichaam reageerde hierop. Als je je een geur zou kunnen voorstellen als een heldere, krachtige, rijke en wonderschone kleur, dan was Lucy's parfum een regenboog die zijn hart en zijn hoofd binnendrong. Hij kon niet anders dan samenzijn en één worden met deze andere kleine hond die zijn leven had overspoeld met zoveel zintuiglijk genot.

Maar Lucy wilde er niets van weten. Ze grauwde naar hem en keek hem snuivend in de ogen om te achterhalen wat deze andere hond wilde. Ze werd niet zo overweldigd door Nelsons geur als hij door die van haar. Maar ze vond zijn geur vreemd genoeg wel aangenaam, en ergens ook imposant. Dus stopte ze met grauwen en gromde nog slechts zachtjes naar hem. Maar hij sprong meteen weer boven op haar terwijl hij over haar gezicht likte en zachtjes onder haar nek beet.

Lucy had honger en wilde eten, dus rende ze zo snel mogelijk bij hem vandaan. Maar hij bleef haar achtervolgen. Lucy stopte met rennen toen ze bij de berg vuilnis naast de truckersherberg was aangekomen en dezelfde voedselbron aantrof waar Nelson zich sinds zijn komst naar Kalispell aan te goed had gedaan. Ze schrokte een half opgegeten omelet met cheddarkaas en gehakt op, en vrat zich vol aan gekrulde friet met kaas.

Tegen de tijd dat ze klaar was met eten, had Nelson haar met succes besprongen. Lucy was ook nog maagd, en Nelson was er alleen maar in geslaagd zijn verlangens te bevredigen omdat ze zo druk bezig was met eten. Toen Lucy's honger eindelijk afnam, had Nelson zijn kleine pootjes om haar heen geklemd en drong hij bij haar naar binnen. Het was behoorlijk pijnlijk, en ze rook een beetje van haar eigen bloed. Maar om redenen die ze niet helemaal begreep, liet ze hem doorgaan met zijn pompende bewegingen. Ze snoof zijn geur nog eens op, en dit keer rook die nog aangenamer. Hij was een prachtige hond.

Marta zag de twee kleine honden paren vanuit het keukenraam. Een deel van haar was verheugd bij de gedachte aan de kleine puppy's die ze wellicht over een maand of twee zou aantreffen. Ze zou ze voeren en misschien 's nachts wel in de keuken laten slapen. Maar ze was ook bedroefd, omdat ze wist waar de meeste pups uit een ongewenst bastaardnest zouden eindigen, dood op straat.

Ze wist niet dat Nelson was geholpen, en dat er geen kans bestond dat hij Lucy zou bevruchten, ook al was ze loops. Nelson en Lucy zelf hadden geen idee dat seks meestal tot jonge puppy's leidde. Voor hen was het slechts een spannende nieuwe activiteit, omgeven met levendigheid en een prachtige regenboog van kleuren waar ze gelukzalig in opgingen. Toen hun lichamen samenvloeiden en hij haar warmte en haar vacht langs zich heen voelde strijken, gaf dit Nelson een diep bevredigend gevoel, alsof zijn hele lichaam sidderde van extase. Toen hij zijn hoogtepunt bereikte, had de jonge hond het gevoel alsof hij zou ontploffen van vreugde. Lucy's gevoelens waren minder intens, maar ze voelde Nelsons vreugdevolle uitbarsting binnen in haar, en hoewel ze het totaal niet had verwacht voelde ook zij zich vooral gelukkig.

Maar ze was een sterke jonge hond en ze was niet geneigd ook maar iets te doen wat ze zelf niet wilde, zeker niet voor een andere hond. Zodra ze merkte dat Nelson zich ontspande, worstelde ze zich onder hem vandaan en rende voor haar leven. Zo ging het de hele dag. Ze paarden vele malen, wel tien tot vijftien keer. Als Nelson vruchtbaar was geweest, dan was Lucy waarschijnlijk allang drachtig geweest. De dag verliep als eb en vloed tussen de twee honden, waarbij Nelson de overhand had wanneer hij bij haar binnendrong, maar Lucy vlak daarna van hem wegrende op haar korte kleine pootjes, kriskras door het stadje en het bos eromheen. Tegen de vierde of vijfde keer was het niet langer pijnlijk voor Lucy en begon ze net zo van het paren te genieten als Nelson.

Aan het eind van de dag werden ze beide weer overvallen door honger, en ze deden zich te goed aan wat restjes gebraden kip uit de berg vuilnis. Ze waren honden, dus er bestond geen mondelinge afspraak tussen hen, geen overeenkomst dat ze nu samen waren. Nelson liep naar zijn slaapplek vlak bij de luchtkokers, en aangezien ze toch niets beters te doen had, plofte Lucy naast hem neer. Nu de dag ten einde liep, maakte de passie van de seks waar ze samen van hadden genoten plaats voor puur praktische zaken. Het was kouder dan de nachten daarvoor, en door dicht tegen elkaar aan te kruipen wisten ze de kille wind die de nacht met zich meebracht te trotseren.

In de maanden daarop waren zelfs elkaars lichaamswarmte en de warme lucht uit de luchtkokers niet genoeg om hen 's nachts warm te houden. Rillend werden ze 's ochtends wakker. Als ze onder zulke omstandigheden alleen zouden hebben geslapen, zouden Nelson en Lucy beide zijn gestorven. Maar samen konden ze aan dat lot ontsnappen, ook al hadden ze het soms ondraaglijk koud.

Lucy's loopsheid duurde een paar weken, en ze zetten hun wilde gepaar voort. Tegen het eind van die paar weken waren de honden helemaal aan elkaars geur gewend, en beide voelden aan dat het karakter van de ander aansloot bij dat van henzelf. De aard van de liefde tussen honden was niet te vergelijken met de Grote Liefde die een hond voor zijn baasje voelde. Het waren vooral praktische zaken die Nelson en Lucy bij elkaar hielden. De warmte en de incidentele seks, en het gevoel ergens gevestigd te zijn en samen sterk te staan, wat voortkwam uit het samenleven als roedel. Maar ergens diep in hun hondenhart voelden ze ook liefde voor elkaar.

16

Herbert Jones zag zichzelf niet als een onfortuinlijk man. Hij had een lang en tamelijk gelukkig leven geleid met zijn vrouw en drie kinderen. Een groot deel van dat leven had hij als opzichter in een houtzagerij gewerkt en een vast inkomen verdiend. Hij kon goed opschieten met de mensen uit zijn stad, en de meesten van hen beschouwden hem als een rechtvaardige en vriendelijke baas of collega. Herbert vond zijn werk best bevredigend, en daarnaast genoot hij ervan om in zijn vrije tijd kleine houtsnijwerken van vogels en eekhoorns te maken van stukjes overgebleven hout uit de houtzagerij. Toen hij op zijn vijfenzestigste met pensioen ging, werd dit zijn voornaamste bezigheid en verdiende hij de kost met het verkopen van zijn kleine houten figuren aan verscheidene souvenirwinkels in een omtrek van tachtig kilometer.

Nu hij tachtig was kon Herbert Jones wel in één opzicht als pechvogel worden beschouwd. De meeste mannen werden door hun vrouw overleefd. Dat werd meteen duidelijk in elk bejaardentehuis. In zijn gedachten had Herbert niet vaak stilgestaan bij de mogelijkheid dat hij zijn vrouw kon verliezen. Na vijftig jaar huwelijk waren hun levens zo met elkaar verweven geraakt dat het haast onmogelijk was om ze te ontrafelen. Bijna elk detail van hun dagelijkse leven was gevormd door jaren van compromissen en gekenmerkt door korte ruzies die altijd werden gesust door hun aanhoudende liefde. Ze waren als een veel gedragen kledingstuk voor elkaar, zoals bij elk paar dat zoveel jaar had samengeleefd. Er zaten misschien wat gaten in die gestopt moesten worden, en er ontbraken misschien wat knopen, maar verder was het kledingstuk zo comfortabel en zo vertrouwd dat ze het voor geen goud zouden ruilen, en juist die ouderdom en de kleine benodigde verstelwerkzaamheden maakten het zo perfect.

Toen Herbert tweeënzeventig was, kreeg zijn negenenzestigjarige vrouw alvleesklierkanker en ze stierf kort daarop. Zijn vrouw had altijd sterker geleken dan hij. Ze had altijd zo nauwkeurig zorg gedragen voor alle kleine dingen in hun leven dat het ondenkbaar had geleken dat zij deze aarde als eerste zou verlaten. Zij had hem juist gesterkt in zijn overtuiging dat ze hem zou overleven door hem ervan te verzekeren dat zij zorg zou dragen voor het leegruimen van het huis na zijn overlijden en ervoor zou zorgen dat al zijn overgebleven houten figuurtjes goed terecht zouden komen. Ze had vastgelegd hoe hun kleine vermogen zou worden verdeeld onder hun drie kinderen en vier kleinkinderen, die allen ver van Kalispell woonden.

Na haar dood had Herbert eerst in de gebruikelijke ontkenningsfase gezeten. Het grootste deel van de dag was hij ervan overtuigd geweest dat zijn vrouw nog steeds bij hem was. Haar geest keek toe en gaf hem advies terwijl hij ontbijt voor zichzelf klaarmaakte. Hij wachtte tot de belletjes in het pannenkoekenbeslag knapten voor hij ze omdraaide omdat zijn vrouw hem had verteld dat ze dan het lekkerst werden. Hij dacht er alleen aan om wasverzachter aan de was toe te voegen omdat de geest van zijn vrouw over zijn schouder meekeek en hem vriendelijk plaagde met zijn gebrek aan huishoudelijke vaardigheden. Diep in de nacht reikte hij naar haar kussen en omhelsde het terwijl hij dwaalde tussen waken en slapen, ervan overtuigd dat zij zelf naast hem lag.

Maar uiteindelijk, na een jaar of wat, verliet ook de geest van zijn vrouw het huis, en was Herbert Jones helemaal alleen. Hij was bedroefd, diepbedroefd, al jarenlang, zo scheen het. Herbert deed hard zijn best zijn droefheid te verdrijven met routine. Hij wist dat de routines van zijn vrouw hem door de jaren heen erg gelukkig hadden gemaakt en erg op zijn gemak hadden gesteld, de manier waarop ze elkaar zonder veel te zeggen de dag door hielpen. Toen ze nog leefde, stonden er 's ochtends altijd een kop dampende koffie met twee klontjes suiker en een kom havermoutpap met enkele rozijnen en warme melk op hem te wachten. En hij begon uit te kijken naar het masseren van haar voeten 's avonds dat zij zo fijn vond, zelfs al stonken ze een beetje na een drukke dag.

Vroeger had zijn vrouw alle boodschappen gedaan, en meestal ging ze één keer in de week en nam dan meteen alles mee, waarna ze een beetje geïrriteerd thuiskwam met drie of vier tassen vol. Toen hij na haar overlijden weer een dagelijkse routine probeerde op te bouwen, realiseerde hij zich al snel dat zijn verdriet hem nog zou verzwelgen als hij niet elke dag even het huis uit zou kunnen gaan. En zoals zijn eigen grootmoeder hem had gezegd: beweging was van essentieel belang om gezond van geest te blijven. Dus werd het zijn gewoonte om elke dag van hun kleine huis aan de rand van het sparrenbos naar Main Street te wandelen, een paar honderd meter verderop. Dan liep hij rustig over de smalle, bochtige weg naar het stadje. Hij stopte altijd even bij de buurtwinkel voor een kop koffie en een hotdog of een kippenpasteitje. Dan kocht hij daar meteen de overige boodschappen die hij nodig had. Als de buurtwinkel iets niet had, liep hij nog even door naar de supermarkt. Hij weerstond de drang om spullen in het groot in te slaan, aangezien dit zijn dagelijkse tripje nogal overbodig zou maken.

Na zijn uitstapje slofte hij met zijn boodschappen terug naar huis. Iedereen in het stadje kende hem, en velen stelden hun lunchtijd af op het moment waarop hij de straat in kwam gelopen. Als hij in Main Street aankwam was het rond halfeen, tijd om te lunchen.

Drie jaar lang maakte Herbert nu al deze dagelijkse wandeling. Over het algemeen was het tochtje aangenaam, en met deze mate van beweging maakte hij genoeg endorfine aan om zijn neerslachtigheid te verdrijven. Alleen het harde lawaai en de vieze uitlaatgassen van sommige vrachtwagens en de sporadische gestoorde motorrijder die door de straat scheurde verstoorden Herberts plezier.

Hoewel hij nog steeds dagelijks aan zijn lieftallige echtgenote dacht, meerdere malen op een dag zelfs, was hij er toch in geslaagd weer gelukkig te worden. Hij genoot ervan zijn kleine houten figuurtjes te maken, en Kalispell bleef hem betoveren met zijn frisse lucht, de bomen, en de bergen in de verte.

Tijdens zijn dagelijkse uitstapje naar het stadje had hij al meerdere malen twee kleine honden opgemerkt. Hij zag ze rondhangen op de zandstrook naast de bocht in de weg die naar het centrum van het stadje leidde. Een van de honden had korte poten en deed hem denken aan een hond die hij vroeger in zijn kindertijd in Arizona had gehad. Maar het was de andere hond die zijn aandacht trok. Hij had opvallende kleuringen, vooral op zijn kop. Als de hond je aankeek, leek hij recht in je ziel te kijken met een vragende maar vriendelijke blik. Als hij snel met zijn pluizige staart kwispelde, leek deze haast wel een glinsterende aureool boven zijn unieke kop. Aanvankelijk observeerde Herbert de honden alleen. Maar toen hij op een dag weer op weg ging naar het stadje, stopte hij een paar overgebleven stukjes pannenkoek van zijn ontbijt in een plastic zakje. Hij voerde de restjes aan de twee honden tijdens zijn dagelijkse wandeling. Ze aten ze tevreden op, al leken ze niet uitgehongerd, zoals hij had verwacht.

Dit werd een bijna dagelijks ritueel. Herbert maakte zijn wandeling elke dag behalve op zondag, en de honden waren bijna elke dag bij de zandstrook of in de buurt te vinden. Al snel wachtten de twee geduldig op dezelfde plek om van hun dagelijkse traktatie te genieten. Als hij hun het eten had gegeven liep hij weer verder. Aanvankelijk probeerden de twee kleine honden hem te volgen, vooral degene met de opvallende kleuringen.

Als jongen was Herbert dol geweest op honden. Vlak na hun huwelijk, voordat hij en zijn vrouw kinderen kregen, dacht Herbert dat een hond een uitstekende toevoeging zou zijn aan het gezin dat hij met zijn vrouw zou gaan stichten. Maar ze was zeer allergisch voor zowel katten als honden. Ze hoefde maar binnen te stappen in een ruimte waar er een was geweest of ze kreeg meteen een niesbui en traanogen. De komst van antiallergiemedicatie vele jaren later hielp een beetje, maar niet veel.

Dus haar allergie sloot het hebben van huisdieren uiteraard uit. Herbert had hier nooit veel om getreurd, aangezien de liefde van zijn vrouw meer dan genoeg compensatie bood. Jaren later werd hij pas weer aan het plezier van een huisdier herinnerd, toen zijn zoon en dochter klaagden dat ze geen hond in huis hadden.

Nu zijn vrouw er niet meer was, zou Herbert best een of twee honden in huis kunnen nemen. Soms bedacht hij dat hij de twee honden die hij elke dag voerde misschien maar mee naar huis zou moeten nemen. Ze leken soms dringend behoefte te hebben aan een goede wasbeurt. Maar Herbert voerde dit idee nooit uit. Op de een of andere manier leek dat oneerbiedig naar zijn vrouw toe.

Dus wanneer de twee kleine honden hem achternaliepen nadat hij hen had gevoerd, joeg hij hen weg. Na een paar dagen probeerden ze hem niet langer te volgen. Herbert wist het niet zeker, maar hij leek in Nelsons ogen te kunnen zien dat de hond begreep dat het gewoon niet juist zou zijn om hen mee naar huis te nemen gezien de allergie van Herberts vrouw. Ze was er dan wel niet meer, maar haar wensen hoorden nog steeds te worden gerespecteerd.

17

Nelson en Lucy waren gelukkig samen. Ze waren zwerfhonden, dus ze hadden geen gemakkelijk leven. De nachten waren koud, en gedurende hun tijd samen werden de honden soms ziek en moesten dan onbedaarlijk hoesten en niezen. Op zulke momenten kon de ene hond de uitputting, vermoeidheid en somberheid van de ander ruiken. Als ze alleen zouden zijn geweest, was dit misschien voldoende geweest om hun de das om te doen. Maar beide honden boden de ander 's nachts extra warmte, en ze speelden met elkaar wanneer ze ziek waren zodat ze voldoende werden opgebeurd om in leven te blijven. Als hun gezondheid weer verbeterde, nam de speelsheid toe. En zo waren de honden gelukkig samen, ondanks de ongunstige omstandigheden.

Ze speelden eindeloos, zaten elkaar achterna, blaften naar elkaar, beten elkaar zachtjes. Hun spel verschilde niet veel van dat van de wolvenwelpen en jongvolwassen wolven die op slechts tien tot vijftien kilometer afstand in de bossen leefden. Maar bij honden was dat vele spelen niet slechts een fase in hun leven, het was een kenmerkende eigenschap van het hond-zijn. Het lag in hun aard. Omdat ze ongeveer even groot waren, waren Nelson en Lucy perfecte speelmaatjes. Geen van beide kon de absolute dominantie veroveren tijdens hun eindeloze stoeipartijen en pogingen om de alfahond van hun kleine roedel te worden. Soms was Nelson even de baas, maar dat duurde nooit lang. Iets in Lucy's hondenhart kwam in opstand, en dan heroverde ze de dominantie op haar partner. Alleen tijdens Lucy's halfjaarlijkse loopsheid wist Nelson echte dominantie over haar te verkrijgen, maar dat duurde nooit lang.

Mettertijd werd Lucy's geur net zo vertrouwd voor Nelson als de geuren van Katey en Thatcher. Nelson en Lucy hadden samen een soort dagelijkse routine opgebouwd, zelfs zonder een echt thuis te hebben. Elke dag sliepen ze op dezelfde plek en aten ze op dezelfde plek. Het werd hun gewoonte om het grootste deel van de dag op de zandstrook vlak bij de toegang naar het stadje door te brengen, bij een bocht in de weg die naar Main Street leidde. Het was hier over het algemeen vrij rustig, en ze liepen minder kans om welwillende mensen tegen te komen die hen wilden vangen om naar het asiel te brengen. Maar het belangrijkste was dat het er warm was. Door de ligging kreeg de strook het grootste deel van de dag zon, en omdat het zanderig was, vervloog de warmte niet meteen zoals bij een begroeide ondergrond. Nelson en Lucy konden ook graven in het zand, waar vooral het teefje dol op was, en ze legden een geheime voorraad botten aan die ze in de berg afval van het restaurant vonden, bestaande uit overgebleven koteletten of kippenpoten. Als het 's nachts bijzonder koud was geweest, begroeven de twee zich in het warme zand om hun tot op het bot bevroren lijven op te warmen. Als hun energie dan langzaam was teruggekeerd, kropen ze er weer onder vandaan, hun vacht in de war, om met elkaar te spelen tot de zon onderging, waarna ze terugkeerden naar het stadje en de luchtkokers van het restaurant om te slapen.

De oude man die hun elke dag eten kwam brengen begon ook deel uit te maken van hun routine. Elke dag wanneer hij zijn voordeur opendeed, dreef zijn geur naar hen toe, en dan keken de honden uit naar de dagelijkse lunch die hij meebracht. Hij gaf een aangename en niet bedreigende geur af, al kon Nelson ook iets anders bij de oude man ruiken. Een vreemde geur, van verval en ouderdom, van een sluipende ziekte die binnen in de man groeide. Nelson vond de geur niet erg aangenaam, en hij wist nog niet wat het zou betekenen.

Nelson en Lucy hielden zich vooral veel bezig met het simpelweg opsnuiven en verkennen van de aangename lucht in Kalispell. De eeuwenoude bergen, bossen en meren die zich honderden kilometers rond het stadje uitstrekten, vertelden een immer veranderend en zeer gevarieerd verhaal over het gebied. Net als het verhaal van het gras in Albany, vertelde ook de lucht van Kalispell een lang en prachtig sprookje over het ontstaan en verdwijnen van bergen en rivieren, en over de planten en dieren die in dit prachtige gebied hadden geleefd en waren gestorven.

Nelson wist niet zeker wat hij moest denken van de geur van wolven die hij hier vaak in de lucht bespeurde. Aanvankelijk dacht hij dat hij enkele andere honden rook. Maar hoewel de lucht hem aantrok zoals een hondengeur hem zou aantrekken, had de geur van wolf iets licht bedreigends. De geur bevatte een duistere kern die Nelson verwarde. Meerdere malen drong de lucht 's nachts door in zijn dromen. Nelson wist niet wat het betekende, of waarom de droom telkens terugkwam.

Ook roken Nelson en Lucy meerdere keren de geur van coyote op het lichtje briesje van Montana. Waar de lucht van wolf flauw en muf was als een oud boek, werden de neuzen van Nelson en Lucy sterk geprikkeld door de zuivere geur van coyote. Deze geur was erg vergelijkbaar met die van andere honden. In Nelsons hoofd was coyote gewoon een variatie van hond. Maar het was het soort hond waar Nelson meteen van zou wegrennen, want hij werd gekenmerkt door agressie. De geur riep beelden op van scherpe tanden, bloed en zweet, en gejank in de nacht.

Er leefden zeker tien coyotes in de omgeving van Kalispell. Net als Nelson en Lucy waren de coyotes ook in zekere mate afhankelijk van de mensen die in het stadje woonden. Hun etensresten vormden een essentiële voedselbron voor de coyotes. Maar waar Nelson en Lucy altijd op menselijk contact gesteld bleven, en bleven dromen van een leven bij mensen thuis, waren de coyotes onmiskenbaar wild. Ze hadden een instinctieve afkeer van mensen en zouden hen doden als ze daar ook maar even de kans toe kregen.

's Nachts zwierven de coyotes regelmatig stilletjes en heimelijk door Kalispell, op zoek naar eten. Soms werden ze door mensen gezien, maar die dachten meestal dat ze het zich verbeeldden, omdat coyotes uitermate bedreven waren in het stilletjes opgaan in de nacht, als duistere schimmen.

Coyotes aten vele soorten afval, en kleine vogels, ratten en eekhoorns. In tegenstelling tot honden waren zij het gewend om kleine dieren te doden om op te eten. Soms besloot een coyote te paren met een hond van hetzelfde formaat, en dan werden er hybride pups geboren. Maar met de kleinere hondenrassen voelden coyotes maar weinig verwantschap. Wellicht dat ze enkele overeenkomsten opmerkten tussen hun eigen geur en die van een kleine hond. Maar dit riep geen broederlijke gevoelens in de coyote op. Een klein dier kon makkelijk worden gedood en opgegeten. De mensen die wisten dat coyotes kleine honden als lekker hapje zagen, beschermden hun huisdieren 's nachts en hielden ze overdag achter stevige hekken opgesloten.

18

Nelson had een nachtmerrie. Hij was aan het sprinten door een donker bos. Ergens in de verte hoorde hij Lucy piepen en janken, maar hij kon haar niet vinden, kon niet bij haar komen. De stank van de dood hing in de lucht, de geur van de oude man die hen elke dag voerde. Het was een dicht bos, maar er was geen enkele natuurlijke geur te ruiken. Nelson pufte en hijgde terwijl hij door het bos snelde, op zoek naar Lucy. Onder het rennen werd hij overweldigd door een doordringende geur, de stank van coyote.

Soms ontstond er bij mensen een verband tussen de inhoud van hun dromen en bepaalde geluiden uit de echte wereld, vlak voor ze wakker werden. Het geluid van een wekker of het geklepper van een kapot raam kon onderdeel worden van hun dromen, maar dan met een andere betekenis. De stank van coyote riep niet meteen het beeld van een coyote op in Nelsons droom.

Maar toen Nelson wakker schrok, begon zijn hart sneller te slaan. Hij keek naar de andere kant van de straat tegenover de stoep waar hij en Lucy lagen te slapen en zag de magere, knokige gestalte van een coyote die naar hem staarde met kille blauwe ogen. Heel even leek de coyote net een geest, een verschijning in de mistige nacht. Nelson was nog niet helemaal wakker, en eerst dacht hij dat de coyote slechts een kwade hondengeest was uit het diepst van zijn gedachten, gestuurd om hem bang te maken. Het korte moment dat Nelson en de coyote elkaar aanstaarden leek veel langer te duren dan in werkelijkheid het geval was. Nelson wist niet zeker of het moment nog deel uitmaakte van zijn nachtmerrie of niet. Maar toen de coyote op hen af stormde, twijfelde hij er niet langer aan dat het beest echt was.

Er wordt gezegd dat drie op de vier mensendromen nare dromen zijn, al kan slechts een klein percentage hiervan als nachtmerrie worden bestempeld. Voor honden geldt ongeveer hetzelfde. Toen de coyote op Nelson af stormde, had Lucy, die naast hem lag te slapen, juist een fijne in plaats van een nare droom. Haar neus kriebelde, maar op de een of andere manier negeerden haar hersenen de stank van coyote. Ze droomde dat ze in een prachtige keuken was, omringd door de familie van haar Grote Liefde en de geuren van heerlijk eten.

Uiteindelijk werd ze niet wakker van de stank van coyote, maar van de geur van Nelsons adrenaline. Ze had nog nooit zulke verstikkende hoeveelheden adrenaline bij hem geroken. Ze sliep nog half toen ze de coyote op slechts een paar meter afstand van haar rook. De coyote stortte zich op Nelson, die tegen de muur op botste. De coyote probeerde hem te grijpen, maar miste. Het was een ijskoude, mistige nacht en de honden konden niet meer dan twee meter voor zich uit zien. Maar beide renden voor hun leven.

De coyote was gewend aan de vele verschillende gedaanten van de nacht, en hij werd niet afgeschrikt door slecht zicht. Hij had een scherp reukvermogen, en de geur van de twee honden lichtte op als een helder schijnsel in de mist. Hij kende de geur van de twee kleine honden goed. Maandenlang had hij hen geprobeerd op te sporen in het stadje door hun geur te volgen die door de wind werd meegevoerd. Hij begon te watertanden nu die lucht zijn neus bereikte.

Nelson en Lucy bleven rennen, en hun adrenaline gaf hun meer kracht dan ooit. Zelfs in alle paniek konden ze elkaars adrenaline ruiken, wat hun nog meer kracht gaf, de natuurlijke kracht van een roedel verenigd door angst. Dus wisten ze het wrede beest dat hen op de hielen zat een paar honderd meter lang te ontlopen terwijl ze door de verlaten straten vlogen. Maar de coyote was ervaren in het insluiten van zijn prooi, en hij had een sterk vermogen ontwikkeld om de manoeuvres van zijn tegenstanders te voorspellen. Na een wilde achtervolging van een minuut of tien, wist hij dat dit het moment was om toe te slaan. Hij sprong door de lucht en landde boven op Lucy. Haar kleine lichaam werd neergeduwd op de harde, betonnen stoep. Nelsons zintuigen werden overspoeld door de paniek van het moment. Hij reageerde snel en stortte zich op de coyote om Lucy te verdedigen. Hij zette zijn tanden in de achterpoot van het beest. Maar de coyote was opgewonden door de smaak van de prooi in zijn mond en voelde amper iets van Nelsons beet. De coyote beet in Lucy's nek. Ze stootte een luid, hartverscheurend gejank uit. Nelson hapte als een bezetene naar het gezicht van de coyote waardoor hij hem even kon ophouden. Op datzelfde moment deed een man in een nabijgelegen huis het licht aan en begon door het raam te schreeuwen.

De man vormde geen directe bedreiging voor de coyote, maar de coyote had geleerd dat hij zich maar het beste zo snel mogelijk uit de voeten kon maken wanneer hij met mensen te maken kreeg. Als het om mensenkinderen ging, kwam hij nog wel eens in de verleiding hen als een stuk vlees te zien, maar volwassen mensen vormden een bedreiging voor hem, met hun pistolen, lampen en hooivorken. Even aarzelde de coyote. Hij keek naar Lucy en naar het bloed dat langzaam uit de kleine, door hem toegebrachte wond in haar nek sijpelde. Het hart van de coyote begon wild te slaan bij de gedachte aan de smaak van haar malse vlees. Hij overwoog haar in zijn bek op te pakken en met haar weg te rennen, weg van de mensen. Maar de andere kleine hond stond nog steeds luid blaffend naar hem te happen en zou het hem vast onmogelijk maken om stilletjes in de nacht te verdwijnen. De coyote was dol op jagen. Hij keek uit naar de laatste seconden van de jacht, en het moment dat hij voor het eerst zijn verse prooi proefde. Maar hij wist ook dat hij die momenten soms beter kon laten schieten. Zijn eigen leven stond altijd voorop. Dus verdween de coyote alleen in de nacht.

Nelson begon Lucy te likken, hijgend van bezorgdheid. Ze jankte slechts bedroefd, bijna als een kleine puppy die haar moeder kwijt was. De man in het huis kon de kleine gedaanten van de honden bijna ontwaren op de stoep, en hij hoorde Lucy's treurige gejank. Maar hij werd geroepen door zijn warme bed. Hij had geen zin om zichzelf te belasten met de zorg voor twee zwerfhonden. Dat vreselijke geblaf was tenminste afgelopen. Vast een coyote. Of een wolf. Maar die was weg. Zijn kinderen waren veilig. Hij sloot het raam, deed het licht uit en ging weer slapen. De mensen in de steden en dorpen van Amerika waren zich er vaak niet van bewust hoeveel coyotes er 's nachts door hun woonplaats dwaalden, stille belagers die vlak langs hun huis slopen terwijl ze sliepen. De mensen vonden het makkelijker om hier niet bij stil te staan.

Nelson stond over Lucy's warme lichaam gebogen en rook haar bloed dat op de stoep sijpelde. Hij probeerde het bloeden te stelpen door zo snel mogelijk over haar wond te likken. Wanneer jonge wolven elkaar per ongeluk beten, wat vaak gebeurde, likte hun moeder hun wonden. Wolvenspeeksel werkte in feite als een natuurlijke wondzalf, die het bloeden stelpte en bacteriën doodde. Zo hield Nelson Lucy ook in leven. Hij likte haar wond urenlang, dagenlang, en voorkwam zo dat ze doodbloedde.

19

In de dagen nadat de coyote haar had aangevallen wist Lucy zich aan het leven vast te klampen. Nelsons warmte hielp haar de nachten door, en vlak na de aanval, toen ze zich maar amper kon bewegen, legde hij eten voor haar neer. De ochtend na de aanval had ze de kracht gevonden om terug te strompelen naar hun slaapplek vlak bij de luchtkokers, waarbij ze een spoor van bloeddruppels achterliet. Maar die nacht, toen Nelson over Lucy waakte terwijl ze sliep, rook hij de coyote in de buurt, en hij hoorde hem grommen in de mist. Hij maakte Lucy wakker en leidde haar naar de achterkant van het restaurant vlak bij de vuilnisbakken. Daar leek het veiliger, meer beschut, al bleef Nelson nog steeds het grootste deel van de nacht angstvallig wakker.

De volgende dag verplaatsten ze zich naar een klein winkelcentrum een paar straten verderop, waar Nelson een stil achterafsteegje had ontdekt waar de luchtkokers van een wasserette wat warmte boden. Hoewel deze plek meer beschut leek, werd Nelson nog steeds continu gewekt door de stank van de coyote, of die nu echt was of ingebeeld. Soms rook Lucy de coyote ook, en dan rilde haar hele lichaam van angst. Nelson bleef stilletjes zitten en speurde hun omgeving af met zijn neus, zijn ogen en zijn oren terwijl hij Lucy zachtjes likte om haar gerust te stellen. De coyote was de smaak van Lucy's bloed inderdaad nog niet vergeten, en hij smachtte naar meer.

Lucy was van Nelson afhankelijk voor eten. Hij maakte meerdere uitstapjes naar de vuilnisbakken vlak bij het restaurant en weer terug, en maakte er een spel van om haar het eten te geven. Dan legde hij een stuk half opgegeten kip of biefstuk een halve meter bij haar vandaan en gromde zachtjes, zogenaamd alsof hij het wilde beschermen, om haar zo aan te sporen het van hem te stelen. Hij verdedigde zich amper wanneer ze erop inging en het van hem afpakte.

Nelsons gedachten bestonden uit geuren en emoties die in zijn hondenbrein werden samengeweven tot een unieke taal. Dus hij kon het verlies dat hij voelde om de verandering in Lucy niet echt onder woorden brengen, zoals een mens wellicht zou doen. Maar de herinnering aan de aanval van de coyote bleef voortleven en het had zijn metgezel voor altijd veranderd. Hun spel was minder intens, de energie en de speelsheid van de andere hond nog slechts een schim van hoe het ooit was geweest. Haar droefheid had zijn weerslag op Nelson. Hij voelde zich achtervolgd door een zeker onbehagen.

's Nachts had hij vaak doordringende dromen over Katey. Omgeven door de geuren van Katey, haar huis en haar piano, raakte hij in die droomwereld soms in een soort extase, alsof zijn Grote Liefde hem tot zich had geroepen. Hij speelde talloze spelletjes met haar en zijn lelijke speelgoedrat, terwijl zijn zintuigen werden overspoeld door haar kenmerkende geur. Hij kon haar gezicht helder voor zich zien, haar bruine ogen glinsterend, haar glimlach levendig. Maar de speelgoedrat veranderde in een echte rat, kronkelend in zijn mond.

Het lukte hem niet hem stevig in zijn kleine bek geklemd te houden. De rat worstelde zich los en begon Katey te bijten. Nelson wilde naar voren stormen om haar te beschermen, maar ineens waren zijn ledematen verlamd. De rat veranderde in een grote, sterke coyote. Deze sprong naar Katey en duwde haar op de grond. Trillend werd Nelson wakker. Zijn Grote Liefde was ergens ver weg, onbereikbaar, hoe sterk hij ook naar haar verlangde. Er vormde zich een gat in zijn hondenhart, een diep zwart gat, dat zijn nieuwsgierige, speelse en dappere aard probeerde te overheersen. Het werd een onderdeel van zijn leven, een nieuw en blijvend aspect van zijn bestaan.

Nelson en Lucy zouden niet meer met elkaar paren. Een paar maanden na de aanval van de coyote werd ze loops, en Nelson hunkerde naar seks. Maar toen hij bij haar naar binnen probeerde te dringen, hapte ze gemeen naar hem. Haar lichaam voelde zich gewoon niet klaar voor seks na de schok van de coyotebeet. Het was vrijwel onmogelijk voor Nelson om haar in die periode niet te bespringen, want haar geur bleef bedwelmend, maar ze stond het simpelweg niet toe.

In de weken na Lucy's aanval hadden de twee honden hun dagelijkse bezoek aan de warme zandstrook buiten de stad gestaakt. Herbert Jones miste hen. De eerste dag dat ze niet kwamen opdagen had hij restjes pannenkoek met ahornstroop als traktatie voor hen meegenomen in een klein plastic zakje. Hij bleef een halfuur staan wachten in de veronderstelling dat ze nog wel zouden komen. Alle mensen in het stadje die Herberts aankomst in de hoofdstraat aanhielden als startsein voor hun lunchpauze zagen hun schema danig in de war geschopt worden. Uiteindelijk liep Herbert toch maar het stadje in, bedroefd dat de honden waren verdwenen. Nog een week lang bracht hij lekkernijen voor hen mee, in de hoop dat ze weer zouden opduiken. Toen dat niet gebeurde, begon hij het ergste te vrezen. Hij dacht dat ze wellicht waren overreden, of nog erger. Herbert wist van de coyotes in de bossen om hen heen, en hij wist dat deze soms kleine dieren aten. Hij hoopte vurig dat de twee honden uit hun klauwen hadden weten te blijven. Eigenlijk waren ze maar een klein onderdeel van Herberts leven, dieren die hij slechts een paar minuten per dag zag. Maar het verlies van zijn vrouw had hem gevoelig gemaakt voor elke vorm van verlies, dus lag hij 's nachts wakker uit bezorgdheid om de twee kleine dieren. Misschien dat hij ze in huis had kunnen nemen, hen bij hem had kunnen laten wonen. Dat had zijn vrouw wellicht ook gewild.

Hij was dan ook zeer verheugd toen de honden een paar maanden later plotseling weer opdoken, op even mysterieuze wijze als ze waren verdwenen. Toen hij de twee in het warme zand zag liggen, wist hij meteen dat er iets aan hen was veranderd. Op de een of andere manier leek het licht in hun ogen gedoofd. Op de plek waar Lucy was gebeten had zich een dikke bruine korst gevormd die er inmiddels af was gevallen, en er was nieuw haar over gegroeid die de gehavende huid bedekte. Dus Herbert kon niet precies achterhalen wat er met hen was gebeurd, maar hij wist dat er een trieste reden moest zijn voor hun plotselinge verdwijning en terugkeer. Hij liep terug naar zijn huis, haalde een groot bord overgebleven aardappelpuree met jus uit zijn koelkast, warmde het op en bracht het naar de honden in twee kleine bakjes. Ze aten het langzaam op en likten aan zijn handen toen ze klaar waren, vragend om meer. Herbert was blij dat ze weer terug waren.

Dus zowel voor Herbert als voor de honden keerde het leven weer redelijk terug naar normaal. Verscheidene keren probeerde Herbert hen mee naar zijn huis te lokken, nu hij had besloten dat hij hen officieel deel wilde laten uitmaken van zijn leven. Een fatsoenlijk thuis zou ze goeddoen, dacht hij, en hij zou het fijn vinden als ze 's nachts aan zijn voeteneinde sliepen, net als de hond uit zijn kindertijd. Als ze bij hem woonden waren ze veilig voor coyotes, dacht hij. Maar dit keer waren het de honden die zich verzetten. Hij merkte dat ze angstig waren. Elke dag namen ze eten van hem aan en zaten rustig bij hem terwijl hij hen aaide, likkend aan zijn vingers. Maar als hij hen zover probeerde te krijgen hem naar huis te volgen, deinsden ze terug. De hond met de vragende ogen keek hem recht aan, alsof hij hem probeerde te peilen, zo leek het.

Iets in Nelsons hart zei hem niet te gehecht te raken aan de man. Die aparte geur die hem omringde zorgde ervoor dat Nelson op zijn hoede was. Maar hij waardeerde de dagelijkse lunch die de man hun gaf. Dus groeide er een zekere loyaliteit tegenover hem. En als deze loyaliteit eenmaal in Nelsons hart was opgebloeid, was die zeer krachtig.

De ziekte die zich langzaam door het lichaam van de man verspreidde was niet dezelfde als die waar zijn vrouw aan was overleden. Het was niet echt een ziekte als zodanig. Het was slechts het dikker worden van het bloed, wat optrad wanneer mensen ouder werden. Herberts bloed stroomde nu al meer dan tachtig jaar door zijn aderen, een lange tijd. Maar met het verstrijken der jaren begon zijn hart steeds zwakker te pompen.

Op een dag, terwijl hij Nelson en Lucy hun lunch voerde, stolde er wat bloed in Herberts hersenen en vormde zich een klein propje waardoor de bloedtoevoer naar de rest van zijn hersenen werd gehinderd. Hij was de twee honden aan het aaien toen hij de beroerte kreeg. Aanvankelijk wist Nelson niet precies wat er aan de hand was. Herberts lichaam gaf paniekgeuren af en hij stortte in elkaar. Het warme, zachte zand brak zijn val, en hij lag stilletjes op de grond met zijn ogen open, starend naar het bos en de lucht van Montana waar hij zo van hield. Lucy en Nelson blaften naar hem, sprongen boven op hem, likten hem in een poging hem bij te brengen, maar hij lag daar maar, hulpeloos. Nelson wist dat dit een noodgeval was. Dat zeiden zijn hersenen hem, dat zei zijn neus hem. Hij moest hulp gaan halen, van mensen.

Nelson en Lucy hadden geleerd uit de buurt te blijven van wegen, tenzij dit absoluut noodzakelijk was. Die grote nare wezens, auto's, konden beter worden vermeden. Maar nu moest Nelson er één stoppen om de oude man te helpen. Terwijl Lucy bij de oude man bleef en hem probeerde bij te brengen, stond Nelson trots en fier midden op de weg naar het stadje en blafte luid in een poging de aandacht te trekken.

Er passeerden een paar auto's die de hond negeerden en hem op een haar na misten. Normaal gesproken zou hij zijn weggerend als een auto zo dichtbij was gekomen. Maar de adrenaline gierde door zijn lijf en de geur van de oude, stervende man hing in de lucht, dus Nelson blafte luider en luider.

Uiteindelijk remde er een jong koppel af dat de kleine hond luid blaffend op de weg zag staan. Ze zetten hun auto naast hem neer. Nelson blafte nog luider naar hen toen ze hun raam opendeden. Hij liep naar achteren in de richting van de oude man, en toen zagen de jonge man en vrouw in de auto de oude man liggen, amper ademend.

Maar Nelson zag de drie motorrijders die vanuit de andere richting naderden over het hoofd. De motorrijders reden op hoge snelheid door de bocht naar het stadje, te snel om de kleine hond midden op de weg te zien staan. Een van de motorrijders trapte op zijn rem toen hij zag dat hij op het punt stond de kleine hond te raken. Maar het was te laat. Hij probeerde uit te wijken, maar de zware motorfiets raakte Nelson toch in zijn zij. Nelson werd totaal overrompeld, zo gericht was hij op het redden van Herbert. Voor hij goed en wel besefte wat er gebeurde, nam zijn lichaam het over en deed wat het beste voor hem was. Nelson gleed weg in een diep, donker gat, in het niets.

Lucy werd van haar stuk gebracht door wat er gebeurde. Aanvankelijk begon ze luid te blaffen. Maar toen er ambulances en politiewagens aankwamen, vluchtte ze de bossen in. Ze kon niet dicht bij Nelson komen zonder het risico te lopen de aandacht te trekken van al die mensen die zich plotseling op hun kleine, zanderige rustplaats hadden verzameld. Maar tussen de sparrenbomen aan de rand van de stad rook ze overal coyotes. Dus besloot ze voorzichtig terug te sluipen via de steegjes rond Main Street naar hun vaste slaapplaats bij de wasserette. Het was koud nu Nelson niet naast haar lag. Telkens als ze wakker werd, verwachtte ze hem naast zich aan te treffen. De volgende dag speurde ze het hele stadje af op zoek naar hem, jankend wanneer ze hem meende te ruiken en ontdekte dat het slechts een oud geurspoor was. De zandstrook waar ze veel van hun dagen hadden doorgebracht was verlaten, en Herbert was nergens te bekennen. Die nacht sliep ze weer alleen bij de wasserette. De volgende ochtend vroeg was ze ervan overtuigd dat ze de coyote in de verte kon horen grommen. Het was tijd om deze plek te verlaten, zeiden de stemmen in haar hoofd, in een woordloze hondentaal. Bij zonsopkomst vertrok ze uit het stadje. Ze zag Nelson nooit weer.

Lucy zou haar hele verdere leven last blijven houden van de littekens van haar wond. Ze deden soms pijn 's nachts, vooral wanneer het koud was. Haar levenslust zou nooit meer helemaal terugkeren na de coyoteaanval. Telkens wanneer ze later in haar leven de stank van coyote in de lucht rook op haar rondzwervingen door Montana, herinnerde dat haar weer aan haar bijna-doodervaring.

Deel 3

Verlies

20

Na het ongeluk belandde Nelson op de eerstehulpafdeling van het dierenziekenhuis, en de dierenarts die hem behandelde was een bescheiden man. Dougal Evans was opgegroeid op een boerderij in Illinois en had zijn liefde voor dieren van zijn vader geërfd. Ze fokten rundvee, maar overal op hun boerderij liepen andere diersoorten rond: kippen, geiten, schapen, biggen, een kat die ratten ving, en meerdere honden, border collies. Al van jongs af aan had Dougal de geboorte van de verscheidene dieren meegemaakt, en hij had vele jonge puppy's en biggetjes verzorgd tot ze volwassen waren. Een groot deel van de dieren werd dagelijks door hem gevoerd, en soms sliepen ze zelfs bij hem in bed. Toen hij klaar was met de middelbare school en het tijd werd om een beroep te kiezen, twijfelde hij geen moment aan wat hij wilde worden. Hij ging studeren aan een topuniversiteit voor diergeneeskunde in Californië, UC Davis, en was een van hun beste studenten ooit.

Na zijn afstuderen draaide hij nachtdiensten op de eerstehulpafdeling van een dierenziekenhuis in Los Angeles. Hij zag het ergste dierenleed voorbijkomen, vooral bij honden, die soms zeer geliefd waren maar soms ook vreselijk waren mishandeld door hun baasjes. Na een jaar of vijf had hij meer dan genoeg van de stad, en wilde hij in een omgeving wonen die meer leek op die waarin hij was opgegroeid. Hij was een zuinige man, en in de loop der jaren had hij een aanzienlijk bedrag bij elkaar gespaard. Toen hij zag dat er een klein dierenziekenhuis met eerstehulpafdeling in Montana te koop stond, deed hij meteen een aanbetaling.

Inmiddels woonde Dougal hier alweer twintig jaar en had hij een succesvolle praktijk opgebouwd. Er werden vele dieren naar zijn kleine ziekenhuis gebracht, en vele kwamen gezond weer naar buiten. Zijn werk was dankbaar, maar ook pijnlijk. Hij wist dat hij sommige binnengebrachte dieren niet zou kunnen redden. Maar nog hartverscheurender vond Dougal de dieren die hij wel zou kunnen redden, maar die geen thuis hadden om naar terug te keren nadat hij ze had genezen. Wanneer een welwillend persoon een zwerfdier binnenbracht voelde hij altijd een steek door zijn hart gaan. Waar moesten ze naartoe nadat hij ze had behandeld? Goed, er zaten enkele dierenopvangcentra in de stad. Een paar geluksvogels zou wellicht een thuis vinden. Maar als er na een week geen geïnteresseerden waren, wat meestal het geval was, werden de zwerfdieren stilletjes afgevoerd naar het asiel, waar ze een injectie kregen om ze in te laten slapen.

Bij elke zwerfhond die zijn ziekenhuis binnenkwam voelde dr. Evans de drang om het dier met zich mee naar huis te nemen. In het begin van zijn carrière had hij dit ook een paar keer gedaan. Maar zijn vrouw was gaan klagen. Drie honden, vijf katten en vier vogels waren meer dan genoeg huisdieren om voor te zorgen. Dus moest hij zijn hart harden om weerstand te bieden wanneer een zwerfhond gezond genoeg was om zijn kleine instelling te verlaten en naar de dierenopvang te gaan. Als hij afscheid nam van een zwerfdier, aaide Dougal hem of haar altijd net iets langer dan zijn andere dierenpatiënten, en hoewel hij niet zo'n religieus man was, bad hij stilletjes dat het dier een thuis zou vinden.

In bijna elk dier dat hij behandelde zag Dougal wel een bepaalde schoonheid. Maar hij was nog het meest verzot op honden en had ontzag voor hun diepe affiniteit met mensen. Hij voelde evenveel genegenheid voor de stille en de lieve honden, als voor de gemene en de agressieve honden. Vanbinnen waren ze allemaal uniek en prachtig. Dus het was niet ongewoon dat Dougal genegenheid voelde voor Nelson. Desalniettemin werd die genegenheid steeds sterker in de periode dat Nelson in Dougals ziekenhuis verbleef.

Sommige dierenartsen zouden wellicht hebben voorgesteld om

Nelson in te laten slapen toen hij na het ongeluk door de twee jonge mensen werd binnengebracht. Dougal overwoog deze optie ook serieus toen hij de hond zag. Maar de jonge man en vrouw vertelden hem dat Nelson het leven van een oude man had gered. Ze waren alleen gestopt omdat Nelson midden op straat had staan blaffen, waarna zij het alarmnummer hadden gebeld en er een ambulance was gekomen om de oude man mee te nemen. Ze wisten dat de oude man nu op de intensive care lag, maar hij had het overleefd. Hoe konden ze deze hond laten sterven terwijl hij een mensenleven had gered?

Nelson was nog steeds buiten bewustzijn toen de arts hem begon te onderzoeken. De jonge man en vrouw hadden hem in een oude deken gewikkeld die ze in de kofferbak van hun auto hadden liggen. De motorfiets was hard tegen hem aan geklapt, maar had alleen zijn linkerachterpoot geraakt. Het grootste deel van zijn lichaam was ongedeerd gebleven. De schade aan zijn poot was echter aanzienlijk. De botten waren verbrijzeld en versplinterd en de spieren van zijn kleine poot waren gescheurd. Dougal bekeek de poot zorgvuldig en onderzocht hem terwijl het jonge stel bezorgd toekeek. Zijn röntgenapparaat was stuk, maar hij kon al met het blote oog zien wat er moest gebeuren. Hij vertelde hun dat hij dacht dat hij het leven van de hond kon redden, maar dat dan wel zijn poot moest worden geamputeerd.

21

Nelson werd wakker in een golf van pijn. Hij was verward. Hij was verward door het onbekende jonge stel en de dierenarts die over hem heen stonden gebogen. Hij was verward door deze plek die hij nog nooit had geroken, hoewel de geur van chemicaliën vage herinneringen opriep aan andere dierenziekenhuizen waar hij vele jaren geleden was geweest. Maar zijn verwarring duurde niet lang, want zijn zenuwstelsel werd al snel overspoeld door de hevige pijn van zijn verwondingen. Hij viel uit naar de dierenarts en probeerde hem te bijten. Dougal werd overrompeld toen de jonge hond wakker werd, maar slaagde erin zijn arm uit de buurt van zijn bek te houden. Hij pakte een injectiespuit en spoot een verdovingsmiddel bij de hond in zijn achterste. Nelson viel weer in slaap.

De jonge man en vrouw bespraken of ze zouden blijven wachten tot na Nelsons operatie, maar na enige discussie besloten ze dat ze echt moesten vertrekken om op tijd in Wisconsin te zijn voor de bruiloft van hun broer over drie dagen. Ze zouden opbellen na hun aankomst in Madison om te horen of Nelson de operatie goed was doorgekomen.

Met behulp van zijn twee assistenten wist Dougal de operatie van Nelson in korte tijd af te ronden. Drie kwartier nadat hij de operatiezaal was binnengebracht, werd Nelson weer naar buiten getild. Zijn poot was verwijderd, en de wond was helemaal ontsmet en verbonden.

Toen de verdoving langzaam uitgewerkt raakte en hij weer bij bewustzijn kwam, merkte de kleine hond aanvankelijk niet dat hij een ledemaat miste. Hij had zware pijnstillers gekregen en had toch al geen behoefte om op te staan. Hij snoof de lucht op. Waar was Lucy? Haar geur was nergens te bekennen. In de ruimte bevonden zich nog drie andere honden en een kat, allemaal in comfortabele hokken, allemaal diep in slaap. Hij rook de ontsmettingsmiddelen die zo kenmerkend waren voor dierenziekenhuizen. Vlakbij zat een assistent aan een tafel te werken. Nelson stootte een zacht gejank uit, en de assistent, een jongeman genaamd Juan die onlangs uit Mexico was overgekomen, keek op. Hij liep naar hem toe, deed het hok open en aaide de kleine hond zachtjes. Nelson likte zwakjes aan zijn hand. De assistent haalde een klein schoteltje water dat hij Nelson voorhield, en Nelson wist een paar slokjes te nemen. Toen zette de assistent een klein bakje met zachte hondenbrokjes in Nelsons hok. Nelson snuffelde eraan, maar het rook helemaal niet lekker in vergelijking met het eten dat hij gewend was van het wegrestaurant. Later die dag had hij zo'n honger dat hij het met moeite naar binnen werkte toen de assistent het hem met de hand voerde.

De dag ging in een waas aan hem voorbij. Nelson sliep het grootste deel van de tijd. Af en toe ging er een deur open en werd hij wakker, hopend dat Lucy zojuist de kamer was binnengekomen. Hij blafte zwakjes toen het slechts de assistent bleek te zijn. Als hij blafte, zou Lucy misschien weten waar hij was. Maar hij had niet genoeg energie om nog eens te blaffen. Nelson had nog steeds niet gemerkt dat hij een ledemaat miste, en hij was verbaasd toen er een warme plas van zijn eigen urine op de bodem van zijn hok verscheen. De assistent ruimde het snel op.

Toen Nelson de volgende ochtend wakker werd, jankte hij van de pijn. Op de plek waar eens zijn poot had gezeten, voelde hij nu een doffe maar bijtende pijn. De dagassistent, een jonge vrouw, Suzi, haastte zich naar hem toe en gaf hem wat pijnstillers. Nelson had ook honger. Hij verslond het eten dat ze hem gaf en dronk al het water op.

Na verloop van tijd raakte Nelson aardig op Juan en Suzi gesteld. Dougal deed hard zijn best om alleen echte dierenliefhebbers aan te nemen als medewerkers van zijn kleine ziekenhuis, en hij was trots op de goede zorg die zijn dierenpatiënten kregen. Maar de dag na zijn operatie verlangde Nelson vooral veel naar Lucy. Hij bleef naar de andere dierenhokken turen, half verwachtend haar in een van de hokken te zien wachten. Maar toen hij de lucht opsnoof, wist hij dat ze nergens in de buurt was. De afgelopen jaren was zijn leven zo verweven geraakt met dat van haar, dat het feit dat ze er niet was hem aanvankelijk meer opviel dan het feit dat hij een ledemaat had verloren.

Toen de schok van het ongeluk en de laatste resten van de verdoving waren uitgewerkt, en Nelson begon te genezen, merkte hij dat er iets miste. De eerste keer dat hij probeerde op te staan om zich uit te schudden zoals hij altijd deed, stortte hij in elkaar. Het was een vreemd gevoel om een van zijn vier poten te missen. Juan keek toe terwijl de kleine hond overeind probeerde te komen en weer neerviel. Hij haalde hem uit zijn hok en speelde met hem terwijl hij hem probeerde te ondersteunen zodat de hond kon staan.

Nelson bleef op de grond vallen. Als Juan hem overeind hield, keek Nelson hem met vragende ogen aan en hief zwakjes kwispelend zijn staart omhoog. Dan moest Juan wel glimlachen. Maar vervolgens viel Nelson weer op de grond.

Het verlies van Katey, het verlies van Thatcher, en het verlies van Lucy waren allemaal zaken die Nelson nooit zou vergeten. Hun geuren bleven voor altijd in zijn gedachten en overvielen hem op onverwachte momenten, soms aangewakkerd door andere geuren en emoties. Hij was vaak bedroefd als hij aan hen dacht, omdat de bron van die geuren nergens meer te bekennen was. Maar het leven ging verder en schudde hem wakker uit zijn geurige dagdromen, en dan vergat hij zijn verlies even. Aanvankelijk, toen het verlies nog vers was, riep hij hun geuren regelmatig in zich op. Maar naarmate de jaren verstreken, werd zijn herinnering aan hun geuren steeds minder nauwkeurig, steeds zwakker, tot het na een tijdje nog slechts het idee van hun geur was dat Nelson zich herinnerde in plaats van hun geur zelf.

Het verlies van zijn poot was een heel andere zaak. Het beperkte hem zo in zijn doen en laten dat het elk moment van zijn dagelijkse leven bepaalde gedurende zijn eerste maand in het dierenziekenhuis van Dougal Evans. Aanvankelijk was de hond zo verward door de gebeurtenissen van de voorgaande dagen dat zijn leven hem een beetje onwerkelijk leek. Maar toen de verdoving was uitgewerkt en de dierenarts de andere medicatie probeerde af te bouwen, veranderde de doffe, kloppende pijn op de plek waar zijn poot had gezeten in een meer doordringende sensatie die hij altijd met zich meedroeg. Elk uur van de dag was de hond zich ervan bewust dat hij een ledemaat miste.

Nelson had vele jaren voor zichzelf gezorgd, en daarvoor, in zijn jaren met Katey, was hij een actieve hond geweest die graag contact zocht met alles en iedereen om zich heen. Het was een aanslag op zijn wezenlijke aard om ineens niet meer te kunnen lopen, om niet meer vrijelijk te kunnen bewegen. Aanvankelijk raakte hij dan ook bevangen door een somber, deprimerend gevoel. Hij werd gedwee, onderdanig, lag het grootste deel van de dag in zijn hok, at kleine beetjes voer en dronk weinig, net genoeg om zichzelf in leven te houden. Het was de gedachte aan Lucy die hem afleiding bood en een totale depressie voorkwam. Juan merkte dat Nelson met gespitste oren opkeek zodra er in de buurt een deur openging, alsof hij op iemand in het bijzonder wachtte. Juan vroeg zich af wie Nelsons baasjes waren geweest.

Elke dag haalde de dierenarts Nelson uit zijn hok om wat tijd met hem door te brengen, geholpen door de dienstdoende assistent. Hij probeerde hem te helpen weer te lopen, of in ieder geval weer op zijn overgebleven poten te staan. Dougal was een drukbezet man en hij wist dat niemand hem zou betalen voor de tijd die hij aan deze patiënt besteedde. Maar zolang zijn kleine kliniek genoeg geld opbracht om hem en zijn gezin te onderhouden, zou elk dier dat hier binnenkwam de best mogelijke behandeling krijgen, om hopelijk gezond weer te vertrekken. De dierenarts wist dat het uiteindelijk de hond zelf was die besloot of hij zou functioneren of niet na het verlies van een ledemaat. Hij had al eerder zulke verzwakte dieren meegemaakt. Sommige van hen beschikten over een sterke overlevingsdrang, terwijl andere op een bepaald moment gewoon niet meer verder wilden leven. Maar daar had hij als arts geen invloed op. In de eerste paar dagen na het ongeluk kon de dierenarts niet precies zeggen onder welke van de twee categorieën Nelson viel.

Hoewel de dierenarts en de assistenten hard hun best deden om Nelson te laten herstellen, nam Nelsons frustratie over het niet kunnen lopen toe. Ondanks de somberheid die hem soms overweldigde, had Nelson een vrij eenvoudige reden om weer te willen lopen. Als hij kon lopen, kon hij Lucy misschien vinden. Iemand moest voor haar zorgen. Ze moest tegen de coyote worden beschermd. Alleen als hij kon lopen zou hij ooit zijn Grote Liefde weer kunnen vinden. De wil in zijn hondenhart om weer vrijelijk te kunnen bewegen op drie poten groeide langzaam uit tot een vastberaden en onwrikbaar voornemen.

Na een tijdje leek het licht dat de dierenarts in Nelsons ogen zag glinsteren steeds sterker te worden. Keer op keer viel het kleine dier op de grond, soms jankend, terwijl de dierenarts en de assistent hem overeind probeerden te houden zodat hij zijn balans kon vinden. Maar af en toe begon hij met zijn prachtige staart te kwispelen. De dierenarts dacht dat dit er misschien op wees dat de hond er meer vertrouwen in kreeg om op drie poten te staan. Toen merkte Dougal iets interessants op. De hond begon zijn staart iets naar één kant te houden, in de tegenovergestelde richting van zijn ontbrekende poot. De hond probeerde zichzelf met zijn staart in balans te houden.

Op een mooie dag, ongeveer drie weken na het ongeluk, stond Nelson op eigen kracht op. Zijn grote pluizige staart helde iets naar één kant om hem in balans te houden, en zijn lichaam hield hem overeind. Dougal en Juan juichten, en Nelson bespeurde hun blijdschap om wat hij zojuist had bereikt. Zo bleef hij een tijdje staan om deze nieuwe lichamelijke sensatie te ervaren. Hij voelde nog steeds een doffe pijn op de plek waar zijn poot had gezeten, maar zijn hart klopte opgewonden.

Hij viel nog regelmatig op de grond, maar al snel voelde het voor Nelson vrij normaal om in zijn nieuwe karakteristieke houding te staan. Zijn lichaam helde licht naar één kant en zijn staart stond iets naar de andere kant. Het duurde nog een week of twee voor hij in staat was enkele kleine, stuntelige passen te zetten. Eerst was het niet veel meer dan wat willekeurig gehink, maar na een paar dagen begon Nelson behoorlijk snel op te knappen. Dougal, Juan en Suzi waren allemaal verbijsterd over de vooruitgang van de hond. Het duurde niet lang voor hij zich vrijelijk voortbewoog op drie poten, waarbij hij alsmaar op zijn opmerkelijke manier met zijn staart bleef kwispelen om zich in evenwicht te houden. Zijn staart werd echt een vierde poot. Zijn voorpoten bewoog hij vrij normaal, maar hij hinkte op zijn resterende achterpoot, en zijn grote pluizige staart zwaaide continu door de lucht om hem in balans te houden. Nelson dacht geen moment aan de dierenarts van vele jaren geleden die zijn staart had gespaard ondanks Emils aandringen. Zonder staart zou het vast veel moeilijker voor hem zijn geweest om weer te leren lopen.

Nelsons verlangen om weer normaal te kunnen lopen werd steeds sterker. Elke ochtend kwam hij meteen overeind zodra hij wakker werd, en hij hield de assistent nauwlettend in de gaten vanuit zijn hok om in te kunnen schatten wanneer hij eruit zou worden gelaten om te spelen en wanneer hij zou worden meegenomen voor een wandeling zodat hij zijn nieuwe manier van lopen kon oefenen. Juan en Suzi probeerden een paar keer per dag een korte wandeling met de hond te maken. Hij was een apart dier met zijn fiere staart, drie poten en mooie ogen. Zijn opvallende tred zag er wat onbeholpen uit, maar was tegelijkertijd ook omgeven met een soort bijzondere statigheid en elegantie. Soms viel hij, en vaak voelde hij zich ongemakkelijk. Alle blikken waren op hem gericht, sommige verwonderd en sommige smalend. Maar het was fijn om het gras op de stoep weer te ruiken, en de sparren en bergen in de verte. Hij bleef de vluchtige wind afspeuren op zoek naar Lucy's geur.

Juan en Suzi waren neef en nicht. Ze praatten onderling over de vraag of een van hun familieleden in de buurt de hond met drie poten soms zou willen adopteren. Beiden hadden overwogen de hond zelf mee naar huis te nemen, maar ze realiseerden zich dat dit niet haalbaar was. Juan woonde in een eenkamerappartement met zijn vrouw en twee jonge kinderen. Suzi woonde in een vergelijkbare situatie met haar bejaarde grootmoeder. Het zou moeilijk worden om voor een hond te zorgen.

Ze vroegen een paar van hun familieleden of zij de hond soms in huis wilden nemen, maar die moesten allemaal lachen toen ze hoorden dat hij maar drie poten had. Wat moest je met een hond met drie poten? Hoe kon die inbrekers vangen? Juan werd boos toen zijn ene oom, een verstokte imitator, een hond met drie poten nadeed en rondhinkte terwijl de rest van zijn familie hard begon te lachen. Het leek alsof alleen Dougal, Juan en Suzi de schoonheid van Nelson zagen. Ze wisten dat ze dit niet alleen maar voelden omdat ze de hond hadden geholpen weer te kunnen lopen. De kleine hond had iets in zich dat hen opvrolijkte.

Ook Nelsons lichamelijke functies veranderden. Hij moest gehurkt leren plassen, als een teefje, en hij miste het om zijn territorium te markeren, met zijn poot omhoog, zoals voorheen. In het begin was plassen onaangenaam, en een paar keer voelde hij de warme vloeistof over zijn poten stromen. Maar al snel dacht Nelson er niet meer bij na.

Zijn dromen waren nog steeds hevig verontrustend. Hij droomde telkens over Lucy en Katey en beeldde zich in dat ze in gevaar waren. Hij moest hen redden, van de coyote, van Don, van de mannen met pistolen op de vuilnisbelt. Soms lukte het hem, en soms niet. In zijn dromen werd hij niet gehinderd door zijn drie poten. Hij was snel en krachtig, zelfs wanneer hij zijn vijanden uiteindelijk niet wist te verslaan. Maar de bezorgdheid om het voortdurende gevaar waarin Lucy en Katey verkeerden bleef hem zelfs overdag bij. Zij was constant op de achtergrond aanwezig, en dat gaf hem af en toe een hulpeloos en beangstigend gevoel. Soms zag Dougal de hond wild snuivend liggen slapen, en dan vroeg hij zich af wat zijn verhaal was. Het moest wel een complex verhaal zijn.

Na een maand of drie werd duidelijk dat de jonge hond niet verder zou genezen. Hij kon zich vrijelijk bewegen, zij het niet meer zo snel als voorheen, maar het verlies van zijn ledemaat vormde geen handicap. Nelson was gewend geraakt aan de routine van het dierenziekenhuis: de dagelijkse voedertijden en wandelingen. Omdat hij nog steeds zoveel aan Katey en Lucy en Thatcher dacht, beschouwde hij Dougal, Juan en Suzi niet helemaal als familie, maar toch was hij erg op hen gesteld geraakt, en ze waren zeker deel gaan uitmaken van zijn dagelijkse routine.

Dougal sprak niet veel met Juan en Suzi over het besluit dat hem boven het hoofd hing. Hij wist dat hij degene was die moest bepalen of Nelson fit genoeg was om zijn kleine dierenziekenhuis te verlaten. Hij ontweek de kwestie een tijdje en overtuigde zichzelf ervan dat Nelson nog steeds vooruitging, ook al was het wel duidelijk dat er geen stijgende lijn meer in zijn herstel zat. Normaal gesproken lieten Juan en

Suzi hem duidelijk weten wanneer ze vonden dat een dier gezond genoeg was om het ziekenhuis te verlaten, maar hij merkte dat ze niets zeiden over Nelson. Zij wilden zijn vertrek ook niet onder ogen zien.

Dougal speelde met het idee om de hond gewoon hier bij hem in het ziekenhuis te houden als permanente gast. Zijn aanwezigheid werkte op de een of andere manier geruststellend. Het gezwiep van zijn staart, de blik in zijn ogen, zijn opmerkelijke tred. Dougal werd elke ochtend weer opgefleurd wanneer hij op zijn werk aankwam en Nelson zag.

Maar Dougal wist ook dat het niet eerlijk was om hem voor altijd hier te houden. Het ziekenhuis was bedoeld om dieren te genezen, niet om hun een thuis te bieden. Als Nelson wegging, zou er weer een plekje vrijkomen voor andere dieren. Ze kwamen elke dag tijd te kort, en de tijd en de energie die ze aan de zorg voor Nelson besteedden, door met hem te wandelen en hem eten te geven, zouden ze ook aan meer hulpbehoevende dieren kunnen besteden.

Op een avond laat, terwijl hij lag te piekeren in bed, realiseerde Dougal zich dat het tijd werd om de hond met drie poten te ontslaan en hem ter adoptie naar een dierenopvang te brengen.

22

Nelson voelde dat er een verandering op stapel stond. In de zes jaar van zijn leven was hij zich sterk bewust geworden van de tekenen van verandering. Het ging om kleine en aanvankelijk onopvallende aanpassingen in het gedrag van degenen om hem heen. Vaak ging dit gepaard met veranderingen in hun geur. Hij kende de geuren van gedempte woede, sluimerende ongerustheid en stil verdriet maar al te goed, kleine geuren die de kop opstaken binnen een verder routineus bestaan en aangaven dat er binnenkort wellicht veel grotere veranderingen ophanden waren. Hij had het ongenoegen in Dons adem geroken, wat ertoe leidde dat hij op een dag het hek van zijn en Kateys huis in Albany vergat dicht te doen. Hij had het verdriet van Thatchers nachtelijke tranen geroken, wat leidde tot een kroeggevecht dat zijn leven en dat van Nelson zou veranderen. Hij had de zich langzaam verspreidende dood in Herbert Jones' lichaam geroken, wat zou leiden tot het verlies van Nelsons poot.

Nu stonden zijn haren overeind bij het ruiken van de eerste kleine tekenen van verandering op het briesje dat door Dougals dierenziekenhuis trok. Dougal, Juan en Suzi gaven een flauwe geur van bezorgdheid af. Ze gaven hem nog meer aandacht dan normaal en aaiden en knuffelden hem minutenlang. Maar er school meer dan alleen genegenheid in de geur op hun huid. Hij rook ook ongerustheid. Waarover, dat wist de hond nog niet.

Op een avond nam Juan Nelson na het werk met zich mee naar zijn kleine appartement. Het was er rommelig, maar door het uitnodigende aroma van het eten dat op het fornuis stond te pruttelen voelde Nelson zich er meteen thuis. Hij speelde rustig met Juans twee jonge kinderen, een jongen en een meisje. Juan had een paar kleine hondenspeeltjes uit het ziekenhuis meegenomen. De kinderen genoten ervan om met Nelson en de speeltjes te dollen. Nelson was lang niet meer zo behendig als voor het ongeluk, maar hij genoot er nog steeds van om de speeltjes uit de handen van de kinderen te trekken en erachteraan te rennen wanneer zij ze wegrolden over de vloer.

Juan en zijn vrouw begonnen te ruziën. De vrouw had geen enkele genegenheid voor Nelson getoond sinds hij binnen was gekomen, en hij voelde dat hij op de een of andere manier met de ruzie te maken had. Hij ging stilletjes in een hoekje zitten en begon te bibberen, met zijn staart tussen zijn benen. Een tijdje later pakte Juan hem zwijgend op en bracht hem terug naar het ziekenhuis, waar hij een halfuur met hem speelde en hem aaide voor hij hem alleen in zijn hok achterliet voor de nacht.

Drie dagen later brachten Dougal en Juan Nelson naar de dierenopvang. Suzi had die dag dienst, maar Juan kwam toch, gekleed in zijn normale kleding, een spijkerbroek met een T-shirt en een trui. De drie namen de tijd om Nelson een speciale maaltijd van fijn gesneden kip en rijst te voeren, en ze speelden wel een uur of wat met de hond. Nelson genoot van hun aandacht en genegenheid, maar hij was ook slim genoeg om te weten dat dit de manier was waarop mensen het liefst afscheid namen. Toen Juan Nelson in zijn pick-up naar de dierenopvang bracht, lag Nelson rustig op Suzi's schoot terwijl zij over zijn kop kriebelde zoals Katey vroeger had gedaan. Hij vertrouwde Juan en Suzi, maar hij kon ruiken dat hij zo afscheid van hen zou nemen.

Er waren twee dierenopvangcentra in Kalispell. De instelling in het centrum van de stad was een 'no-kill'-opvang, die beheerd werd door een vriendelijke en zorgzame staf. Dougal plaatste zwerfdieren die wat tijd in zijn dierenziekenhuis hadden doorgebracht bij voorkeur in deze opvang. Maar ze zaten overvol en ze hadden te weinig middelen, dus tot zijn ontzetting kreeg Dougal te horen dat ze simpelweg geen plek hadden voor Nelson, ondanks verscheidene telefoontjes over en weer. Dougal wist dat ze er maar het beste van moesten hopen. De andere dierenopvang in Kalispell bevond zich in een klein grijs gebouw aan de rand van de stad. Juan bracht Nelson naar binnen, terwijl hij hem zachtjes over zijn kop aaide. De dikke dame van de receptie herkende Juan, en ze hielp hem met het invullen van enkele formulieren. Bezorgd snoof Nelson de lucht op. De geur van hond overheerste. Hij kon wel tien, nee, vijftien andere honden in de nabije omgeving ruiken. Zijn oren bevestigden dit ook toen er een kakofonie van geblaf opsteeg. Sommige honden waren groot, en die maakten hem bang. Hij beefde. Maar er hing ook een andere geur in de lucht, die duister en verstikkend rook. Zoiets was Nelson nog nooit tegengekomen. Het rook een beetje naar hond, maar met een onaangename ondertoon en het was een grimmig doordringende geur.

Nelson probeerde Dougal en Juan gerust te stellen toen ze afscheid van hem namen. Hij kon merken dat ze eigenlijk niet wilden vertrekken. Hij likte de tranen van hun gezicht toen ze hem knuffelden en nog een laatste keer aaiden.

De dikke dame, Cecilia, was een van de twee mensen die Nelson in de daaropvolgende week vaak zou zien. Cecilia nam het papierwerk voor haar rekening en enkele minder belastende taken die hoorden bij het beheren van het asiel. Een man, Eddie, maakte het asiel dagelijks schoon en gaf de honden te eten. Toen Nelson Cecilia voor de eerste keer rook, was er vrijwel geen spoor van emotie te bekennen, positief noch negatief. Ze had geen hekel aan honden maar ook geen voorliefde voor ze. Eddie droeg een duistere last met zich mee en maakte weinig contact met de honden in het asiel. Gedurende Nelsons tijd in het asiel was er geen sprake van menselijk contact zoals hij dat in Dougals dierenziekenhuis gewend was geweest. Het asiel was een grauwe, treurige plek.

Nelson trilde van angst toen Cecilia het hoofdgebouw van het asiel binnenliep, waar veertien honden in zes grote hokken zaten. Zeker de helft van de honden waren pitbulls. Mensen kochten maar al te vaak een pitbull omdat ze geobsedeerd waren door hun kracht. Maar al snel kwamen ze erachter dat ze lastig in bedwang te houden waren, en dan droegen ze hen over aan het asiel. De honden gromden en blaften toen Cecilia binnenkwam met de nieuweling in haar armen. Nelson jankte gedwee. De pitbulls en een Duitse herder-kruising grauwden en keken woest naar Nelson. Hoewel Eddie eigenlijk alle dieren dagelijks een tijdje mee naar buiten moest nemen, verzaakte hij die taak regelmatig. De opgekropte energie van de sterke honden uitte zich vaak in agressie.

Cecilia opende de deur van een hok achterin voor kleinere honden. Toen ze Nelson op de grond zette, was hij even uit balans gebracht en viel om. Dougal en de assistenten hadden Nelson altijd voorzichtig neergezet nadat ze hem hadden opgetild, maar Cecilia had nog nooit een hond met drie poten verzorgd. In plaats van hem te helpen terwijl hij lag te spartelen, deed ze slechts de deur weer achter zich dicht en verdween. Ze verwachtte niet dat de hond het nog veel langer zou maken.

De twee andere honden in Nelsons hok gromden luid naar hem. De ene was een zwart-witte bastaard van middelgroot formaat met droevige ogen en kale plekken in zijn vacht. Nelson rook verscheidene oude wonden op zijn krakkemikkige lijf. De andere was een corgi-kruising, een jonge hond met veel energie, die twee dagen later zou worden geadopteerd. Nelson liep instinctief bij hen vandaan en trok zich terug in een hoek boven op een oude versleten deken. Daar bleef hij stilletjes liggen terwijl de pitbulls langzaam weer kalmeerden. Hij snoof de lucht op en probeerde te achterhalen wat die duistere stank op de achtergrond was.

Er scheen wat licht de ruimte binnen door enkele ramen boven in de muren. Later die dag kwam Eddie binnen om bakken met hondenvoer en kommen met vers water in elk hok te zetten. Ondanks zijn smakelijke ontbijt rammelde Nelson van de honger, maar toen hij naar de etensbak schuifelde, begonnen de twee andere honden naar hem te grommen. Grauwend sprong de corgi-kruising tussen hem en het eten in. Pas later, toen de andere twee honden sliepen, kon Nelson de paar overgebleven brokjes opeten. Hij dronk wat water, waarna hij ging slapen. In ieder geval werd de ruimte 's nachts verwarmd. Een paar keer werd Nelson wakker, en dan was hij verbaasd te ontdekken dat hij zich in een onbekende omgeving bevond, in plaats van in het vertrouwde dierenziekenhuis. Maar zijn angst maakte hem moe, en hij sliep het grootste deel van de nacht.

Nelson kon zich zijn tijd als puppy in Emils dierenwinkel niet herinneren. Als dat wel zo was geweest, had hij af en toe wellicht dezelfde gevoelens gehad, aangezien er duidelijk overeenkomsten waren tussen het opgesloten zitten in het asiel en het opgesloten zitten in het kleine hok in de dierenwinkel als jonge speelse pup. Gedurende de dag kwamen er op verscheidene momenten mensen het hoofdgebouw van het asiel binnen, begeleid door Cecilia of Eddie. Dan keken ze in alle hokken, op zoek naar een huisdier om mee te nemen. Sommigen vertrokken weer, afgeschrikt door de treurige, deprimerende omgeving. Anderen wezen een bepaalde hond aan. Dan pakte Cecilia of Eddie een riem om de hond aan te lijnen, en vervolgens namen de mensen de hond mee naar buiten om een betere indruk van ze te krijgen. Nelson zou nooit ervaren hoe dat was. De mensen zagen de hond met drie poten compleet over het hoofd, of ze lachten hem uit. In het zwakke licht van het asiel nam niemand de tijd om zijn prachtige ogen of levendig zwiepende staart te bekijken. Het enige wat ze zagen was een hond met drie poten, en wie wilde er nu zo een mee naar huis nemen?

Nelson zag hoe de kleine corgi-kruising uit zijn hok een aantal keer mee naar buiten werd genomen. Uiteindelijk namen een klein meisje en haar moeder de hond mee naar huis. Nelson bleef alleen achter met de oude zwart-witte bastaard. Die gromde nog steeds naar Nelson wanneer het etenstijd was, maar op een dag begon Nelson luid naar hem te blaffen, en daarna deelden ze hun eten vreedzaam.

Toen de corgi-kruising er nog was geweest, had niemand de zwart-witte bastaard mee naar buiten genomen om te spelen. Maar de dag nadat de corgi was vertrokken, wees een droevige man van middelbare leeftijd naar de zwart-witte bastaard. Cecilia deed hem een riem om en hij sjokte met de man mee naar buiten, om na een minuut of tien weer terug te keren. Cecilia stopte hem terug in het hok en deed de riem af. De man vertrok vijf minuten later, zonder een hond mee naar huis te nemen.

Nelson hield het komen en gaan nauwlettend in de gaten. Hij had vele mooie momenten beleefd met mensen, en hij wilde graag tegen deze mensen opspringen en met ze spelen, aan hun zoute huid likken en hen besnuffelen. Maar iets weerhield hem daarvan, en hij bleef slechts stilletjes liggen. De wond op de plek waar zijn poot had gezeten begon weer pijn te doen. Eddie haalde de zwart-witte hond een keer uit zijn hok om te wandelen, maar hij nam niet eens de moeite om de hond met drie poten een riem om te doen en mee naar buiten te nemen. Nelson stond wel af en toe op om zich uit te rekken, maar hij kreeg niet de dagelijkse beweging die hij nodig had om zijn lichaam sterk te houden.

Toen Nelson vijf dagen in het asiel was, deed Eddie de zwart-witte bastaard een riem om en leidde hem het hok uit. Hij keerde niet terug. Nelson zat alleen in het hok, en hij snoof de lucht op, zich afvragend waar de zwart-witte hond was gebleven. Later die avond was de lucht doordrongen van de geur van de hond, vermengd met die duistere stank die hij niet kon thuisbrengen. Hij kende de geur van de zwart-witte hond van toen deze nog leefde, en aanvankelijk wist Nelson dan ook niet dat hij hem nu als dood dier rook, tot as verbrand in het kleine dierencrematorium aan de andere kant van het gebouw. Toen de betekenis van de duistere geur eindelijk tot Nelson doordrong, begon zijn hele lichaam te beven, en hij trilde heftig. Doodsbang lag hij het grootste deel van de nacht wakker. Toen de pitbulls sliepen begon Nelson langs de rand van zijn hok te sluipen, zijn lichaam sidderend terwijl de adrenaline door zijn lijf joeg. Hij stopte regelmatig en deed verwoede pogingen een gat in de koude stenen vloer te graven. Het duurde niet lang of hij viel om, maar dan sprong hij weer overeind, want zijn verlangen om te graven was overweldigend. Af en toe werden de pitbulls wakker van het lawaai en staarden Nelson aan, maar dan gingen ze vrijwel meteen weer slapen. Ze wisten dat de hokken afgesloten waren en dat het onmogelijk was eruit te ontsnappen.

23

In de zeventien jaar dat hij bij het asiel werkte, had Eddie duizenden honden van het leven beroofd. Hij was met dit werk begonnen toen hij negenentwintig was, pasgetrouwd en hevig verliefd op zijn vrouw. Er was een baby op komst, en hij had het baantje bij het asiel als iets tijdelijks gezien, iets om de rekeningen mee te betalen tot er iets beters op zijn pad kwam. Hij droomde ervan een eigen zaak te hebben, een garage of iets dergelijks, en hij had gehoopt met een paar jaar bij het asiel weg te zijn.

De baby kwam en het was van het begin af aan duidelijk dat het een ziekelijk kind was. Hij huilde onophoudelijk en ze moesten continu naar het ziekenhuis. Eddie hield zijn baan bij het asiel aan en nam ook een tweede baan bij een nachtwinkel zodat hij alle rekeningen kon betalen. De komst van het kind eiste ook zijn tol in Eddies huwelijk.

In de weinige tijd die ze nog samen doorbrachten, maakten Eddie en zijn vrouw vooral veel ruzie. Twee jaar na de komst van hun baby kwam Eddie midden op de dag een keer onverwacht thuis en trof zijn vrouw met een andere man in bed aan, terwijl hun baby lag te krijsen. Ze beweerde bij hoog en bij laag dat het slechts de tweede keer was dat dit was gebeurd, en hij geloofde haar. Maar twee keer was genoeg, en Eddie kwam er nooit meer helemaal overheen. Ze probeerden hun huwelijk te redden, maar zes maanden later vroeg Eddie een scheiding aan.

Dus bleef hij bij het dierenasiel werken, en voor hij het wist waren er zes, zeven, acht jaar verstreken. Grijze haren sierden zijn slapen, en zijn haargrens begon terug te wijken. Er kwamen geen andere banen op zijn pad. 's Avonds was hij te moe om zelfs maar na te denken over het opstarten van een eigen bedrijf. Zijn leven werd in beslag genomen door het bij elkaar scharrelen van genoeg geld om zijn zoon de dingen te geven die hij nodig had. Maar hoe hard hij ook zijn best deed, een emotionele band met zijn zoon ontbrak. De moeder van de jongen vertelde het kind regelmatig dat zijn vader haar had laten stikken en dat hij een mislukkeling was. Een jonge geest was makkelijk te beïnvloeden, en de jongen geloofde haar.

Toen Eddie jong was en verliefd en nog niet gekwetst, vond hij het altijd vreselijk om elke vrijdag de honden te moeten afmaken die meer dan een week in het asiel hadden gezeten en niet waren geadopteerd. Toen hij met dit werk begon, had hij veel literatuur van dierenwelzijnsorganisaties gelezen die uitlegden waarom dit de meest humane optie was gezien de beperkte middelen waarover de dierenopvangcentra in de Verenigde Staten beschikten. Als ze aan hun lot werden overgelaten, leidden deze zwerfhonden een vreselijk bestaan, koud en hongerig. Ze verspreidden ziektes en vormden vaak een gevaar voor de mensheid. Het was niet haalbaar om de dieren langer dan een week in het asiel te houden, of welke periode de lokale autoriteiten dan ook hadden vastgesteld. Helaas was het doden van deze dieren het meest humane wat ze konden doen gezien de omstandigheden.

Aanvankelijk zag Eddie vreselijk tegen deze taak op. Op donderdagmiddag kreeg hij een lijst van de honden die moesten worden afgemaakt. In het begin werd deze lijst opgesteld door een jong ogend meisje genaamd Holly, dat een echte dierenliefhebster was en het afschuwelijk vond om dit te moeten doen. Maar ze trouwde en verhuisde naar Californië. Eddie had haar vervanger, Cecilia, nooit gemogen. Maar ook al was ze geen aardige vrouw, Eddie wist dat Cecilia de administratie van het asiel goed bijhield. In al die jaren dat hij met haar had gewerkt, had er geen enkele fout in het papierwerk gezeten. Haar donderdagmiddaglijsten klopten altijd. Hij kreeg respect voor haar, en zij liet hem zijn gang gaan, verzonken in zijn somberheid.

Over het algemeen werden er elke vrijdag drie of vier honden afgemaakt, soms meer, soms minder. Aanvankelijk probeerde Eddie de taak met enige genegenheid en waardigheid voor de dieren uit te voeren. Hij gaf het dier een laatste maaltijd en aaide hem voordat hij de dodelijke injectie toediende. Maar in de loop der tijd kreeg hij het idee dat het tonen van enige genegenheid voor de dieren toch zinloos was. Als ze tot God zouden komen in een hiernamaals voor dieren, zouden ze daar wel voldoende liefde krijgen. Dus zodra hij ze van hun hok naar het crematorium naast het hoofdgebouw had geleid, gaf hij ze meteen de injectie. Als de hond was overleden, stopte hij het lichaam in een speciale grijze zak, die er in drie maten was. De grote honden waren soms lastig te tillen.

Nadat hij de honden had laten inslapen, pauzeerde Eddie een half-uur om een boterham te eten en een kop oploskoffie met twee theelepels suiker te drinken. Dit ritueel had hij zich al aan het begin van zijn loopbaan bij het asiel aangewend, aanvankelijk als reactie op het moeten afmaken van de dieren. In het begin bad hij kort onder het eten en drinken, en somde hij in gedachten nog eens de redenen op waarom de daden die hij verrichtte het meest humaan waren. Maar toen zijn huwelijk op de klippen liep, raakte hij ongevoelig voor de dood van de dieren om hem heen en betrapte hij zich erop dat hij steeds vaker aan zijn vrouw en kind dacht wanneer hij zijn boterham at en zijn koffie dronk. Tegen de tijd dat Nelson in het asiel verbleef, voelde Eddie vrijwel niets meer voor de dieren die hij moest afmaken. Het was gewoon een onderdeel van zijn werk.

Na zijn pauze legde hij de lichamen in de kleine oven van het crematorium. Er zat een schakelaar en een metertje achter op de oven, en als hij hem aanzette, waren de lichamen van de dieren binnen vijftien minuten tot as verbrand. Eddie ging een uurtje of twee terug naar het hoofdgebouw van het asiel om de hokken van de dieren schoon te maken. Als de as in de oven was afgekoeld, keerde hij terug naar het crematorium om de as in vuilniszakken te scheppen. Na zeventien jaar had hij nog steeds een hekel aan de geur, en hij was een neusknijpertje gaan dragen tijdens dit deel van het proces. Hij rondde het zo snel mogelijk af en dumpte de vuilniszakken vol as in de grote vuilcontainers achter het asiel. Toen hij net bij het asiel was begonnen, had hij zelfs een brief gestuurd naar de gemeente met het voorstel om de as van de dieren als meststof te gebruiken, maar daar had hij nooit een reactie op gekregen. De duizenden dieren die in het asiel werden afgemaakt eindigden uiteindelijk op een vuilstortplaats ergens in Amerika.

24

Het regende buiten toen Cecilia die week haar donderdaglijstje aan Eddie overhandigde. Nelson hield hen nauwlettend in de gaten. Hij wist niet dat zijn naam op de lijst van honden stond die de volgende dag zouden worden afgemaakt. Maar Nelson kon zich de geur van de zwart-witte bastaard na diens cremate vorige week nog helder voor de geest halen. De afgelopen zes dagen had de hond met drie poten amper geslapen, omdat hij wist dat er hier onbeschrijflijke gruwelijkheden plaatsvonden. De wond van Nelsons ongeluk deed weer pijn, maar de duistere stank was allesoverweldigend. Op sommige momenten voelde Nelson zich verslagen. Langzaam kreeg de angst hem in zijn greep, en alles leek hopeloos. Het leek onvermijdelijk dat de duistere stank van de dood hem ook zou verzwelgen. Maar de nacht voor hij zou worden afgemaakt, viel Nelson eindelijk van pure uitputting in slaap en kreeg hij een droom. Hij droomde dat hij in een tuin was. Het was een gigantische tuin, vol weelderige bomen en bloemen, sommige uit de tuin van mevrouw Anderson. Zijn Grote Liefde, Katey, zweefde boven hem rond, en alles was doordrongen van haar parfum. Een rijke geur, het sterke en geconcentreerde extract van de tuberozen op een zeer geurige nacht, werd af en toe vermengd met de geur van het hout van haar piano. De geuren die Nelson omringden waren krachtig en kalmerend. Hij zweefde, blij en uitzinnig. Toen hij ontwaakte was hij weer in het bedompte asiel, maar de droom bleef hem bij. Hij ademde wild door zijn neus en zag het droomlandschap nog steeds helder voor zich. Hij voelde zich weer helemaal opgepept.

De volgende ochtend kwam Eddie de honden hun ontbijt brengen. Dat deed hij elke ochtend, zelfs op de dag dat ze werden afgemaakt. Nelson was alert en hield al zijn bewegingen nauwlettend in de gaten.

Eddie was altijd op zijn hoede wanneer hij de deur van de hokken van de grotere honden opendeed, aangezien er vaak honden probeerden te ontsnappen. Soms viel er eentje agressief naar hem uit. Maar de hond met drie poten kende hij als een rustige hond die stilletjes bleef zitten wanneer Eddie het hok opendeed om hem zijn eten te geven. Hij werd dan ook totaal overdonderd toen hij die ochtend het hok opendeed en de hond met drie poten plotseling overeind kwam en buitengewoon behendig door de open deur glipte, tussen Eddies benen door, om vervolgens in de richting van de deur naar de receptie van het asiel te rennen. Eddie vloekte naar hem, en de andere honden in het asiel begonnen luid te blaffen.

Toen Nelson die dag uit zijn hok glipte, voelde hij geen angst, alleen een brandend verlangen om uit deze verschrikkelijke plek te ontsnappen. De adrenaline gierde door zijn lijf en bracht zijn drie poten in beweging terwijl hij rende voor zijn leven. Hij rende door het hoofdgebouw van het asiel naar het administratieve kantoor aan de voorzijde. Cecilia's bureau stond tegenover de deur die naar het deel met de hokken leidde, en ze riep meteen om Eddie toen ze het strijd-lustige dier de kamer in zag rennen. De voordeur was dicht, en Nel-son zocht verwoed naar een manier om te ontsnappen. Cecilia stond op en pakte een bezem. Toen kwam Eddie buiten adem binnen van-uit het asielgedeelte. Die schijnheilige Nelson, Eddie was compleet verrast door de plotselinge felheid van het kleine dier. Toen ze op hem afkwamen, begon de hond met drie poten naar hen te grommen en hard te blaffen. Eddie was totaal verbijsterd, aangezien hij deze hond slechts kende als een volkomen gedwee dier. Nu Nelson naar hen grauwde, werden ze ineens bang voor hem. Ze hadden hier wel vaker zieke dieren gehad, en Cecilia was zelfs een keer gebeten. Cecilia en Eddie trokken zich terug. Eddie verdween naar achteren om een verdovingsgeweer te halen. Cecilia keek angstig toe terwijl Nelson grommend in de buurt van de voordeur ging zitten en alles nauwlet-tend in de gaten hield.

Op dat moment, nog voor Eddie terug kon keren, kwam Cecilia's zus aan, met koffie en donuts voor haar zus. Nelson hoorde de voor-deur opengaan, en voordat Cecilia haar zus kon waarschuwen, stoof de hond met drie poten tussen haar benen door naar buiten.

Eddie en Cecilia namen niet eens de moeite achter de hond aan te gaan. Het regende hard, en wat had het überhaupt voor zin? Ze had-den meer werk te doen. Nelson rende voor zijn leven, de stromende regen in.

25

Bibberend rende Nelson door de regenachtige dag. Hij had geen be-stemming in gedachten. Hij werd voortgedreven door angst, door het instinct om zo ver mogelijk weg te rennen van de plek des doods waar hij de afgelopen week had doorgebracht. Er waren weinig mensen op straat. Met al die regen hadden de meesten zich in hun warme huizen of kantoren verschanst en zichzelf verwend met koffie en donuts, en een enkeling mopperde om een lekkend dak. Slechts weinigen zagen de hond met drie poten door de regen stuiven, en voor diegenen die hem wel zagen was hij slechts een schim.

De adrenaline gierde door Nelsons lijf. Hij rilde van de kou, maar vanbinnen voelde hij geen pijn. Zijn zintuigen werden totaal overspoeld en hij bleef de lucht opsnuiven. Was de stank van de dood er nog steeds? Was de geur van de tuin uit zijn droom van afgelopen nacht echt? Hij bleef speuren naar beide geuren, terwijl hij alsmaar verder rende door de koude, grijze dag.

De avond viel. De hond bevond zich in een onbekende buitenwijk van een stad in Montana. De regen had de meeste geuren weggespoeld. Ineens voelde Nelson zich uitgeput. Hij remde af tot hij stapvoets liep, en voor het eerst werd hij door de bijtende kou getroffen. Zijn lichaam deed pijn, alsof hij een stapel stenen op zijn rug droeg. Hij tuurde de naderende duisternis in en speurde de lucht af naar aanwijzingen. Een kleine buurtwinkel vlakbij vormde de enige bron van licht. Nelson bleef in de buurt van de achterdeur. Toen de eigenaar van buitenlandse afkomst het vuilnis kwam buitenzetten, zag hij de kleine hond met drie poten vragend naar hem opkijken. De man maakte geen bezwaar toen Nelson het magazijn van de winkel binnensloop en bevend in een hoekje wegkroop, terugdeinzend wanneer de man bij hem in de buurt probeerde te komen. De man had zelf honden. Hij gooide een oude deken op de grond naast Nelson zodat hij zichzelf droog kon rollen. In zijn jeugd in een veraf gelegen land had de man vele honden met drie poten gezien, en hij had medelijden met het dier. Er lagen nog twee hotdogs in de warmhouder in zijn winkel, en de man wist dat die de volgende dag toch niet meer goed zouden zijn. Dus sneed hij ze in stukjes en deed ze in een kartonnen bakje dat hij op de grond neerzette voor de hond, die ze opschrokte zodra de man weer wegliep. De man was bang om zijn hele magazijn onder de poep en pies aan te treffen wanneer hij de volgende dag terugkwam, maar hij kon zichzelf er niet toe zetten de kleine zwerfhond naar buiten te jagen. Dus liet hij een kleine lamp in de hoek branden en deed de deur van het magazijn achter zich dicht om af te sluiten voor de avond.

Zelfs na het eten van de hotdogs lag Nelson nog steeds te bibberen. Maar hij was zo uitgeput dat hij in een lange, diepe slaap viel. Hij sliep nog toen de man om zes uur de volgende ochtend terugkeerde om zijn winkel te openen. Nelson schrok wakker toen de deur openging. Zijn lichaam voelde nog steeds beurs, maar hij had het niet langer koud. De twee hotdogs en de deken hadden hem ietwat opgepept.

Toen de hond die ochtend wakker werd, voelde hij diep vanbinnen de drang om van alle mensen weg te vluchten. Dit was een nieuw gevoel voor Nelson. Hij was altijd op menselijk gezelschap gesteld geweest. Maar de gebeurtenissen van de afgelopen weken hadden de hond diep in verwarring gebracht over het menselijk ras. Hij had een man gered, maar had als gevolg daarvan zijn poot verloren. Toen hadden de mensen hem beter gemaakt, om hem vervolgens zijn dood tegemoet te sturen. Er leek geen touw aan vast te knopen, vooral niet voor een hond. Mensen waren niet te vertrouwen. Hij moest zo ver mogelijk bij hen vandaan zien te komen. Hij wist niet waar hij naartoe moest, of hoe hij zijn weg zou vinden. Maar een deel van hem wilde voor altijd wegvluchten van de mens om een andere manier van leven te vinden, zonder hen.

Hij had kunnen blijven wachten die ochtend, in de hoop dat de man van de buurtwinkel voor hem zou zorgen, zoals sommige andere mensen hadden gedaan. Maar Nelson bleef niet wachten. Zodra hij wakker werd van de deur die openging rende hij weg, zoals hij de dag ervoor uit het asiel was gevlucht. De man struikelde bijna toen de hond met drie poten tussen zijn benen door glipte en verdween. Maar de man had werk te doen en was het dier al snel weer vergeten.

Er hingen nog steeds grijze wolken in de lucht, maar het regende niet meer, en de bomen vlakbij werden hier en daar door de zon verlicht. Het zicht was uitstekend, en een mens zou kilometers ver in alle richtingen kunnen kijken nu de regen de lucht had schoongespoeld. En Nelson kon kilometers ver ruiken. De lucht was schoon en fris, en met zijn hondenneus kon hij vele geursporen waarnemen.

Nelson bevond zich aan de rand van een stadje, en in de verte rook hij de geur van bossen en bergen. Zijn hele leven had Nelson zich thuis gevoeld in menselijke steden. Maar toen de mooie, kleine hond die ochtend op de koude grond zat en de wereld met zijn krachtige neus inspecteerde, veranderde er iets in hem. Hij had gemengde gevoelens over de geur van mensen en hun wereld. Eens had hij zich daar veilig gevoeld, maar nu leken die geuren eerder bedreigend.

Hij werd aangetrokken door de eeuwenoude rotsachtige, mossige geuren van de vredige bergen, voorbij de wereld van de mensen. Ver buiten het stadje stroomden rivieren met vers water en zalm. Hij rook uitgestrekte groene bossen waar de geur van mensen niet domineerde of leidend was. Hij rook diepe modderlagen en vruchtbare aarde, die hier volgens Nelsons neus al een eeuwigheid hadden gelegen. Nelson werd betoverd door de doordringende, prachtige geur van gras.

Hij rook ook insecten, mieren en hun koloniën, en hij rook hagedissen en slangen, kronkelend door de wildernis die zich voor hem uitstrekte. Op deze heldere dag was zijn neus net een verrekijker. Nog complexer dan de dieren wier geuren zijn neus prikkelden, waren de talloze planten en bloemen waarmee het landschap in de verte bezaaid was.

Maar vlakbij rook hij mensen en hun huizen, auto's en winkels. Hij rook hun voedsel, dat Nelson hiervoor altijd dichterbij had gelokt. Hoezeer hij zich ook tot de geuren van de wildernis aangetrokken voelde, de hond had zijn hele leven in menselijke steden gewoond, en de geur van eten in vuilnisbakken hield hem aan de rand van het stadje, op de grens tussen de menselijke beschaving en de wildernis, op die met groen bedekte grens waar de wildernis begon op te rukken. Het was een vreemd gevoel voor de hond, om zo in tweestrijd te staan. Het trauma dat hij in het asiel had opgelopen had hem in een verward dier veranderd, dat onzeker was over zijn plaats in de wereld, over waar hij zich echt thuis voelde. In de dagen na zijn ontsnapping uit het asiel leefde Nelson in een verwarrende tussenperiode, verdreven uit de mensenwereld waar hij zo van hield, maar bang om de wildernis daarbuiten te omarmen.

Een enkele keer rook hij 's ochtends de geur van coyote op de wind.

Als dat gebeurde, dreef dit hem terug naar de veiligheid van menselijke steden. Maar de angst voor het asiel weerhield hem er vervolgens van zich te ver tussen de huizen, het bewerkte hout en op de wegen van het stadje te wagen.

De wind bevatte nog een geur die hij herkende. Hij had hem vele malen geroken in Kalispell, meegevoerd op de wind vanuit de verte. Het was een geur die hem ooit angst had aangejaagd, die vreemd en bedreigend had geleken. Maar nu voelde hij zich er net zo sterk door aangetrokken als door afgestoten. Op de een of andere manier stelde het hem gerust. Het rook doordringend en mysterieus, en niet heel anders dan zijn eigen geur. Het rook wild en oeroud. Het was de geur van wolf.

26

De moederwolf was bedroefd. Het verdriet kwam in vlagen, maar af en toe werd ze er compleet door overweldigd. Ze had de twee overleden welpen niet goed gekend, aangezien ze binnen drie dagen na hun geboorte waren gestorven. Dus het verlies was wellicht niet zo intens als wanneer een ander lid van de roedel stierf. Als een ouder dier van de roedel die bepaalde geur kreeg, die geur die zei dat hij binnenkort zou blijven liggen en niet langer mee op jacht zou gaan om met de rest van de roedel te doden en te eten, voelde de moederwolf zich diepbedroefd. Het verdriet om het verlies van haar welpen was anders en werd wellicht verzacht door de dringende noodzaak om voor de drie overgebleven jongen te zorgen. Die waren veeleisend en dronken continu bij haar. Haar lichaam produceerde grote hoeveelheden melk voor haar nieuwe welpen, en zelf was ze uitgehongerd. Ze hunkerde naar rood bloederig vlees, en haar neus werd geprikkeld door elk op de wind meegedreven spoor van een jong dier in de buurt dat ze gemakkelijk zou kunnen doden om op te eten. Over het algemeen joegen wolven het liefst 's nachts, maar soms sloop de moederwolf ook overdag rond, met haar jongen in de buurt, in de hoop dat ze wellicht wat extra voedsel zou vinden om haar eeuwige honger te stillen.

De vaderwolf hielp haar, maakte het jagen zo gemakkelijk mogelijk voor haar. Het gezin van vijf lag 's nachts warm in hun hol weggekropen. Wanneer de moederwolf de doordringende geur van de vaderwolf en haar drie welpen opsnoof, voelde ze zich intens voldaan en gelukkig. Maar dan keerde de herinnering aan de verloren jongen weer terug en werd ze overmand door verdriet.

Buiten werd het territorium bewaakt door de vier andere volwassen leden van de wolvenroedel, drie vrouwtjes en een mannetje. Soms hoorde de moederwolf hen huilen in de nacht, en ze was blij dat haar jongen veilig en beschut waren terwijl ze gulzig bij haar dronken, beschermd door hun roedel. Soms drong de geur van beer of coyote haar neus binnen en dan blafte ze op lage toon om de roedel te laten weten dat ze op hun hoede moesten zijn. De vaderwolf inspecteerde de nabije omgeving, soms happend naar de andere wolven om hun te laten weten dat de veiligheid van zijn jongen op het spel stond en dat er geen indringers mochten worden toegelaten. De andere wolven krompen ineen wanneer de vaderwolf dicht bij hen in de buurt kwam. Hij had hen allemaal wel eens gebeten en vervolgens met zijn speeksel genezen door hun wonden te likken. Hij strafte en had lief, beide met grote passie. Ze wisten dat hij van hen allemaal hield, maar ze hadden ook geleerd dat ze zijn leiderschap en dat van de moederwolf nooit moesten betwisten.

De vader- en moederwolf stonden nu vierenhalf jaar aan het hoofd van hun roedel, en in die tijd hadden ze uitsluitend met elkaar gepaard. Hun territorium lag iets dichter bij de menselijke steden dan de vader- en moederwolf hadden gewild, maar toen ze wegtrokken uit het territorium van hun eigen ouders, was dit de plek waar ze zich uiteindelijk hadden kunnen vestigen zonder door andere wolvenclans te worden bedreigd. Hun kleine wereldje werd helemaal bepaald door elkaars geur. Als de moederwolf loops was, kon de vaderwolf zijn hevige verlangens amper in bedwang houden. Samen hadden ze zo'n dertig jongen gekregen. Zeker de helft van hen had het niet overleefd vanwege de kou of de scherpe tanden van beren of coyotes, of ze hadden de vreemde ziektekiemen die in de vacht van de wolven scholen niet kunnen weerstaan. Maar de andere welpen waren uitgegroeid tot mooie jonge grijze wolven.

De vader- en moederwolf hielden veel van hun jongen, en wanneer het nog welpen waren vormden ze het middelpunt van hun leven. Maar als ze eenmaal volwassen waren, kwam er altijd een moment dat ze moesten vertrekken, zoals ook de vader- en moederwolf de clans van hun ouders hadden moeten verlaten. Geen enkele wolf binnen hun roedel mocht ooit sterk genoeg worden om het gezag van hun ouders aan te vechten. De vaderwolf merkte het altijd als eerste op wanneer een welp was uitgegroeid tot een jonge wolf die wellicht sterk genoeg was om hem uit te dagen. Dan begon hij met zijn krachtige bek naar de jonge wolf te happen. De moederwolf had een sterke band met haar jongen, dus aanvankelijk negeerde ze het gedrag van de vaderwolf. Maar al snel deed ook zij met hem mee en begon haar jongen opzettelijk pijn te doen. Dat was hun manier om hun jongen lief te hebben, door ze weg te jagen, de wildernis in, zodat ze een eigen roedel konden gaan stichten. Natuurlijk voelde de moederwolf het verlies wanneer haar jongen met een nog verse wond van hun vaders beet de wildernis in slopen, om nooit meer terug te keren. Maar de volgende dag werd ze altijd weer opgewekt wakker. Ze was een goede moeder geweest die haar jongen had opgevoed tot ze groot en sterk waren, klaar om in hun eentje te overleven.

De moederwolf voelde zich altijd het veiligst in de eerste paar weken dat ze haar jongen grootbracht. Het grootste deel van hun tijd brachten ze in hun hol door, en het enige wat ze nodig hadden was melk. Maar de welpen groeiden snel, en het duurde niet lang voor ze meer nodig hadden dan alleen melk. Gedreven door een oeroud instinct begonnen ze langs haar lippen te likken en hun kleine tongen in haar bek te steken. Ze wist wat dit betekende. Na twee tot drie weken zou ze veel van haar maaltijden gaan uitbraken, als aanvulling op de melk die ze hun gaf. Haar welpen zouden zich te goed doen aan het uitgebraakte voedsel, dat vergelijkbaar was met half gekookt menseneten en dat hun jonge magen zou voorbereiden op het verse rauwe vlees waar hun dagelijkse kost uiteindelijk uit zou gaan bestaan.

Tegelijk met deze verandering van voedsel deden de jonge wolven voor het eerst hun ogen open, en hun snel groeiende lichamen begonnen zich opgesloten te voelen in het kleine ondergrondse hol dat de vader- en moederwolf hadden gegraven. Elke dag leidden de vader- en moederwolf hun jongen behoedzaam naar buiten. Daar speelden ze op de kleine heuvel in het midden van hun territorium. De vader- en moederwolf hielden hen nauwlettend in de gaten terwijl de uitgelaten welpen met elkaar en de andere wolven uit de roedel stoeiden. Soms zwierf de hongerige moederwolf overdag ook net buiten hun territorium, in een traag tempo, met haar welpen vlakbij, in de hoop wat extra eten te vinden.

's Nachts ging de roedel op jacht, en in die periode werd de moederwolf alleen achtergelaten om voor de drie kleine welpen te zorgen. Dan wachtten ze een uur, soms twee, soms drie, totdat de vaderwolf en de rest van de roedel met voedsel terugkeerden. De welpen waren te jong om te weten welk gevaar er dan dreigde. In het verleden was het wel eens voorgekomen dat een kleine welp die net even buiten het blikveld van zijn wakende moeder dwaalde meteen werd meegegrist door een coyote die hem als een makkelijke prooi zag. Dus de moederwolf voelde zich altijd kwetsbaar wanneer de roedel 's nachts op jacht was.

Ze was opgelucht wanneer de roedel terugkeerde, met een jong hert of groot konijn in hun bek, dat ze voor haar neerlegden. Zij en de vaderwolf aten altijd als eerste. De ingewanden van een dier waren het lekkerst. De vader- en moederwolf waren dol op de nieren en lever, die ze met hun nauwkeurige reukvermogen opspoorden om zich vervolgens te goed te doen aan dit eersteklas vlees. De andere wolven uit de roedel bleven op een afstandje terwijl zij zich in hun eigen tempo volvraten, waarna ze de andere wolven toestonden mee te genieten van de rest van de prooi.

De welpen dartelden rond de prooi, maar ze hadden de smaak van rauw rood vlees nog niet te pakken. Als hun moeder klaar was met eten dromden ze om haar heen, likkend aan haar lippen en soms bij haar drinkend om het laatste beetje van haar afnemende melkvoorraad op te drinken. Een uur of wat later, wanneer haar maagsappen het rauwe rode vlees dat ze zojuist had gegeten voldoende hadden afgebroken, trok haar maag samen en gaf ze het grootste deel van haar maaltijd weer op. Haar welpen verslonden dit tot het laatste restje. Ze raakte verzwakt door de eindeloze cyclus van eten en braken, zoals haar zwangerschap en het produceren van melk haar ook al hadden vermoeid. Maar ze hield van haar welpen en ze genoot ervan hen met de dag te zien groeien. Ze was vastberaden om hen gezond te houden.

Ze wist niet waarom haar twee andere welpen ineens waren gestorven in de eerste week van hun leven. Toen hun ademhaling was gestopt, had de vaderwolf hen in zijn bek genomen en uit het hol gedragen. De andere wolven uit de kleine roedel hadden hen opgegeten, toen de vader- en moederwolf er niet bij waren. Dus nu waren ze nog slechts herinneringen in het hoofd van de moederwolf. Maar het verdriet bleef.

De moederwolf was wederom in een bedroefde bui toen ze op een mooie zonnige ochtend op pad ging. Hongerig en uitgeput van de zorg voor haar jongen was ze wakker geworden. Ze kauwde wat op een overgebleven bot van de prooi die de vaderwolf en de andere wolven twee nachten geleden hadden meegebracht. Afgelopen nacht had de jacht niets opgeleverd, wat regelmatig gebeurde. Ondanks dat ze de nacht ervoor niets had kunnen eten, drongen de welpen zich onvermoeibaar aan haar op, vastberaden om melk of uitgebraakt voedsel te bemachtigen. Op jacht gaan was wel het laatste wat ze wilde nu haar lichaam zo zwak en vermoeid was van het continu voeden van haar jongen. Maar uiteindelijk kwam ze toch overeind en liep ze langzaam weg van het midden van hun territorium in de hoop dat ze misschien wat eten zou kunnen opsporen. Haar drie welpen dartelden om haar heen.

Over het algemeen vermeed de moederwolf elk contact met mensen. In de loop der jaren had ze een aantal keer oog in oog met een mens gestaan. Eén keer waren twee jagers met een geweer onbewust het territorium van de wolven binnengewandeld. Grauwend was ze op hen af gesprongen, en toen hadden ze hun grote geweer afgevuurd. Ze werd niet geraakt door de kogels toen zij en de vaderwolf wegrenden. Er klonk nog een schot, en vervolgens hoorde ze de jagers zelf wegrennen, bang voor de wolven. Het incident was haar bijgebleven.

Het was de geur van eten waardoor de moederwolf die dag naar het mensenstadje werd gelokt, zoals Nelson ook in de buurt van de menselijke beschaving werd gehouden door hun voedsel. Die ochtend werd de geur van gegrild vlees op de wind meegevoerd naar de krachtige neus van de moederwolf. Het kwam van kilometers ver weg, maar ze had zo'n honger dat ze zich toch omhooghees en langzaam maar vastberaden richting de bron van de geur begon te lopen. Haar welpen volgden haar op de voet, zachtjes happend naar haar hielen.

Toen ze het mensenstadje tot op anderhalve kilometer was genaderd, zag ze een dier rustig in de zon liggen, een eindje van de weg. Ze wist niet precies wat ze hiermee aan moest. Als de rest van de roedel erbij was geweest, zou Nelson zijn ontmoeting met de moederwolf en haar welpen waarschijnlijk niet hebben overleefd. Hun drang om de welpen te beschermen was zo sterk dat de vaderwolf of een van de jongere wolven de hond meteen zou hebben gedood en waarschijnlijk zou hebben opgegeten. De krachtige kaken van een wilde wolf zouden Nelson met gemak kunnen vermorzelen.

Toen de moederwolf Nelson voor het eerst zag, wilde ze hem in eerste instantie meteen doden. Hij maakte geen deel uit van de roedel. Hij had het recht niet daar te zijn. Ze sprong naar voren en landde slechts een halve meter voor hem, klaar om toe te slaan en hem uit de weg te ruimen. Ze grauwde terwijl ze Nelson in de ogen keek. Haar gigantische hoektanden hingen vlak voor zijn neus toen haar enorme bek dichtklapte. Ze bereidde zich voor om toe te slaan en het kleine dier dat voor haar stond te doden.

Maar de welpen wisten nog niet hoe ze een dier moesten doden, en zij zagen Nelson in eerste instantie als een speelmaatje. Voordat hun moeder de hond kon aanvallen, sprongen de welpen tegen hem op en begonnen hem te besnuffelen, zoals ze bij hun eigen soort zouden doen. De moederwolf aarzelde even, haar zintuigen al enigszins afgezwakt door haar vermoeidheid.

De afgelopen twee uur had de geur van wolf zwaar in de lucht gehangen. Om de een of andere reden werd Nelson erdoor geïntrigeerd. Maar hij was nog nooit zo bang geweest als toen de enorme grijze moederwolf voor het eerst voor zijn neus stond. Het dier was gigantisch en prachtig, maar hij wist dat ze op het punt stond hem te vermoorden. Nelson wist hoe sterk en machtig de wolf was die voor hem stond. Even was hij totaal verlamd toen ze voor zijn neus sprong. Maar toen begonnen de welpen hem te besnuffelen, wat hem de tijd gaf om te reageren. Doodsbang rolde hij zich voor de moederwolf op zijn rug en bood haar jankend zijn nek aan.

Daar lag Nelson dan voor haar op de grond, maar de welpen zagen zijn overgave als extra aansporing om te spelen. Ze begonnen met Nelson te stoeien en hij nam hun uitnodiging aan. De drie kleine wolvenwelpen en de hond met drie poten rolden door het zand, speels bijtend, duwend en springend.

De moederwolf liep naar de hond toe en besnuffelde hem. Ze rook de angst op zijn huid, rook de wond op de plek waar zijn poot had gezeten. Ze gromde zachtjes. Net als Nelson en andere van zijn soort, was ook de wolf een zeer emotioneel dier, en het verdriet om het verlies van haar jongen welde weer op. Ze besnuffelde hem kalm, en hoewel hij geen wolf was, was hij ook niet heel anders, dus besloot ze zich terug te trekken. Bovendien werd haar aandacht opgeëist door een half opgegeten kippenkarkas dat Nelson de dag ervoor uit een vuilnisbak had opgediept. De moederwolf pakte het karkas in haar bek en trok zich terug onder een struik om de kip te verslinden. Toen sloot ze haar ogen en deed een dutje, blij om een paar minuten verlost te zijn van het voortdurende gevraag om aandacht van haar jongen.

De drie welpen zetten hun wilde gespeel met Nelson voort. Hij was ongeveer net zo groot als zij en hij had al zeven jaar op deze manier met mensen en andere honden gespeeld. Hij was een expert in spelen, en dat deden de wolvenwelpen ook maar wat graag. Terwijl ze elkaar besnuffelden en met elkaar stoeiden, kwam Nelson helemaal onder hun geur te zitten.

Twintig minuten later kwam de moederwolf overeind en ging weer op weg, terug naar het middelpunt van haar territorium kilometers verderop. De kleine welpen volgden haar. Nelson voelde zich met deze dieren verbonden, en zonder er veel over na te denken, liep hij hen achterna. De welpen holden met hun nieuwe speelmaatje mee.

Toen ze een uur later bij het hol aankwamen, werd de komst van de hond met drie poten wel door de roedel opgemerkt, maar hij rook inmiddels als een van hen, als een van de welpen. Een van de jongere roedelleden, een grote wolf met een opmerkelijke diagonale witte streep op zijn zij, grauwde naar Nelson, maar de moederwolf sprong snel naar voren en beet de wolf met de witte streep in zijn dij. Jankend trok hij zich terug. Toen de moederwolf ging liggen en haar welpen om haar heen dromden, likte ze over Nelsons buik zoals ze ook bij haar eigen jongen deed. De boodschap aan de rest van de roedel was duidelijk. Nelson was een van de welpen. Doe hem geen kwaad.

27

Aanvankelijk at Nelson weinig van het uitgebraakte rauwe vlees dat de moederwolf hem en haar welpen gaf. Het voelde natuurlijk om net als haar welpen langs de lippen van het majestueuze dier te likken en om zijn tong in haar gigantische bek te steken. Hij had dit instinct nog niet eerder met voedsel geassocieerd, hoewel hij dit ook bij al zijn menselijke metgezellen had gedaan, en bij Lucy. Toen de moederwolf voor het eerst braakte en er een brij van warme, half verteerde brokken voedsel en speeksel uit haar bek kwam, was Nelson totaal overrompeld. Hij schudde zichzelf uit terwijl de drie welpen alles naar binnen begonnen te schrokken. Hij proefde een beetje, maar aanvankelijk vond hij het maar niets.

Maar toen de uren verstreken en zijn honger toenam, begon hij het aloude mengsel toch naar binnen te werken. Het smaakte een beetje als half gekookt menseneten. Het was afgestemd op het voeden van een jong lichaam en zat vol natuurlijke sappen die voor een mens wellicht weerzinwekkend leken, maar die wel zorgden voor de ontwikkeling van de botten, vacht, ogen en neus van een jonge wolf. Nelsons soort had veel overeenkomsten met deze wolven. Ooit waren zij één en dezelfde soort geweest, vele millennia geleden. Dus het eten van de moederwolf smaakte en rook voor hem al snel erg lekker. Het maakte hem sterker en het genas zijn wonden. Zijn vacht begon te glanzen en zijn staart glinsterde in de ochtendzon. Zijn ogen schitterden. Zijn neus nam alle verfijnde details van de heuvels en bossen en het wolventerritorium om hem heen in zich op.

In feite was Nelson ouder dan zowel de vader- als de moederwolf. Zeven jaar was een zeer rijpe leeftijd voor een wolf in het wild. Maar voor de wolvenroedel zou hij nooit meer zijn dan een welp. Zijn speelsheid was bepalend voor Nelsons karakter, en hij voelde een natuurlijke band met de welpen. Maar de volwassen wolven hadden het spelen allang achter zich gelaten. Hun leven draaide om overleven, om het beschermen van hun roedel en het vinden van voedsel om de dag door te komen.

Nelson zou nooit een van de grotere wolven durven bedreigen. Als een van de volwassenen ook maar het kleinste spoortje van agressie vertoonde, een grauw, een blik, een zoekend gesnuffel, dan trok Nelson zich terug, met zijn lichaam laag boven de grond, of hij ging onderdanig op zijn rug liggen terwijl hij zachtjes begon te janken. Het jonge mannetje met de witte streep staarde regelmatig doordringend naar Nelson terwijl hij zijn bek dichtklapte, in een poging zijn positie binnen de hiërarchie van de roedel te benadrukken. Maar de hond met drie poten rook inmiddels naar de roedel, dus de lager geplaatste wolf wist dat hij hem moest accepteren als hij de woede van de vader- en moederwolf niet op zijn hals wilde halen.

Op zijn eerste nacht bij de roedel volgde Nelson de andere welpen mee naar het hol waar ze elke nacht sliepen bij de vader- en moederwolf. De vader- en moederwolf hielden hem niet tegen. Ze lagen dicht tegen elkaar aan, en de moederwolf begon over zijn buik te likken.

Langzaam zakte ze iets af naar beneden, en ze likte lange tijd over het litteken waar eens zijn vierde poot had gezeten, tot ze er zeker van was dat haar speeksel diep in zijn huid was doorgedrongen.

Voor het eerst in maanden had Nelson het lekker warm, en de warmte van het wolvengezin drong diep in zijn lichaam door. Terwijl de wolven om hem heen in slaap vielen, lag hij nog enige tijd wakker. Buiten kon hij het geruis van de nacht horen, het incidentele geschuifel van de andere volwassen wolven, het geritsel van het nachtelijk briesje en in de verte het geroep van dieren die hun territorium claimden. Maar de rustige ademhaling van de slapende vader- en moederwolf gaf hem het vertrouwen dat ze volkomen veilig waren.

Nelson legde zijn herinneringen vooral vast aan de hand van geuren, zonder lineaire verbanden of rationele verklaringen, zonder een duidelijke analyse van de complexe verbindingen tussen Katey en haar piano en Thatcher en Lucy en de stank van de dood in het asiel. Hij dacht niet aan wat hem ertoe had gedreven bij de wolven te gaan leven. Maar die nacht voelde hij zich veilig, en hij wist dat hij de volgende dag niet zou hoeven rondzwerven. Hij zou nog een tijdje hier blijven. De hond sloot zijn ogen en viel in slaap, meegevoerd door geurrijke dromen. Deze werden gedomineerd door de vader- en moederwolf, die hem beschermden, voor hem zorgden en hem liefhadden alsof hij een van hen was.

Binnen enkele dagen voelde Nelson zich helemaal thuis bij de wolvenclan. De wolven leefden niet in de beschutting van een huis zoals zijn Grote Liefde. Soms drong er 's nachts een koude wind het hol binnen. Nelson rook dat de haren van de vader- en moederwolf continu overeind stonden terwijl ze de lucht afspeurden naar mogelijke bedreigingen voor hun welpen. Maar tegelijkertijd wist hij dat de roedel hun leven zou geven om hem en de andere welpen te beschermen. Voor de welpen was Nelson een van hen, wellicht een zwakkere versie, eentje die sneller op de grond viel dan zij en eerder moe werd. Maar hij speelde net als zij. Hij nam hun kleine poten in zijn bek en beet hen zachtjes. Hij trok aan hun staart. Hij sprong boven op hen.

Zij beantwoordden dit met net zoveel speelsheid. Dat zat in hun aard zoals het ook in zijn aard zat. Nelson wist niet dat hun eindeloze gespeel, onder toeziend oog van de moederwolf, in werkelijkheid dienstdeed als voorbereiding op de dag dat ze andere dieren zouden moeten doden.

In de vroege avond trokken de vaderwolf en de andere volwassen wolven vaak de naderende duisternis in. De moederwolf gromde zachtjes naar haar welpen, en al snel leerden ze wat dichter bij haar in de buurt te komen spelen, waar ze hen nauwlettend in de gaten hield. Op een avond rende Nelson jankend naar haar toe toen de doordringende stank van coyote zijn neus bereikte. De moederwolf had het ook geroken. Ze speurde de bosjes af met haar kille grijze ogen. Een luid gehuil rees op vanuit haar binnenste en schalde door de avondlucht. De jonge welpen deden haar na. Maar dit hield de dicht genaderde coyote niet tegen. Hij had honger. Een wolvenjong zou een heerlijk maal zijn. Huiverend verschool Nelson zich achter de gigantische grijze gestalte van de moederwolf toen de voddige en smerige coyote vlakbij uit de bosjes tevoorschijn kwam. Hij was een neef van degene die Lucy had proberen te vermoorden.

De twee wilde hondachtigen staarden elkaar aan. De moederwolf wachtte niet af tot de coyote dichterbij zou komen. Ze maakte een sprong en landde tweeënhalve meter dichter bij de hongerige coyote. Nelson was bang toen hij voor het eerst een glimp opving van dit woeste, wilde dier dat in de moederwolf school. Ze grauwde gemeen, en haar gigantische bek klapte open en dicht. De coyote grauwde onbevreesd terug en deed een stap naar voren. De moederwolf aarzelde geen moment, sprong door de lucht en beet de coyote in zijn nek. Jankend verdween de coyote de bosjes in. De moederwolf begon weer te huilen, en de welpen deden mee. Enkele minuten later keerden de vaderwolf en de andere volwassenen terug. De clan begon samen in de duisternis te huilen. De wolven huilden elk op verschillende toon, als zangers in een oeroud koor, en vormden zo eeuwenoude en gepassioneerde klanken die door de wildernis schalden. Nelson was zich er niet eens van bewust dat hij spontaan met het wolvenkoor mee begon te doen, maar hij werd hiertoe gedreven door zijn oeroude verwantschap met deze dieren. Het gehuil van de wolven galmde in de oren van de coyote terwijl deze wegsnelde. De boodschap was duidelijk. Dieren die het territorium van de wolven met slechte bedoelingen betraden hoefden niet op een vriendelijk onthaal te rekenen.

Na dat incident was Nelson altijd een beetje op zijn hoede wanneer de andere wolven gingen jagen. De moederwolf begreep maar al te goed wat er op het spel stond, zo wist hij. Haar jongen konden in een oogwenk worden verslonden en voor altijd zijn verdwenen. Maar de welpen kenden de betekenis van angst nog niet en bleven zorgeloos en onvermoeibaar doorspelen. Nelson deed met hen mee, maar hij had genoeg van de verschrikkingen van deze wereld geroken om continu een beetje bevreesd te zijn. Hij was de moederwolf dankbaar voor de bescherming die ze bood.

Ongeveer de helft van de nachten keerden de vaderwolf en de andere volwassen wolven met voedsel terug. Soms hadden ze slechts een bergkonijn of een kleine bever in hun bek. Soms sleepten de wolven met z'n allen een geit of een jong of ziek hert met zich mee. Dan mochten eerst de vader- en moederwolf zich te goed doen aan de ingewanden. Na enkele weken begonnen de vader- en moederwolf de welpen aan te moedigen iets van het rauwe vlees te eten voordat de andere volwassenen mochten meegenieten van het feestmaal. De welpen gingen op dezelfde speelse manier met de prooi om als met elkaar. Ze rukten aan het karkas en het bloederige vlees alsof het slechts speeltjes waren. Na een tijdje begonnen de vader- en moederwolf te grommen, en dan mochten de andere wolven het van de welpen overnemen. Maar langzaam maar zeker pasten de magen van de welpen zich aan en begonnen ze de voorkeur te geven aan bloederig rood vlees boven het uitgebraakte voedsel dat hun moeder hun steeds minder vaak gaf.

Nelson at wel wat van het rode vlees van de karkassen die de wolven naar hun hol sleepten, maar hij leerde het nooit echt waarderen. Met zijn zeven jaar was hij een volwassen hond, die wellicht zelfs al een beetje oud werd. Zeven jaar lang had hij vooral gekookt mensenvoedsel gegeten, en daar had zijn maag zich aan aangepast. De eerste keer dat hij rauw vlees at, moest hij overgeven. De welpen aten zijn braaksel op. Hierna at hij kleine stukjes rauw vlees, maar hij gaf de voorkeur aan het warme braaksel van de moederwolf.

Nelson raakte al snel gewend aan de geur van bloed. Die hing overal. Op de karkassen die de wolven mee naar hun onderkomen sleepten. Op de bek en tanden van de volwassen wolven. Vaak bevlekte het ook hun vacht. Nelson rook de opwinding van de wolven wanneer de lucht om hen heen was vervuld van vers bloed. Hij begreep niet helemaal waarom ze er zo door in vervoering raakten, maar hij accepteerde het. Voor hem was de geur van bloed vol leven. Van elk dier rook het bloed weer anders en krachtig. Het was een geur die hij niet veel was tegengekomen in zijn leven tussen de mensen.

Soms kon Nelson de woede in de lucht voelen hangen wanneer de andere wolven moesten toekijken hoe de welpen eerder mochten eten dan zij. Op een dag sprong de volwassen wolf met de witte streep op Nelson af toen hij naar voren stapte om te eten, voordat de volwassenen aan de beurt waren. De wolf werd meteen door de vaderwolf in zijn nek gebeten. De hiërarchie binnen de roedel was strikt en ordelijk. Ze waren een krachtig functionerende eenheid, en elke wolf die de hiërarchie durfde te doorbreken zou worden aangepakt. De vader- en moederwolf waren gigantische, imposante dieren voor de kleine hond, dus Nelson onderwierp zich altijd aan hen. Hij wist dat hij alleen op hun bescherming zou kunnen rekenen zolang hij zich als een van hun welpen gedroeg. Hij kende zijn plaats binnen de roedel en daardoor voelde hij zich veilig.

Maar als de vader- en moederwolf niet bij Nelson in de buurt waren, merkte hij vaak dat de wolf met de witte streep hem ijzig aanstaarde terwijl hij ondertussen wild met zijn neus snoof. Dan ging Nelson door zijn voorpoten, of hij ging zacht jankend op de grond liggen om de wolf te laten weten dat ook hij Nelsons meerdere was.

28

De weken en maanden verstreken, en de jonge welpen groeiden snel. Nelson wilde niet dat ze groter werden. Hij wilde dat ze voor altijd van zijn formaat zouden blijven, zodat ze voor altijd zijn speelmaatjes konden zijn en hij bij hen kon blijven, hier waar hij zich veilig voelde. 's Nachts schrok hij soms wakker uit nachtmerries over de verdorven stank van het asiel. Dan hoorde hij nog het gejank van de oude zwart-witte hond die in de oven van die vreselijke plek aan zijn einde was gekomen. Hij verlangde regelmatig naar zijn Grote Liefde, en naar Lucy, maar zolang hij in zijn dromen nog werd achtervolgd door de nare geuren en beelden van het asiel, bleef hij vastberaden om zo ver mogelijk bij de mensheid vandaan te blijven. Zijn leven leek ervan af te hangen.

Naarmate de welpen groter werden, begon Nelson aardig uitgeput te raken van hun aanhoudende speelsheid. Ze werden te sterk voor hem. Hun veelvuldige beten, eens ongevaarlijk, begonnen nu door zijn huid heen te dringen. De moederwolf likte het bloed van zijn wonden, die snel weer leken te genezen, maar hij werd overvallen door een zeker gevoel van hulpeloosheid. Hij kon het niet tegenhouden dat de welpen groter werden. Het zou niet lang meer duren voor ze twee keer zo groot waren als hij.

Nelson was gewend geraakt aan de dagelijkse routine van de roedel. Hij wist dat de volwassenen elke nacht een paar uur weggingen om veelal terug te keren met voedsel, terwijl de moederwolf ondertussen op hem en haar welpen lette. Maar hij bespeurde een toenemende rusteloosheid in de moederwolf terwijl ze 's nachts over hen waakte. Op een nacht verdween ze met de rest van de volwassenen. Nelson en de welpen bleven alleen achter. De jonge welpen jankten en ijsbeerden bezorgd rond hun hol. Nelson was veel ouder dan de welpen en hij voelde de drang om hen te beschermen, ook al was hij veel kleiner dan zij. Hij stond op wacht, tot de moederwolf even later met de andere volwassenen terugkeerde. Ze sleepte een klein gevlekt hert naar het midden van hun enclave. Haar vacht zat onder het bloed. Nelson rook de adrenaline en de opwinding die nog steeds door het lijf van de moederwolf gierden. Met buitengewone agressiviteit stortte ze zich op de ingewanden van het jonge dier.

De volgende paar nachten ging ze niet met de volwassenen mee, maar vertoonde ze wel een lichte agressie ten opzichte van haar jongen. Toen de volwassenen een paar nachten later op het punt stonden op jacht te gaan, grauwde ze agressief naar haar welpen. De andere volwassenen gingen op pad, en ze volgde hen langzaam, terwijl ze ondertussen zachtjes naar haar jongen bleef grommen. Aanvankelijk wisten de kleine welpen niet precies wat ze hier mee aan moesten. Eén van hen, de sterkste, volgde haar de nacht in. De andere twee vluchtten snel naar het hol, en Nelson volgde hen. Speels kropen ze tegen elkaar aan, maar Nelson wist niet wat hij moest denken van de veranderingen in hun dagelijkse routine.

Een paar uur later hoorden Nelson en de twee achtergebleven welpen gehuil. Ze renden naar buiten, waar ze zagen hoe de volwassenen een klein elandwijfje aan stukken scheurden. De welp die met de roedel mee op pad was gegaan deed met hen mee en scheurde het rauwe bloederige vlees aan stukken. Nelson en de andere welpen liepen zoals gewoonlijk op de prooi af, eraan gewend dat de vader- en moederwolf hen beschermden terwijl ze aten. Maar dit keer grauwde de moederwolf naar hen toen ze dichterbij kwamen om te eten. De wolf met de witte streep sprong razendsnel naar voren en gromde naar Nelson. De moederwolf nam de hond niet in bescherming. Piepend trok Nelson zich terug terwijl de wolf met de witte streep zich op de prooi stortte en zich volvrat. De twee andere welpen deden nog een poging om te eten, maar werden wederom door hun moeder berispt. De andere wolven deden zich te goed aan het vlees tot ze vol zaten. Uiteindelijk liepen ze weg van het karkas, met bolle buiken en bebloede tanden, en werden de restanten van het karkas voor Nelson en de andere welpen achtergelaten. Ze aten in stilte. Terwijl Nelson stond te eten, kwam de wolf met de witte streep weer even overeind en sloop op hem af. De moederwolf hield hen van dichtbij in de gaten, en er rees een zacht gegrom op uit haar keel. De wolf met de witte streep trok zich terug en ging weer liggen.

Er was iets veranderd binnen de roedel. Na nog een paar dagen werd het Nelson duidelijk wat de veranderingen precies betekenden. Als je wilde eten, ging je mee op jacht. Een van de andere welpen ging nu ook met de roedel mee jagen. Alleen de kleinste welp en Nelson bleven achter, bibberend in de kou, terwijl ze wachtten tot hun roedel terugkeerde.

Nelson en de kleine welp huilden samen, en Nelson bespeurde de geur van een coyote in de wind. Twee dagen later, toen de roedel weer uit jagen ging, leken aanvankelijk alleen Nelson en de kleinste welp achter te blijven. Maar toen de roedel de wildernis in sloop, bleef de wolf met de witte streep staan wachten, vlak bij de hond met drie poten en de wolvenwelp. Hij liet Nelson zijn tanden zien, en even leek het erop dat hij zou aanvallen. Maar de moederwolf was nog steeds in de buurt en ze keerde snel terug, luid blaffend naar de wolf met de witte streep om Nelson en haar welp te beschermen. Toen ze weer wegliep om mee te gaan jagen, zat er voor Nelson en de welp niets anders op dan met haar en de rest van de roedel mee te gaan.

29

De roedel grijze wolven gleed als een schaduw door de nacht. Af en toe glinsterden hun kille ogen in het maanlicht, en het gras ritselde als ze voorbijslopen. Maar alleen een geoefende blik zou hen hebben gezien.

De jonge welpen liepen achter de roedel aan. De speelse, vriendelijke dieren waar Nelson mee had gestoeid bestonden niet langer. Ze waren stil en serieus, zich bewust van wat er zou volgen. Toen de zwakste welp begon te janken, draaide de moederwolf zich snel om en gromde zachtjes, maar bloedserieus. Hierna gaven de welpen geen kik meer. De sterkste welp bleef zo dicht mogelijk bij de volwassenen. Jagen werd nu al zijn tweede natuur. In slechts een paar maanden tijd zou hij het spelen helemaal achter zich laten en uitgroeien tot een volwassen wolf. Het spelen was slechts voorbereiding geweest op de jacht. Zijn ware aard zou pas werkelijk worden bevredigd door het echte werk.

De roedel liep kilometers lang door het omringende gebied. Nelson moest moeite doen hen bij te houden en ploeterde voort op zijn drie korte poten. Als hij van de roedel gescheiden raakte, zou hij een makkelijk doelwit zijn voor de wolf met de witte streep. Nelson was eraan gewend geraakt zich niet te ver van het hol van de wolven te begeven. Hij was een nieuwsgierig dier, maar op deze manier ging hij niet graag op verkenning. Hij moest zich haasten om de andere dieren bij te houden, en er hing iets onheilspellends in de lucht. Hij kende de roedel als een hechte, liefhebbende en beschermende familie, maar vanavond gaven ze een heel andere geur af.

Plotseling remde de roedel af, en ze kropen verder door de bosjes. Nelsons zintuigen waren goed ontwikkeld, dus het duurde niet lang voor hij de wilde haas in de buurt rook. Hij tuurde door het kreupelhout en zag het dier gras eten. De vaderwolf stond op het punt toe te slaan toen het dier waarschijnlijk de geur van wolf in de nachtlucht bespeurde. De haas ging ervandoor. Even leek het erop dat de vaderwolf de achtervolging zou inzetten, maar toen gromde hij zachtjes en liep langzaam verder. De roedel volgde. Er heerste geen gevoel van teleurstelling. De haas zou toch niet genoeg zijn geweest om hen allemaal te voeden.

Twintig minuten later was het Nelson die als eerste de geur van een hertengezin bespeurde in het nachtelijke briesje. Hij gromde zachtjes, uit een reflex om de roedel te beschermen. Maar het was niet de roedel die bescherming nodig had. Toen Nelson gromde, draaide de rest van de roedel zich meteen om en staarde hem aan. De wolf met de witte streep grauwde, alsof hij Nelson waarschuwde hun jachtritueel niet te verstoren. Maar de vaderwolf rook de herten nu ook in het briesje en sprong snel hun kant op. Langzaam sloop de roedel achter hem aan naar voren.

De twee volwassen herten stonden kalm in het maanlicht te grazen. Hun gevlekte vacht glansde in het zilverachtige licht. Als er geen roedel wolven in de buurt was geweest, zouden ze een mooi plaatje hebben gevormd. De twee volwassen dieren waren allebei hinden. De stier die een van hen zo'n zeven maanden daarvoor had gedekt stond dertig meter verderop te grazen. Het was een groot, indrukwekkend dier, met een spectaculair gewei en doordringende ogen.

Maar het waren niet de twee volwassen herten waar de vaderwolf belangstelling voor had. Het was het jonge kalfje dat kalm in hun schaduw stond te grazen. De jonge hinde was slechts een paar maanden oud. Ze was pas sinds kort gaan grazen en had daarvoor nog van moedermelk geleefd.

De vaderwolf kwam snel in beweging en leidde de roedel in de jacht. Eén aarzeling en hun kans kon meteen verkeken zijn. De twee herten hadden de geur van wolf en coyote al regelmatig geroken gedurende hun leven in het wild. Al vele malen eerder hadden ze de krachtige kaken van de wilde honden weten te ontwijken. Toen de doordringende geur van wolf de neus van de herten bereikte, was hun eerste instinct om het op een lopen te zetten en te rennen voor hun leven. Een van de herten verdween snel de bosjes in. Maar het moederhert probeerde instinctief haar jonge kalf te beschermen. Ze duwde het kalf naar voren in een poging haar aan te sporen van de wolven weg te vluchten.

Maar het kalf was zich nog niet bewust van de gevaren van de wereld en weigerde koppig in beweging te komen. Tegen die tijd was het al te laat. De wolven sprongen naar voren. Drie van hen, geholpen door de sterkste welp, hapten naar de poten van het volwassen hert en de wolf met de witte streep beet haar tot bloedens toe. Het moederhert loeide van de pijn. De vader- en moederwolf besprongen het jonge kalfje en werkten haar tegen de grond. Ze verzette zich hevig maar was niet opgewassen tegen de krachtige kaken en gespierde lijven van de twee gigantische wolven.

De twee andere welpen renden er instinctief op af, en Nelson volgde hen. Maar hij bleef op een paar meter afstand van de ophanden zijnde slachting. Hij wist instinctief dat het kalf nog een jong dier was. Voor hem was een jong dier iets om mee te spelen, om plezier mee te maken. Verward keek hij toe terwijl de moederwolf de keel van het jonge kalf openreet. Het dier krijste van de ondraaglijke pijn. Even bleef de moeder van het kalf toekijken, en haar dierenhart brak. Toen verdween ze in de nacht, om in ieder geval haar eigen leven te redden. Ze wist dat haar jong nog slechts enkele seconden te leven had. De vader van het kalf hoorde het gekrijs op enkele tientallen meters afstand, maar hij wist wat er was gebeurd. Hij zou de roedel wolven niet proberen tegen te houden. Toen het moederhert de nacht in vluchtte, stortten de andere volwassen wolven zich op het jonge kalf terwijl de moederwolf het verse bloed uit haar aderen zoog. De andere volwassenen hapten naar haar hielen terwijl het leven uit het jonge dier wegsijpelde en ze slapjes tegen de grond viel.

De hele roedel was erbij. Het was niet nodig om het dier naar hun hol terug te slepen, nu de moeder en de welpen niet langer achterbleven. Ze zouden het dier vers opeten. De vader- en moederwolf reten het dier open en deden zich te goed aan de ingewanden. De volwassen wolven en de jonge welpen volgden hun voorbeeld en stortten zich op het jonge, malse vlees. De geur van vers bloed kleurde de lucht.

Nelson keek slechts verbijsterd toe. Hij kon merken dat het verslinden van hun prooi diep in de aard van de wolven lag besloten. Maar het zat niet in zijn aard. In de tijd die hij met hen had doorgebracht, had hij een sterke verwantschap met deze dieren gevoeld, vooral met de welpen. Hij had zich een van hen gevoeld. Maar op het moment dat ze hun prooi hadden gedood, veranderde dat. Hij voelde zich anders en alleen. Het lag simpelweg niet in zijn aard om te doden zoals een wolf. Dat zou nooit zijn bedoeling zijn. Als hij het jonge kalf alleen was tegengekomen, was ze wellicht zijn speelmaatje geworden.

Honden waren voortgekomen uit wolven. Millennia geleden hadden mensen kleine wolvenwelpjes meegenomen die alleen in de wildernis waren achtergelaten nadat hun ouders door beren of andere

roofdieren waren gedood. Ze hadden hen gevoerd rond hun kamp-
vuur, en de welpen, met hun instinctieve gevoel voor hiërarchie, hadden een plek verworven binnen de maatschappij. Ze waren een we-
zenlijk onderdeel geworden van de menselijke samenleving. Mensen
waren goed in het domesticeren van dieren, en mettertijd waren bepaalde kenmerken die nuttig waren voor de mensen uitvergroot.
Door hun speciale band met mensen groeiden de wolven uit tot honden, al behielden ze ook veel kenmerken van hun wolvenvoorouders.
Maar ze leefden van kliekjes, van menseneten. Ze hoefden niet langer
op jacht te gaan. Dus voelden ze niet langer de behoefte om te doden,
een behoefte die zo kenmerkend was voor wolven. Bij honden ging
die typische speelsheid van wolvenwelpen nooit over in echt jagen.
Honden bleven adolescente wolven, vrolijk en vriendelijk, gekenmerkt door hun spel.

Dus stond Nelson die nacht verbijsterd toe te kijken terwijl de wolven het hertenkalfje doodden en opaten. Op dat moment, toen hij zo
voor hen stond, voelde hij voor het eerst de behoefte om deze dieren
te verlaten. De welpen waar hij zo dol op was veranderden nu langzaam in iets anders, iets wat hij zelf nooit zou kunnen worden. Toen
de wolf met de witte streep indringend naar hem keek, met ogen als
ijzige dolken en met zijn bek onder het verse bloed, voelde de hond
hevige rillingen over zijn rug lopen.

30

Wanneer een dier verandering in de lucht voelt hangen, is zijn eerste
reactie altijd om dit te ontkennen, om op dezelfde manier door te
blijven gaan als voorheen. Nelson had al vele veranderingen meegemaakt in zijn korte leven. Maar zijn lichaam begon er aardig vermoeid door te raken. Hij had zich goed weten aan te passen aan het
leven met maar drie poten, maar toch had het ongeluk zijn leven met
jaren ingekort. Tijdens zijn eerste maanden bij de wolven had de
hond zich veilig en beschut gevoeld. Maar de nacht dat ze voor het

eerst samen terugkeerden van de jacht, duwden de vader- en moeder-wolf de jonge welpen en Nelson ineens uit het hol. Nelson verzette zich niet, maar hij voelde zich bedroefd. Hij wist niet dat dit de eerste in een reeks afwijzingen van de welpen was, tot de vader- en moeder-wolf uiteindelijk hun jongen uit de roedel zouden verjagen wanneer ze een bedreiging begonnen te vormen voor hun leiderschap. Dan zouden de welpen elk een eigen roedel beginnen, als ze wisten te over-leven in de wildernis. Zo ging dat bij wolven. In het complexe leven van mensen en hun honden maakte elkaar verlaten nooit deel uit van het opgestelde plan. Een hond wilde voor altijd bij zijn mensenbaasje blijven. Als de Grote Liefde eenmaal was aangewakkerd, doofde deze nooit meer uit.

Nelson sliep niet veel die nacht, ook al werd hij gerustgesteld door de lichaamswarmte van de welpen. Hij was nu aanzienlijk kleiner dan zij. De drie omringden hem als een warme deken. Diep in de nacht begon hij ineens zachtjes te janken, overvallen door een vreemde droom. De andere welpen likten hem stilletjes en drukten hun neus tegen hem aan. Maar hij kon niet meer slapen. De andere volwasse-nen waren in de buurt.

De afgelopen maanden had de moederwolf Nelson als een van haar eigen jongen opgevoed. Ze wist niet waarom hij er anders uitzag en aanvankelijk een beetje anders rook dan haar eigen welpen. Maar ze was niet het soort dier dat piekerde over dergelijke kwesties. Om de een of andere reden had haar brein hem als welp aangemerkt op de dag dat ze elkaar hadden ontmoet, en vervolgens had haar moederin-stinct het overgenomen. Ze had hem net zo opgevoed als de andere, had hem gevoerd, hem 's nachts warm gehouden en hem beschermd tegen roofdieren.

Maar nu begon ze meer en meer het verschil op te merken tussen hem en haar andere welpen. Zij ontwikkelden zich van zachtaardige en speelse dieren tot sterke volwassen wolven. Zij leerden te jagen en te doden. Ze voelde de dag naderen dat ze moesten worden verban-nen uit het territorium van haar en de vaderwolf. Maar ze wist niet wat ze van Nelson moest denken. Hij ontwikkelde zich niet zoals ze van haar welpen gewend was. Een deel van de moederwolf hield net zoveel van Nelson als van haar eigen welpen. Maar ze was geen liefdevol dier zoals een hond dat was, of zoals mensen konden zijn. De roedel, de veiligheid van de roedel en de leiderschap van haar en de vaderwolf binnen de roedel; dat waren haar voornaamste zorgen.

Nelson kon de toenemende afkeer van de vader- en moederwolf voelen. Hij kwam niet meer zo dicht bij hen als hiervoor en probeerde vooral met de welpen te spelen, voor zover dat ging. Naarmate de welpen sterker werden, werd het steeds moeilijker om nog net zo met hen te stoeien als eerder. Meestal ging hij jankend op zijn rug liggen, ten teken dat hij zich aan hen onderwierp. Hun spel was agressiever geworden sinds ze mee op jacht gingen, aangezien het nu een metafoor was voor jagen en doden. Hij had gezien dat ze elkaar tot bloedens toe beten. Door zich voortdurend te onderwerpen voorkwam Nelson dat hij gewond raakte.

De nacht nadat Nelson met de wolven op jacht was gegaan verzamelden ze zich weer om de duisternis in te trekken. Nelson was bang om alleen bij het hol achter te blijven, maar hij wilde ook niet met de wolven mee op jacht gaan. Hij ging zitten en kwam niet meer in beweging. De moederwolf keek grommend naar hem om terwijl ze de koude nacht in sloop. Ineens voelde ze het verlangen opwellen om de hond met drie poten te doden. De rest van de roedel verdween in de duisternis, maar zij liep langzaam terug naar Nelson en staarde naar hem met haar doordringende ogen. Ze grauwde. Hij verstoorde de orde binnen de roedel. Hij ontwrichtte de natuurlijke gang van zaken. De hond met drie poten rolde zich op zijn rug en onderwierp zich, in de hoop dat de moederwolf hem met rust zou laten. Maar ze kwam steeds dichter naar hem toe en deed abrupt haar bek open om haar scherpe tanden te laten zien. Nelsons haren stonden recht overeind. De moederwolf klapte haar bek dicht en maakte zich klaar om toe te slaan.

Ineens klonk in de verte het luide geblaf van de vaderwolf. Hij wilde dat de moederwolf met hem mee ging jagen. Binnen de roedel had alleen de vaderwolf meer macht dan zij, dus draaide de moederwolf zich langzaam om en rende de duisternis in. Nelson rolde zich weer op zijn buik. Zijn hele lichaam trilde van angst.

Als Nelson die nacht was gebleven, zou hij door de wolven zijn gedood. Maar dat zou hij nooit weten. Toen de wolven waren vertrokken, bleef hij nog een tijdje zitten om de avondlucht op te snuiven. Hij had het koud, dus kroop hij in het hol van de wolven, in een poging zichzelf warm te houden. Binnen was het ook koud, zonder de lichaamswarmte van de andere dieren om hem warm te houden. Dus kroop hij weer naar buiten en begon rond te snuffelen in de omgeving van het hol. Hij groef een hertenbot op dat een van de wolven had begraven en kauwde hier een tijdje op om het beenmerg eruit te zuigen. Dit was genoeg om zijn honger enkele uren te stillen.

Honden denken niet zoals mensen, dus Nelson nam nooit bewust het besluit om het hol van de wolven te verlaten. Maar de angst in zijn hart nadat de moederwolf hem bijna had gedood nam niet af. Bovendien werd hij omringd door de doordringende geur van de wolf met de witte streep die hem continu in de gaten hield. De angst bleef toenemen, zelfs al was Nelson op dat moment helemaal alleen. Aanvankelijk liep hij rustig weg van het hol, in tegengestelde richting als waarin de wolven waren vertrokken. Maar na slechts een paar minuten begon hij te rennen voor zijn leven.

Toen de wolven die nacht terugkeerden, was Nelson verdwenen. Ze roken zijn geur nog rond hun hol. De moederwolf snuffelde aan zijn spoor, en even overwoog ze hem achterna te gaan. Maar ze zat vol van de maaltijd die ze zojuist hadden gegeten en ze had liters water uit de rivier gedronken. Nu wilde ze vooral slapen. In haar gedachten was Nelson al niet langer een van hen meer. Dus kroop ze in het hol en viel in slaap. Ze droomde van bloed.

De wolf met de witte streep merkte ook op dat de hond weg was, en er welde een woest gevoel van overwinning in hem op. Hij had zijn dominantie over het kleinere dier bewezen. De welpen voelden een zekere bedroefdheid om het verlies van hun broeder. De zwakste van de drie voelde dit verlies het sterkst. Nu was zij degene die als laatste mocht eten, en continu tot onderwerping werd gedwongen door de rest van de roedel. Maar uiteindelijk zou dit alleen maar een zegen blijken te zijn. Haar twee sterkere broertjes werden twee maanden later door hun vader en moeder uit de roedel verjaagd. De sterkste van de welpen had een keer naar zijn moeder gegromd toen ze begon te eten voordat hij aan de beurt was. De volgende dag werd hij flink gebeten door zijn vader en vluchtte hij strompelend de wildernis in. De middelste welp werd een paar dagen later verjaagd. Beide welpen konden de beproevingen van de wildernis niet aan en stierven enkele maanden later, zonder een eigen roedel te hebben kunnen vormen. Maar de zwakste welp werd wel negen jaar oud en bracht haar hele leven bij de roedel door, zelfs toen haar vader en moeder uiteindelijk oud waren en de macht werd overgenomen door een van de andere volwassenen.

Die nacht, gelegen in hun hol, waren de vader- en moederwolf oppermachtig. Maar een paar jaar later zouden ze flink verzwakt raken door een koude winter en zouden ze wegsluipen van de roedel om onder een grote boom te gaan liggen en te sterven.

31

Nelson rende. Aanvankelijk was hij rustig van het hol van de wolven weggelopen, zonder specifiek doel voor ogen. Maar voor hij het wist, was hij ver weg van wat de afgelopen vier maanden zijn thuis was geweest en rook hij beer en coyote in de lucht. Doelloos rende hij door de duisternis, strompelend tussen struiken en bomen, soms vlak langs de holen van grote en kleine dieren.

Vreemden zouden hem maar een zielig dier hebben gevonden. Hij was een broodmagere hond met drie poten en een lange, smerige vacht vol klitten, en hij stonk vreselijk. Niemand ter wereld zou het hebben geweten als Nelson die nacht onder een boom was gaan liggen om te sterven. Hij zou bedolven raken onder de herfstbladeren, en kleine dieren en wormen zouden hem langzaam helemaal van de- ze wereld helpen. Het zou niemand verdriet doen. Katey, Thatcher, Lucy en alle anderen die Nelson in zijn korte leven had leren kennen zouden nooit weten dat dit de nacht was waarop hij deze wereld voor- goed had verlaten.

Nelson was verward en hongerig en had het koud. Hij wist niet waar hij naartoe moest. De geur van wolven was niet langer veilig voor hem, maar de geur van mensen ook niet. Het was zijn nieuws- gierige aard geweest die hem jaren geleden had aangespoord te gaan zwerven, maar inmiddels had zijn neus grote delen van de wereld ver- kend en vastgelegd in een grote vergaarbak van kennis, van geuren, emoties, verwachtingen en angsten, allemaal door elkaar. Die vorm- de het meest krachtige deel van zijn bewustzijn, zijn dunne leidraad in een wrede wereld. Maar om de een of andere reden vertrouwde hij erop, en ergens diep in zijn hondenbrein school de wil om te leven, om te overleven. Hij overwoog het niet eens om ergens onder de ijzi- ge maan te gaan liggen om te sterven. Hij zou gewoon zijn neus vol- gen naar een betere plek.

32

Rick Doyle was geen typische hondenvanger. Sinds zijn achtste was hij al dol op geschiedenis, en hij raakte gefascineerd door de Ameri- kaanse Burgeroorlog. Zijn passie voor dit onderwerp was met het jaar toegenomen, geïnspireerd door enthousiaste docenten en de stapel geschiedenisboeken die zijn grootvader hem had nagelaten. Er be- stond geen twijfel over de studierichting die hij zou kiezen. Maar toen hij was afgestudeerd, werd hij met de harde werkelijkheid geconfron- teerd. De rekeningen voor zijn studentenlening liepen op, en met zijn passie voor geschiedenis kon hij niet genoeg verdienen om de huur te betalen. Hij zag een advertentie van de dierenbescherming in het stadje Chico in Californië, gelegen op zo'n zeshonderd kilometer van Los Angeles, de plek waar hij zijn bachelorsdiploma had behaald.

Chico was de 'Stad der Rozen', een aangenaam historisch stadje, met prachtige parken en een universiteit in het centrum.

Rick was altijd dol op honden geweest, en ook op katten, wat dat betreft. Zijn passie voor dieren was niet zo groot als zijn passie voor geschiedenis. Maar hij was wel genoeg op ze gesteld om interesse te hebben in de baan, in ieder geval tot hij de middelen had om een masterdiploma te halen en wellicht een baan als docent te bemachtigen. De werktijden waren ook gunstig, en hij zou vrijwel eigen baas zijn en niet in zo'n stijve kantoorbaan worden gedwongen, wat hij koste wat kost wilde vermijden. Hij zou genoeg tijd hebben om over geschiedenis te mijmeren terwijl hij rondreed om zwerfdieren op te pikken. Binnen een paar maanden leidden die mijmeringen over zijn passie in het busje van de dierenbescherming tot het begin van een boek, en al snel werd het schrijven van dat boek zijn favoriete bezigheid in de avond. Hij dacht niet langer aan verder studeren aangezien het zeker twee jaar zou kosten om zijn boek over de levens van onbekende soldaten uit de Burgeroorlog af te maken.

Rick was een zeer intelligente man en hij peinsde soms over het resultaat van zijn nieuwe baan als hondenvanger. Aanvankelijk vroeg hij zich af of het niet beter zou zijn om de dieren die hij ving gewoon op straat te laten rondzwerven, in ieder geval voor de dieren zelf. Het was duidelijk dat ze een gezondheidsrisico voor de samenleving vormden. Maar kort nadat hij met zijn baan was begonnen, bracht hij een dag in het dierenopvangcentrum door en zag hij hoe sommige dieren die hij meenam opknapten na een goede wasbeurt en uiteindelijk een weg vonden naar de harten en huizen van mensen. Wanneer een mensengezin een hond uit het asiel meenam, zag hij een ontluikende liefde in hun ogen, zowel bij het gezin als bij de hond in kwestie. Chico was een klein stadje, en soms zag hij enkele van deze gezinnen een paar weken later met hun nieuwe huisdier spelen of rondwandelen door de stad.

Katten vonden regelmatig een fijn thuis bij mensen, al bleef Rick verdeeld over de vraag of het oppikken van verwilderde katten wel het beste voor hen was. Verwilderde katten waren juist bij mensen uit huis ontsnapt, of hadden nooit in een huis gewoond. Ze waren weer helemaal verwilderd, in elke zin van het woord, door voor zichzelf te zorgen zoals wilde katten deden en te jagen en doden voor voedsel. Ze aten kleine knaagdieren en vogels en schepten er genoegen in hen te doden. Ze waren niet van mensen afhankelijk voor hun voedsel. Maar zwerfhonden trof Rick meestal in groepjes aan, samengedromd op vuilnisbelten of rond vuilcontainers in achterafsteegjes, op zoek naar menseneten. Anders konden ze niet overleven, want het waren zelf maar slechte jagers. Maar katten waren anders.

Rick pikte een verscheidenheid aan zwerfhonden op, groot en klein. Sommige hadden slechts enkele dagen rondgezworven, andere weken, en een enkeling wel jarenlang. Wanneer hij in hun ogen keek, zou hij soms willen dat de hond hem zijn verhaal kon vertellen, kon vertellen waar hij allemaal was geweest, wat hij had gezien, hoe hij had weten te overleven. Sommige honden die hij moest vangen waren agressief, maar de meeste waren gedwee, en vaak vooral bang. Soms hielden zwerfhonden zich op in roedels. Dan was het een zeldzaamheid dat Rick meer dan één hond tegelijk te pakken kon krijgen. Zodra hij er een ving, stoven de andere zwerfhonden uit de roedel weg. Soms zag hij ze dan een paar dagen later weer terug.

Er pasten zo'n zes dieren in Ricks kleine busje, dat zes ingebouwde hokken achterin had. Rick patrouilleerde in blokken van drie uur, speurend naar zwerfdieren, en als hij aan het eind van zo'n blok naar de dierenopvang terugkeerde, zat zijn busje meestal helemaal vol. Vaak hielp hij mee met het wassen en inenten van de dieren, wat meteen gebeurde na hun aankomst bij de opvang. Strikt gezien maakte dit geen deel uit van zijn werk, maar hij was bevriend geraakt met Angie, de vrouw die hier elke dag voor zorgde, en zij liet zich graag door hem helpen. Het was altijd bevredigend om een vieze hond die maanden op straat had geleefd te zien transformeren in iets wat meer op een huisdier leek. Vaak verbeterde de stemming van de honden zichtbaar, alleen al door het hernieuwde contact met mensen. Ze speelden met het water en schrokten hun eerste maaltijd bij de opvang naar binnen. Over het algemeen ging Rick opgewekt en tevreden naar huis. Na zo'n dienst kon hij 's avonds met gemak drie of vier uur lang aan zijn geschiedenisboek werken. Ook thuis rook hij de geur van hond op zijn kleding, en hij bespeurde vaak een lichte afkeer bij de vrouwen die hij mee naar huis nam omdat zijn hele appartement naar hond rook. Zelf stoorde hij zich daar nooit aan.

Rick wist dat een klein percentage van de honden die hij meenam naar de opvang nooit door een mensenfamilie mee naar huis zou worden genomen. Hij was nog nooit naar het asiel geweest, waar ongewenste dieren werden afgemaakt. Dat gebeurde niet bij de dierenopvang maar bij een andere instelling elders in het stadje Chico. Angie had hem verteld dat het er erg deprimerend was, en hij kon zich er niet toe zetten er te gaan kijken. Soms vroeg hij zich laat op de avond af of hij een moordenaar was omdat hij zwerfdieren oppikte. Sommige honden die werden binnengebracht zouden uiteindelijk in het asiel omkomen. Hij wist dat dit een belachelijke gedachte was, aangezien veel van de dieren die hij binnenbracht een geweldig thuis vonden. Maar wat te denken van de enkeling voor wie dat niet was weggelegd? Zouden die niet beter op straat kunnen blijven rondzwerven? Dan waren ze tenminste nog in leven, zelfs al hadden ze geen baasje.

Wanneer hij een bijzonder treurig uitziende hond op straat tegenkwam, een oude hond, een zieke hond, een gewonde hond of een erg agressieve of onderdanige hond, overwoog hij soms om het dier gewoon daar te laten. Hij wist dat de kans dat het dier zou worden geadopteerd minimaal was. Een paar keer had hij een hond ook daadwerkelijk laten gaan omdat hij wist dat hij maar zo weinig kans maakte om te worden geadopteerd. Maar hij kon het maar niet uit zijn hoofd zetten dat hij dit had gedaan, en uiteindelijk biechtte hij het aan Angie op. Zij was woedend op hem geworden. Ze werkte al twintig jaar bij de opvang, en ze vertelde hem dat het haar soms nog steeds verbaasde welke dieren er allemaal werden geadopteerd. Het gebeurde regelmatig dat honden die zij geen enkele kans had gegeven toch door welwillende mensen mee naar huis werden genomen. Ze beschuldigde Rick ervan voor God te spelen door zelf te besluiten

welke dieren hij meenam naar de opvang. Hij was behoorlijk aange-
slagen door hun ruzie, maar de week erna gingen ze uit eten en voerden ze een kalm, rationeel gesprek over de zaak. Rick besloot dat hij
nooit meer opzettelijk een zwerfdier op straat zou laten lopen.

Toen Rick op een koude winterdag een kleine hond met drie poten
zag ronddwalen, peinsde hij er wel even over of het zin had om de
hond mee naar de opvang te nemen. Hij was ervan overtuigd dat niemand dit dier zou adopteren. Hij had maar drie broodmagere poten,
waarop hij zich traag voortbewoog. Rick wist niet zeker welk ras het
was, maar zijn vacht was lang en smerig en hij zat onder de modder,
het gras en de beestjes. Hij kon de vlooien letterlijk door zijn vacht
zien kruipen toen de hond stopte om zich te krabben. Hij had geen
idee hoe het dier had weten te overleven. Uiteindelijk besloot Rick de
hond toch mee te nemen naar de opvang, puur uit medelijden. Hij
was ervan overtuigd dat niemand de hond zou adopteren, maar in de
opvang zou hij tenminste worden gewassen, een paar goede maaltijden krijgen en warm blijven tot hij naar het asiel zou worden overgeplaatst. Dat was vast beter dan te sterven op straat, in de winterse kou.
   Toen Rick uit zijn busje stapte en op de kleine hond af liep, bekeek
deze hem met vragende ogen vanonder zijn smerige vacht, maar hij
rende niet weg. De twee keken elkaar een tijdje aan. Maar toen Rick
naar voren stapte om de hond in zijn grote net te vangen, begon de
kleine hond strijdlustig naar hem te blaffen. Rick ging op zijn hurken
zitten en probeerde rustig in de richting van de hond te schuifelen.
Maar de hond blafte nog eens luid en rende toen weg door de straat.
Rick volgde hem. De hond was behoorlijk snel, ondanks dat hij maar
drie poten had, en Rick was aardig buiten adem toen hij het dier eindelijk in het nauw had weten te drijven in een doodlopende straat, tegen een stenen muur. De hond gromde naar hem en keek hem recht
in de ogen. Rick sprong naar voren en wist het kleine dier in zijn net te
vangen. De hond blafte wild naar hem. Rick slaagde erin hem een
kleine verdovende injectie toe te dienen die hij altijd bij zich had, en
binnen een paar minuten lag Nelson slaperig op de grond.

Rick droeg hem mee terug naar het busje en zette hem achterin. Half slapend keek Nelson met een sombere blik naar hem op. Rick zou nooit weten wat Nelsons verhaal was. Nelson herinnerde zich zelf ook maar weinig van het afgelopen jaar waarin hij door Amerika had rondgezworven nadat hij de wolven had verlaten. Maar hij had het overleefd, en hij had op straat in leven kunnen blijven als Rick hem die dag niet had meegenomen. Hij had genoeg kennis om eten te vinden waarmee hij zichzelf in leven kon houden. Hij volgde zijn neus en was nog altijd nieuwsgierig wanneer hij het niet koud had of hongerig was.

Tegen de tijd dat Nelson bij de opvang aankwam was de verdoving uitgewerkt. Hij raakte in paniek. De geur deed hem denken aan de vorige opvang, en hoewel de opvang in Chico niet was doordrongen van de stank van de dood, kon hij zich deze maar al te goed herinneren.

33

Nelsons neus was zijn kompas. Het was geen wetenschappelijk instrument, en het was niet altijd even nauwkeurig. Maar het was een ondoorgrondelijk en mysterieus werktuig gebaseerd op eeuwenoude wijsheid, en het kon soms uitzonderlijke resultaten opleveren.

Het was zijn neus die hem naar Californië had geleid. Hij had duizenden kilometers afgelegd nadat hij de wolven had verlaten. Het was geen rechte weg geweest, maar een zigzagroute langs de wegen en steden en door de bergen en bossen van Amerika. Hij had het vaak koud gehad en was vaak hongerig, maar de kleine hond had een sterke overlevingsdrang. Voor hen die niet zo'n neus hadden als Nelson was het moeilijk te omschrijven wat het precies was dat hem langzaam maar zeker naar Californië had gelokt. Het waren de geuren die door de droge aarde van Californië werden afgegeven en die op de een of andere manier leken te wijzen op zonneschijn en warmte. Het waren de geuren van verschillende fruitsoorten die duizenden kilometers werden meegevoerd op de wind. Het was de flauwe geur van zee en zout. Nelson wist niet waar dit flauwe zoutige parfum in de lucht precies vandaan kwam, maar het intrigeerde hem. Ergens diep in zijn geurengeheugen associeerde hij het met de geur van de zee in Boston die hij had geroken in de dierenwinkel waar Katey hem had gevonden.

Nelson stond niet stil bij het feit dat zijn neus hem wederom naar een dierenopvang had geleid. Als zijn brein zo in elkaar had gezeten dat hij deze dingen met elkaar kon verbinden, dan had hij zich wellicht beklaagd om zijn neus en diens onvermogen om hem naar een betere plek te leiden. Maar hij twijfelde nooit aan zijn neus. Desalniettemin raakte hij behoorlijk in paniek toen hij de dierenopvang binnenkwam. Bij het kiezen van zijn route na zijn vertrek van de wolven had hij altijd zorgvuldig de geuren vermeden die hem aan de opvang in Montana deden denken. De opvang in Chico was aangenamer en gemoedelijker dan die in Montana. Hij was ook groter, en er waren zeker zes fulltime medewerkers. Hij rook de vriendelijkheid op hun huid. Ja, de stank van de dood ontbrak, maar er bleven nog genoeg zaken over die Nelson eraan herinnerden op wat voor plek hij zich precies bevond.

Rick droeg Nelson in een kooi de opvang binnen, aangezien Angie die dag haar handen vol had en hem niet meteen kon wassen. Nelson begon meteen onbedaarlijk te huilen op een hoge en doordringende toon die diep vanuit zijn binnenste opwelde. Zijn gehuil dreef iedereen in de opvang tot waanzin, behalve de honden. De meeste honden luisterden alleen maar, al gaven sommige van hen gehoor aan zijn geroep en begonnen mee te huilen, daartoe gedreven door hun eeuwenoude wolveninstinct. Het mysterieuze gehuil was ook buiten de opvang te horen. Mensen op straat bleven staan om te luisteren.

Rick zette de kooi neer en probeerde de hond te kalmeren door hem te aaien en achter zijn oor te krabben. Nelson was vergeten hoe het voelde om door een mens te worden aangeraakt. Aanvankelijk negeerde hij Rick en bleef hij huilen, maar na een paar minuten raakte de hond wat gekalmeerd door Ricks grote warme handen en de zachte klank van zijn stem. Nelson ging op de grond liggen en gaf zich over. Maar toen Rick probeerde te vertrekken, begon Nelson meteen weer te huilen. Dus bleef Rick bij hem tot Angie tijd had om hem te wassen. Hij deed de deur van de kooi open, en Nelson kroop langzaam naar buiten, terwijl hij Rick nauwlettend in de gaten hield.

Lange tijd was Nelson ver uit de buurt van mensen gebleven. Angie had veel ervaring met honden en benaderde hem met een kalme zelfverzekerde houding. Maar een deel van Nelson was verwilderd, en een deel van hem was bang voor haar. Nelson hapte naar haar en schampte haar hand. Ze deed een stap terug en keek hem slechts aan terwijl ze haar hand desinfecteerde. Toen ging ze op de grond liggen, en Rick keek toe terwijl ze langzaam richting Nelson schoof, onderwijl zachtjes pratend. Zo bleef ze een minuut of vijf liggen terwijl Nelson haar nauwlettend in de gaten hield. Uiteindelijk stak ze haar hand uit zodat hij haar kon besnuffelen, wat hij ook deed. Nelson beefde van emotie. Op het moment dat hij Angie rook en haar geur volledig tot hem doordrong, werd hij weer aan zijn Grote Liefde herinnerd. Het was een krachtige geur, en op de een of andere manier wist die de muren af te breken die Nelson om zijn hart had opgetrokken gedurende zijn tijd in het wild.

Voorzichtig begon hij haar te likken. Angie liet hem een tijdje zijn gang gaan. Binnen vijftien minuten kon ze de hond optillen en liet hij zich door haar wassen met warm water. Hij had dit al vele jaren niet meer ervaren, en het voelde heerlijk ontspannen. Na al die tijd in het wild te hebben geleefd, voelde hij zich continu verkleumd tot op het bot. Langzaam drong de warmte van het water in zijn lichaam door, terwijl Angie hem zachtjes masseerde. Ze pakte wel drie keer schoon water en waste hem met verscheidene shampoos. Zowel zij als Rick was verbijsterd over het vuil dat van de hond afkwam. Bij de derde wasbeurt merkte Angie eindelijk dat de hond schoon werd. Toen ze hem had afgedroogd met een handdoek zette ze hem terug in de kooi. Zijn vacht was lang en zat vol klitten. Hij moest nodig worden getrimd, maar daar zou ze mee wachten tot hij helemaal droog was.

Nelson bleef rustig liggen. Rick was vertrokken, merkte hij op, maar hij voelde zich op zijn gemak met Angie in de buurt. Hij rook de frisse geur van zijn vacht en viel in slaap. Een tijdje later werd hij gewekt door Angie, en hij begon weer even te huilen. Ze kalmeerde hem en zette hem op haar trimtafel. Behoedzaam schoor ze de lange, dikke, geklitte vacht van de hond af. Ze slikte toen zijn huid eindelijk tevoorschijn kwam. Ze had in haar leven al vele broodmagere honden gezien, maar deze was echt vel over been. Ook zag ze de contouren van de wond waar eens zijn poot had gezeten. Voorzichtig begon ze hem te aaien, zich afvragend wat zijn verhaal was.

De hond met drie poten keek naar haar op, en ze keken elkaar aan. Angie was uiteraard dol op honden. Maar het kwam niet vaak voor dat ze een traan liet voor een van de talloze dieren die ze voorbij zag komen in de kleine wasruimte. Maar iets in de blik van deze hond raakte haar. Toen ze voorzichtig de vacht op het gezicht van de hond had getrimd, keken zijn bedroefde ogen haar nog doordringender aan. Voor het eerst kon ze duidelijk Nelsons unieke kleuringen zien. Zijn ogen stonden droevig, maar keken nog net zo onderzoekend en nieuwsgierig als altijd.

Ze haalde maar weinig van het haar van Nelsons staart af. Het zat niet erg in de knoop en het was aardig schoon na drie wasbeurten. Ze aaide over zijn kop en hij kwispelde traag naar haar met zijn prachtige grote staart. Ze gaf de kleine hond een kus op zijn kop. Angie wist dat Rick hem een bak brokjes had gegeven bij aankomst, maar ze overtrad de regels van de opvang en voerde Nelson de helft van haar eigen lunch, die ze opwarmde in de magnetron. Nelson schrokte wat stukjes kip en macaroni met kaas op die Angie hem eigenhandig voerde.

Hij at flink in de tweeënhalve week die hij in de opvang doorbracht, en hij kwam gestaag aan. Hij at hondenvoer, net als de andere honden daar, maar Angie en een aantal andere medewerkers van de opvang namen hem regelmatig stiekem mee om hem op wat stukjes menseneten te trakteren. Na een paar dagen was Angie opgelucht toen ze zag dat Nelsons ribben niet langer te tellen waren.

Na zijn wasbeurt werd Nelson in het hoofdverblijf geplaatst waar honden ter adoptie werden aangeboden. Het was een veel grotere ruimte dan die van het asiel in Montana. Op elk willekeurig moment werden er zo'n dertig honden ter adoptie aangeboden. Nelson werd in het hok voor kleine honden geplaatst, samen met drie andere zwerfhonden van zijn formaat. Hij was niet echt in de stemming om te spelen en lag de meeste tijd rustig in een hoekje, af en toe grommend naar een van de andere honden wanneer ze contact met hem probeerden te maken. Hij sliep veel. Het lawaai van de andere honden in de grote ruimte en het geluid van de mensen die voortdurend voorbijliepen stoorden hem niet. Tijdens zijn lange reizen door de wildernis moest hij continu op zijn hoede zijn, en hij was continu op zoek geweest naar eten. Nu hij tweemaal per dag een maaltijd kreeg voorgeschoteld kon hij wat ontspannen. Zijn lichaam had veel te verduren gehad in de afgelopen jaren en moest rusten om te genezen. Hij bleef maar in slaap vallen.

Zijn dromen waren intenser dan ooit. Zijn neus had continu nieuwe geuren opgepikt sinds zijn ontsnapping uit het asiel in Montana, maar Nelson was zo bezig geweest met overleven dat hij deze nooit helemaal goed had verwerkt. Nu zijn brein merkte dat hij een plek had gevonden waar hij kon rusten en kon herstellen, begon het de geuren en aroma's in zijn onderbewustzijn te schikken en groeperen en aan elkaar te koppelen. Dus Nelsons dromen bestonden uit een mengeling van geuren in unieke samenstellingen. Nelsons hondenbrein was het resultaat van miljoenen jaren evolutie, en er school een unieke logica in de dromen die zijn hersenen hem voorschotelden terwijl hij sliep. Ze waren gericht op zijn overleven, op het perfectioneren van zijn neus, zijn kompas.

In deze aangename dierenopvang in Californië was de stank van de dood niet aanwezig. Af en toe was Nelson nog steeds op zijn hoede omdat hij wel andere kenmerken van de opvang in Montana terugzag: de vele honden in één grote ruimte, opgesloten in hokken, en de mensen die dag in dag uit voorbijliepen op zoek naar een dier om te adopteren. Dat herkende Nelson maar al te goed, en soms werd hij dan ook door een ijzingwekkende angst gegrepen. Maar hij had rust nodig, en hij was simpelweg te moe om bang te zijn voor wat er nog zou komen.

Een aantal mensen dat naar de dierenopvang in Chico kwam om een dier mee naar huis te nemen keek ook naar Nelson. Sommigen zagen zijn prachtige kleuringen en de nieuwsgierige blik waarmee hij hen aankeek. Sommigen vonden hem zelfs een prachtige kleine hond. Maar zodra ze zagen dat hij maar drie poten had, werden alle gedachten aan het adopteren van Nelson meteen verdreven. Niemand wilde een hond met drie poten in huis nemen.

34

In Montana mochten de honden een week in de dierenopvang blijven voordat werd besloten om ze af te maken. In de opvang in Chico kregen ze een week langer de tijd voordat ze naar het asiel aan de andere kant van de stad werden overgeplaatst. Enkele jaren geleden had een tv-acteur uit Hollywood die in Chico was geboren een gulle donatie aan de opvang gedaan. Het geld werd goed beheerd, waardoor ze meer middelen tot hun beschikking hadden dan de meeste andere opvangcentra. Voor veel van de honden die in de opvang terechtkwamen was twee weken lang genoeg om een geschikt baasje te vinden. Nelson was bekend met de procedure. Een mens of een groepje mensen wandelde door het hoofdverblijf om alle honden te bekijken. Dan wezen ze er een aan en nam een van de medewerkers van de opvang de hond mee uit zijn hok naar een grasveld vlakbij, waar de baasjes met hen konden spelen. Soms werd dit proces met andere honden herhaald. Als een mens een dier had gevonden dat hem beviel, werd deze aan een riem uit zijn hok gehaald en aan het verheugde nieuwe baasje gegeven, die hem enthousiast mee naar het kantoor leidde om al het papierwerk af te handelen. Nelson keek stilletjes toe terwijl de honden op weg naar buiten met hun staart kwispelden.

Nelson was een hond, dus in zijn hart bleef hij altijd hoop houden. Wanneer er mensen door de opvang wandelden, keek hij naar hen op met zijn pientere ogen en kwispelde zachtjes met zijn pluizige staart. Soms zag hij een glimlach op hun gezicht verschijnen, maar ze liepen hem altijd voorbij. Hij wist niet waarom. Naarmate de dagen verstreken en zijn lichaam herstelde van zijn tijd als zwerfhond, raakte hij steeds meer bevangen door een stille bezorgdheid.

Net als Rick wist Angie toen ze Nelson zag meteen dat het erg moeilijk zou worden om iemand te vinden die de hond met drie poten zou willen adopteren. Ze besprak dit niet met Rick, omdat ze bang was dat hun oude discussie over de vraag of sommige honden wellicht beter op straat konden blijven hierdoor weer zou oplaaien. Maar toen ze 's avonds naast haar slapende echtgenoot in bed lag, zag ze wel honderd keer het gezicht van de kleine hond voor zich. Zoals de meeste mensen die bij een dierenopvang werkten werd ze regelmatig voor de vraag gesteld of ze een bepaalde hond die waarschijnlijk geen thuis zou vinden dan maar zelf moest adopteren. Maar ze woonde in een appartement waar geen huisdieren waren toegestaan. Dus begon ze voorzichtig bij haar familieleden in de buurt te peilen of zij wellicht zouden willen overwegen om een nogal bijzonder huisdier te adopteren.

Rick verkeerde in een vergelijkbare situatie. Hij kon Nelson ook niet adopteren. Hij woonde alleen, in een appartement. Wie zou er overdag voor de hond zorgen? Hij kon de hond niet naar zijn werk meenemen. Rick had geen familie in de omgeving, maar hij vroeg wel aan een aantal vrienden of ze Nelson soms wilden adopteren.

Andere medewerkers van het asiel hadden ook sympathie voor de hond gekregen. Maar Nelsons adoptieperiode van twee weken naderde haar einde en er waren nog steeds geen belangstellenden. Dat wist Angie, en dat wist Rick ook. Nelson zelf wist niet dat hij over slechts een paar dagen van het leven zou worden beroofd. Maar toch voelde hij een kilte vanbinnen. Zijn zintuigen waren gescherpt door zijn zeven lange jaren in het wild, dus hij wist wanneer er gevaar op de loer lag. Hij wist niet meer van zijn ontsnapping uit het asiel in Montana. Het enige wat hij zich nog herinnerde was de stank van de dood die daar zo zwaar in de lucht had gehangen. Zo nu en dan had hij wellicht de kans gehad om snel uit zijn hok te glippen en uit de opvang in Chico te ontsnappen. Maar de opvang was groter en er waren meer medewerkers, en Nelson zag nooit echt kans om ervandoor te gaan.

In zijn korte en veelbewogen leven waren er veel tegenslagen en avonturen op Nelsons pad gekomen, sommige waar hij dierbare herinneringen aan koesterde en andere waar hij met pijn in zijn hart op terugkeek. Sommige honden in de opvang lagen stilletjes op de grond en hadden genoeg van het leven. Zij waren net een keer te vaak geslagen, of hadden net een dag te lang honger geleden. Voor hen zou het een zekere opluchting zijn om naar het asiel gebracht te worden. Voor Nelson niet. Hoe diep hij ook gebukt ging onder alle ontberingen die hij in zijn leven had geleden, toch voelde hij nog steeds een onuitwisbare vreugde wanneer hij de geur van gras in de lucht rook. Lekker eten liet zijn hart nog steeds sneller slaan. De hond bleef genieten van die liefdevolle momenten met mensen. En hij bleef nieuwsgierig naar de delen van de wereld die hij nog niet had verkend. Op sommige momenten, wanneer Nelson in zijn eentje met zijn ogen dicht lag te rusten, was hij zich bewust van zijn ademhaling, van de lucht die zijn kleine lichaam in- en uitstroomde. Hij mijmerde niet over het wonder des levens zoals een mens wellicht zou doen. Hij filosofeerde of peinsde niet over God. Maar desalniettemin beschouwde het kleine dier dat gevoel van ademhalen als iets krachtigs en diepzinnigs, en dat overstemde alle angst. Op die momenten wist Nelson zeker dat hij op een dag zijn Grote Liefde weer zou terugzien. Dat was de reden dat Nelsons levenslust nooit zou verdwijnen.

De dag voordat Nelson volgens de planning naar het asiel zou worden gebracht, controleerde Angie dit op de computer in het kantoor om er zeker van te zijn dat ze zich niet vergisten. Ze had het geaccepteerd dat de hond zou worden afgemaakt. Ze wist dat ze hem niet voor onbepaalde tijd in het asiel konden houden, aangezien er andere honden waren die ook een kans op een beter leven verdienden. Maar ze wilde er zeker van zijn dat hij een fatsoenlijk afscheid kreeg. Ze had hierover gepraat met Rick, en ze hadden afgesproken dat ze Nelson een warm bad zouden geven voor hij naar het asiel werd gestuurd, omdat ze wisten dat hij daar dol op was. En ze zouden hem biefstuk en eieren geven die Angie op de ochtend van zijn vertrek voor hem zou klaarmaken. Rick vergeleek Nelsons laatste maal met dat van een man die op het punt stond te worden geëxecuteerd. Maar het verschil was dat Nelson geen misdaad had begaan.

Toen Angie Nelson de volgende ochtend uit zijn hok kwam halen, merkte hij meteen dat er iets mis was. Hij kende haar inmiddels als een zachtaardige vrouw, maar hij merkte dat ze nu nog zorgzamer en liefdevoller was en hem voortdurend over zijn kleine kop aaide. In de wasruimte keek Rick stilletjes toe terwijl Angie Nelson voorzichtig waste en zijn vacht föhnde. Nelson was dol op de warmte; het was nog steeds een nieuwe sensatie voor hem na talloze koude nachten. Maar hij merkte dat zowel Rick als Angie bedroefd was, en hij wist niet waarom.

Nadat hij was gewassen, hield Rick de kleine hond in zijn armen en voerde Angie hem de in kleine stukjes gesneden biefstuk en eieren. Het eten smaakte heerlijk, en Nelson genoot ervan. Rick aaide hem over zijn kop. Toen hij zijn maal had opgegeten, speelden Rick en Angie zwijgend met Nelson. Hij likte over hun gezicht en kwispelde met zijn staart, en ze stoeiden wat met een klein knuffelbeest dat Angie in de wasruimte had liggen. Nelson wist niet waarom de ogen van Rick en Angie zo glinsterden.

Angie moest enkele van de andere honden gaan verzorgen. Rick had de ochtend vrij genomen en bleef stilletjes met Nelson spelen. Het duurde niet lang voor de kleine hond in Ricks armen in slaap viel. Hij wist nog steeds niet waarom hij zoveel aandacht kreeg, maar hij was er blij mee. Terwijl hij langzaam wegdommelde, omringd door Ricks kenmerkende mensengeur, ervoer Nelson een diep gevoel van tevredenheid. Ooit was hij van mensen weggevlucht. Hij had tussen de wolven geleefd, zijn eigen voorouders van weleer. Maar op dat moment, slechts een paar uur voor hij zou worden afgemaakt, ervoer hij een diep gevoel van geluk in zijn hart en kende hij zijn plaats in de wereld als hond. Hij was onlosmakelijk met de mens verbonden. Een hond zijn betekende voor altijd verbonden zijn met die andere mysterieuze soort. Het enige waar hij nu diep in zijn kleine hondenhart naar verlangde, was voor altijd in Ricks armen te liggen.

Die dag zouden er volgens de planning drie honden moeten worden afgemaakt. Een oudere pitbull die geen levenslust meer had. Een krachtige bastaard, een kruising tussen een labrador en een Duitse herder, die net iets te uitbundig was voor de mensen die naar de opvang kwamen om een huisdier uit te zoeken. En Nelson. Om halftwaalf arriveerde de man van het asiel om hen op te halen. Hij laadde eerst de grotere honden in zijn busje. Er ontstond wat verwarring toen het tijd was om Nelson mee te nemen. Hij zat niet in zijn hok, en aanvankelijk wist niemand waar hij was. Een van de andere medewerkers van de opvang herinnerde zich dat Rick en Angie hem hadden meegenomen naar de wasruimte.

De man van het asiel liep door naar achteren en klopte op de deur. Nelson lag bij Rick op schoot, diep in slaap. Rick zei zachtjes dat hij Nelson wel naar het busje van de man zou tillen. De kleine hond sliep nog steeds toen Rick hem langzaam door de gang naar het kantoor droeg om het papierwerk af te handelen. In het kantoor vulde de man van het asiel de benodigde formulieren in om de drie honden mee te kunnen nemen. Rick en Angie hielden zich ondertussen met Nelson bezig, die wakker was geworden en ongerust snuffelend om zich heen keek door het kantoor. Rick en Angie aaiden hem en probeerden hem rustig te houden.

Toen zei de man dat hij klaar was om te vertrekken. Rick gaf Nelson aan de man van het asiel en zei dat hij er ook klaar voor was. Rick en Angie kusten de kleine hond vaarwel en Nelson werd in het busje van het asiel gezet, nog half in slaap. De man van het asiel was niet agressief, maar hij toonde ook geen enkele genegenheid voor de hond. Hij had al lang geleden geleerd om niet emotioneel betrokken te raken bij de honden die hij bij de dierenopvangcentra in de stad ophaalde.

Het busje van de man bevatte zes hokken, en die zaten allemaal vol. Nelson werd in een hok gezet bij een andere kleine gevlekte bastaard, die zachtjes jankte. Toen reden ze weg naar het asiel. Het was maar tien minuten rijden.

Zodra ze aankwamen rook Nelson de stank van de dood, en hij raakte in paniek. Hij begon wild op en neer te springen in zijn hok en huilde onbedaarlijk. De man van het asiel had dit soort gedrag wel vaker gezien. Hij stelde de honden niet gerust door hen te aaien. In plaats daarvan haalde hij een kalmeringsmiddel uit zijn handschoenenvakje en prikte hij Nelson met een lange spuit. Al snel stortte de kleine hond als een hoopje in elkaar, en hij kon zijn ogen amper openhouden. Nelson zag de wereld om hem heen wazig worden.

Het was een krachtig kalmeringsmiddel, en hoewel Nelson nog steeds door de geur van de dood werd omringd, had dit weinig effect meer op hem. Nelson en de andere honden werden naar de kleine wachtruimte aan de voorzijde van het asiel gebracht. Nelson wachtte stilletjes af terwijl de andere honden naar het crematorium vlakbij werden meegenomen, hun dood tegemoet. Hij hoorde het laatste geblaf van de droevige pitbull en het levendige geworstel van de Duitse herder-labradorkruising toen deze dieren naar de andere wereld werden geholpen.

Nelson merkte niet dat Rick Doyle de kleine wachtruimte van het asiel binnenkwam, samen met een andere man en een kleine jongen. Rick wisselde wat woorden met de medewerkers van het asiel. Er werden papieren uitgewisseld. Nelson wist amper wat er gebeurde toen de man en de jongen naar hem toe kwamen en hem over zijn kop begonnen te aaien.

Toen tilde de kleine jongen Nelson nogal onbeholpen op en droeg hem zijn vrijheid tegemoet. Nelson viel in een diepe slaap.

Deel 4

Thuis

35

Oliver was degene die Nelsons leven had gered. Zijn vader was tegen het plan om een dier te adopteren. Maar toen de jongen om twee uur 's nachts zijn vaders slaapkamer binnenkwam, compleet in tranen en niet in staat om te slapen omdat hij maar bleef denken aan de hond met drie poten, gaf zijn vader uiteindelijk toe en beloofde hem dat ze de volgende dag naar de opvang zouden gaan om de hond te adopteren.

Olivers vader, Jake, had de doopnaam Jacob gekregen van zijn ouders, immigranten uit Mexico die ervan overtuigd waren dat hun in Amerika geboren zoon een Bijbelse naam moest krijgen. Jacob was een wat ongewone keuze voor die tijd, maar zijn moeder zocht iets speciaals dat hem zou onderscheiden van de rest. Tegen de tijd dat hij tien was werd hij alleen nog maar bij zijn roepnaam 'Jake' genoemd. De liefde van zijn leven was een Amerikaanse vrouw van Iers-Duitse afkomst, Laurie. Op de middelbare school waren ze al een stelletje. Zij was vertrokken om te gaan studeren, maar was mooier dan ooit toen ze vier jaar later terugkeerde. Jake vroeg haar een paar weken na haar terugkomst ten huwelijk en zonder aarzelen zei ze ja. Binnen een jaar was Laurie zwanger, en niet veel later schonk ze het leven aan een gezonde zoon. Hij kreeg de doopnaam Oliver, naar Lauries grootvader, die tijdens de Tweede Wereldoorlog in Normandië was omgekomen. Laurie stopte met werken om voor het kind te zorgen, en Jake moest zijn jonge gezin onderhouden. Naarmate hij naam maakte met zijn vlugge en schappelijk geprijsde reparaties kreeg zijn garage langzaam een vaste klantenkring. Zijn rustige houding stelde zijn klanten op hun gemak, en de vrouwelijke klanten vielen voor zijn knappe, jongensachtige uiterlijk.

Jake was een praktische man, maar het lukte hem aanvankelijk niet om een praktische oplossing te bedenken toen zijn vrouw op achtentwintigjarige leeftijd stierf. Dit hoorde niet bij Jake's plan. Hij had graag een zekere routine en had een lang en gelukkig leven gepland met een groot gezin. De eerste tekenen van verandering deden zich voor toen Laurie begon te klagen dat ze continu moe was. Jake schreef het toe aan de uitputting van het prille ouderschap. Maar op een dag stortte ze plotseling in elkaar. Ze belde Jake en hij kwam meteen naar huis om haar naar het ziekenhuis te brengen. De artsen voerden talloze onderzoeken uit en concludeerden uiteindelijk dat ze een zeer zeldzame immuunziekte had. Het was erg ongewoon, een genetische afwijking. Ze stierf een maand later.

Jake was totaal verslagen. Hun kleine jongen, Oliver, was aanvankelijk vooral verward. Jake vertelde het kind dat zijn moeder weg was gegaan. Oliver vroeg wanneer ze weer terugkwam. Jake vertelde hem dat het hem erg speet, maar dat ze nooit meer terug zou komen. Maar toen hij erover nadacht, besloot hij dat Oliver recht had op de waarheid, en hij vertelde hem dat zijn moeder dood was. Hij realiseerde zich echter dat het concept van de dood niet makkelijk te begrijpen was voor een kind. Voor volwassenen evenmin. Jake lag nachtenlang wakker en kon lange tijd absoluut niet geloven dat zijn vrouw was heengegaan. Het viel onmogelijk te begrijpen hoe zo'n sprankelend, prachtig en zorgzaam persoon zomaar uit zijn leven kon zijn verdwenen. Ze bestond letterlijk niet meer, aangezien ze zelf had verzocht te worden gecremeerd. Hij kon zich er niet toe zetten haar nummer uit zijn telefoon te wissen. Maanden later betrapte hij zichzelf er nog steeds op een paar keer per dag de telefoon te pakken om haar te bellen.

Oliver leek het over het algemeen wel aardig te redden. Maar hij sliep slecht en werd geplaagd door nachtmerries. Twee jaar na zijn moeders dood kwam hij nog altijd midden in de nacht Jake's kamer binnen, bang na een droom over hongerige slangen en tijgers. Jake's moeder, Norma, kwam overdag oppassen, en Jake ging minder uren in de garage werken zodat hij tijd kon doorbrengen met de jongen. Hij wist niet wat voor invloed het nu echt op de jongen had, diep vanbinnen. Hij maakte zich zorgen dat het verlies van zijn moeder hem op de een of andere manier zou schaden. Dus was hij bezorgd toen de jongen 's nachts moest huilen, naar eigen zeggen om de hond met drie poten.

De dag ervoor was het zondag geweest en waren ze bij wat vrienden op bezoek gegaan om te barbecueën. Jake en Oliver zaten hamburgers te eten en te kletsen met hun familie toen Jake opmerkte dat Oliver meeluisterde met een gesprek aan een naastgelegen tafel. Een man vertelde over zijn nichtje die bij de dierenopvang werkte. Hij vertelde dat ze iedereen binnen haar familie had proberen over te halen om een kleine hond met drie poten te adopteren. De man legde uit dat de hond binnen een paar dagen naar het asiel zou worden gebracht om hem te laten inslapen. Het was best een zielig verhaal, zei hij op gekscherende toon, maar wie wilde er nu een hond met drie poten adopteren? Hij was een goede imitator, en hij deed de hond na, voortstrompelend op drie poten, zoals hij het zich voorstelde. De mensen aan zijn tafel begonnen te grinniken.

Plotseling begon Oliver tegen de man te roepen en te schreeuwen en hij noemde hem een naar en gemeen mens. Jake kalmeerde hem en verontschuldigde zich bij de man voor Olivers gedrag. Toen de tranen waren gedroogd, zei Oliver dat hij de hond met drie poten wilde redden. Om een conflict te voorkomen zei Jake dat dit goed was en vroeg hij de man naar de naam van de opvang waar zijn nicht werkte. Hij wist niet of ze de hond ook daadwerkelijk zouden adopteren, maar hij wilde zijn zoon zo snel mogelijk tot bedaren brengen tussen al deze mensen. Hij had hem nog nooit zo geëmotioneerd gezien. Oliver had net zo'n kalm karakter als hij, en Jake was dan ook zeer verrast door zijn obsessie met de hond. Oliver bleef de rest van de dag over het dier praten en hij huilde er de hele nacht om, dus beloofde zijn vader hem dat ze de hond de volgende ochtend uit de opvang zouden ophalen.

Op de ochtend dat Nelson zou worden afgemaakt kwamen ze bij

de dierenopvang aan en hoorden ze dat de hond er niet meer was. Oliver was diepbedroefd. Hij huilde hevig, vanuit zijn tenen. Zo had hij zelfs niet gehuild na de dood van zijn moeder. Oliver bleef schreeuwen dat de hond dood was, de hond was dood.

Jake ging zitten en hield de jongen stevig in zijn armen terwijl de medewerkers van de dierenopvang toekeken. Hij was compleet gericht op het troosten van zijn zoon en merkte dan ook amper dat een van de opvangmedewerkers een telefoontje pleegde over de hond met drie poten. Jake was immens opgelucht toen hij hoorde dat de hond nog leefde en dat ze hem bij het asiel konden ophalen.

36

Nelson droomde van zijn Grote Liefde. Hij was weer een puppy. Katey voerde hem en waste hem en speelde met hem. Hij lag onder haar grote piano en merkte hoe ze werd meegevoerd op de tonen van de muziek. Zo meteen zouden ze samen gaan wandelen. De geurige herinneringen aan zijn puppytijd keerden naar hem terug en overspoelden hem, stelden hem gerust. Dit bleven de meest sterke herinneringen van allemaal. Deze momenten met zijn eerste baasje hadden Nelsons karakter bepaald. Zijn eerste baasje zou voor altijd zijn Grote Liefde blijven. Zo ging dat bij alle honden.

Versuft werd hij wakker. Het kalmeringsmiddel was nog niet helemaal uitgewerkt. Hij bevond zich in een warme, zonnige kamer, liggend op een comfortabel bed van oude kussens. Toen hij zijn ogen opendeed, en zijn neus ook weer ontwaakte, werd hij zich bewust van het kind dat vlak bij hem zat. De jongen kwam naar hem toe en tilde hem op om hem te knuffelen. Kinderen gaven een meer pure versie van de geuren van volwassen mensen af, en dat had een geruststellend effect op Nelson. De jongen riep iets, en even later kwam een man de kamer binnen, degene die bij de jongen was geweest toen hij Nelson uit het asiel had gered. De jongen gaf de hond aan de man, en die hield hem in zijn armen en aaide over Nelsons kop.

Nelson kon zich niets herinneren van wat er de vorige dag was gebeurd. Maar hij voelde zich volkomen op zijn gemak in Jake's armen, veilig en beschut. Jake legde de hond weer op de kussens neer. Nelson was nog steeds erg versuft, dus bleef hij rustig liggen terwijl de man uit de kamer verdween en terugkeerde met een klein kommetje warme melk met wat stukjes tortilla erin. Nelson kwam overeind en at rustig uit de kom met warm eten. Hij was uitgehongerd. De kleine jongen aaide hem terwijl hij at.

Later die dag nam Oliver Nelson mee naar hun kleine tuin. Een deel was betegeld en een deel was begroeid met gras. Visueel gezien was het maar een rommelige tuin, maar hij was zeer rijk aan geuren. Er stonden enkele kleine rozenstruiken in potten, waar Nelson tevreden in rondsnuffelde. Oliver wilde met hem spelen, en Nelson ging met plezier de bal halen die Oliver door de tuin gooide. Dit was geen enkele moeite vergeleken met zijn zware overlevingstocht van de afgelopen paar jaar.

Jake was verbaasd hoe behendig de hond was op zijn drie poten. Hij was trots op het instinct van zijn zoon om het dier te redden. Aan het eind van de dag durfde Jake er niet eens meer aan te denken dat deze kleine bastaard met drie poten inmiddels dood zou zijn geweest als zij hem niet uit het asiel hadden gered. Nelson keek naar hem op met zijn heldere, nieuwsgierige ogen en hij kwispelde met zijn grote pluizige staart, en zowel Oliver als Jake wist dat de hond een blijvertje was. Olivers onrustige bedroefdheid was totaal verdwenen, en daar was Jake Nelson dankbaar voor.

Oliver en Jake probeerden een naam voor de hond te bedenken en kozen uiteindelijk voor Jupiter, Olivers favoriete planeet. Jake had het gevoel dat de naam niet helemaal bij het dier paste, maar hij ging erin mee aangezien zijn zoon er zo enthousiast over was. Nelson begon al snel naar de naam te luisteren.

Nelson sliep veel in de eerste paar weken bij Jake en Oliver thuis. Het herstel dat al in de dierenopvang was begonnen zette zich voort. Hij kwam aan en begon zelfs een hangbuikje te krijgen, wat kenmerkend is voor wat oudere honden. Jake probeerde hem hondenvoer en brokjes te geven, maar Nelson weigerde daarvan te eten. Een van de voordelen van het jarenlang op straat leven was het menseneten. Het had hem soms enorm veel moeite gekost om dit te vinden, maar zijn smaakpapillen waren inmiddels helemaal afgestemd op kliekjes. Hondenvoer rook en smaakte naar niets, en diep vanbinnen had Nelson besloten dat hij dat onder geen beding meer zou eten. Aanvankelijk maakte Jake zich hier zorgen over, aangezien een aantal van zijn vrienden hun honden geen kliekjes wilden geven omdat dit erg slecht zou zijn voor hun spijsvertering. Maar andere vrienden zeiden weer dat hondenvoer een menselijke uitvinding was van nog geen honderd jaar oud, en dat honden juist in de loop der eeuwen uit wolven waren geëvolueerd door het eten van de kliekjes die mensen hun gaven. Jake begon steeds meer voor deze laatste denkwijze te voelen, maar hij had ook weinig keus. Nelson weigerde simpelweg hondenvoer te eten.

Oliver en Jake gaven hem restjes vlees en kip, en rijst en tortilla's. Jake hoorde dat wortels goed waren voor de ogen van een hond, en Nelson was er dol op. Hij kon eindeloos op waspeentjes knagen, en ook op stukjes appel. Jake nam aan dat het voor Nelson net een soort botten waren. Ze gaven hem restjes van hun eigen eten, maar geen pittige dingen. Jake kookte alle restjes door en door om bacillen te doden, en Nelson at ze tevreden op. Oliver was dol op pizza, en hij ontdekte al snel dat Nelson hier ook gek op was. Aanvankelijk gaven ze hem restjes koude pizza die over waren van hun maaltijd van de dag ervoor, maar al snel deelden ze hun pizza warm met hem wanneer ze er eentje bestelden in het weekend. Oliver brokkelde een punt in stukjes, die Nelson vervolgens met smaak verslond.

Elke middag wanneer Oliver uit school kwam gingen hij en zijn grootmoeder Norma met de hond wandelen. Norma was in de tachtig en had een nieuwe heup gekregen, dus ze liep niet zo snel. Maar dat vond Nelson niet erg. Hij nam de tijd om alle geuren uit de buurt tot in detail in zich op te nemen. De buitenwijk waar ze woonden hield het midden tussen een arbeiders- en een middenstandswijk, met kleine huizen, een diversiteit aan bewoners en een dorpse sfeer.

Er woonde een grote verscheidenheid aan honden in de buurt, en Nelson leerde al hun geuren kennen. Sommige besnuffelden hem gretig wanneer ze elkaar op straat tegenkwamen. De oma, de jongen en de hond met drie poten werden een begrip in de wijk. Soms staarden de mensen de hond met drie poten na, maar ze waren er allemaal van onder de indruk dat hij zich schijnbaar totaal niet bewust was van zijn handicap.

Norma voelde steeds meer genegenheid voor de hond die ze kende als Jupiter. Ze was een traditionele vrouw die in een klein stadje in Mexico was opgegroeid en op haar zevende naar de vs was verhuisd. De meeste ochtenden zat ze rustig met de hond op een kleine schommel in de tuin van Jake. Dan lag hij bij haar op schoot te slapen en blafte af en toe naar buitengeluiden of naar vogels die voorbijvlogen. Als hij wakker werd en rond begon te snuffelen, ging ze soms een tijdje naar binnen, waar ze graag de vaat deed terwijl ze naar de radio luisterde. Norma vond het heerlijk om naar oude liedjes te luisteren, en dan neuriede ze mee.

Ze woonde niet bij Jake, maar in een klein appartement vlakbij, en op de dagen dat haar leeftijd haar parten speelde kwam ze pas langs wanneer Oliver uit school terugkwam. Op die dagen bleef Nelson alleen in de tuin, met het hek op slot, of in het kleine washok aan de achterzijde van het huis als het te koud was buiten. Hij had weinig besef van zijn eigen kwetsbaarheid en al snel nam hij de rol van bewaker op zich wanneer Oliver, Jake en Norma er niet waren. Hij blafte 's ochtends naar de postbode, of naar andere bezoekers die aan de deur kwamen wanneer er niemand was: Jehova's getuigen, verkopers, of vrienden. Jake grinnikte toen zijn buren hem vertelden wat een goede waakhond het kleine dier was.

Wanneer Oliver of Jake thuiskwam, begon Nelson onstuimig rond te springen, kwispelend met zijn staart en hijgend met zijn tong uit zijn bek. De omschakeling naar een leven als huishond gebeurde snel. Hij had er altijd naar verlangd weer op deze manier te leven. Er lagen wel duizenden geuren in zijn hersenen opgeslagen die een gewone huishond nooit zou tegenkomen. Ze vulden zijn dromen, en soms werden ze meegevoerd op de wind die door de wijk blies. Maar hij verlangde er nooit naar terug te keren naar de wildernis, naar het leven als zwerfhond.

's Nachts sliep Nelson bij Oliver op bed. Oliver sliep nu elke nacht als een blok. Hij ging rond negen uur naar bed en werd rond halfzeven wakker. Aanvankelijk was oma Norma er niet blij mee geweest dat de hond bij hem sliep. Ze vond het maar onhygiënisch dat de jongen met een hond in bed sliep. Maar toen ze eenmaal aan Nelson gehecht raakte, stopte ze al snel met klagen. 's Avonds op bed speelde Oliver zeker een halfuur met Nelson, nadat ze hem een laatste keer hadden uitgelaten. Soms kwam Jake op Olivers bed zitten en deed met hen mee. Op een zaterdag vond hij een keer een grote rattenknuffel bij de Wal-Mart in de buurt, en die werd onderdeel van Nelsons avondritueel. Hij besprong de rat en worstelde ermee, en Oliver deed alsof hij hem wilde afpakken. Dan begon Nelson speels te grommen. Oliver en Jake bleven lachen om de speelsheid van de kleine hond, zonder te weten dat Nelson vele jaren geleden eens eenzelfde soort ritueel had gehad. Ze wisten ook niet dat hij eens had gezien hoe een roedel wolven een dier had gedood, en dat Nelson er met zijn zachte aard voor koos om met speelgoeddieren te spelen in plaats van mee te gaan in het verlangen van de wolven om te doden. Als Jake zijn zoon welterusten had gekust, sloot Oliver zijn ogen met Nelson dicht tegen zich aan. Hij vond het geruststellend om zijn hond onverstoorbaar te horen snurken wanneer hij 's ochtends wakker werd. Oliver vroeg zijn vader regelmatig waar honden volgens hem over droomden, en Jake vertelde hem dat ze, anders dan mensen, in geuren droomden.

Soms had Nelson nachtmerries, maar over het algemeen had hij vooral fijne dromen sinds hij bij Oliver en Jake in huis woonde. Maar hij droomde nog steeds voortdurend over Katey, zijn Grote Liefde, en hij werd vaak wakker midden in de nacht, verlangend naar haar. Hij hield van Oliver, Jake en oma Norma, maar hij was een hond, met een zeer trouw hart, en zelfs na al die jaren wilde hij nog steeds het liefst bij zijn Grote Liefde zijn, om haar te beschermen, te helpen, haar gelukkig te maken, van haar te houden. Dat verlangen was nog net zo krachtig als altijd. Soms droomde hij dat ze bij hem, Oliver en Jake in huis was, maar hoe hard hij ook zocht, hij kon haar niet vinden. Soms droomde hij dat Don haar pijn probeerde te doen, en dat hij de vaderwolf was die haar beschermde tegen Dons klappen. Soms droomde hij dat ze werd omringd door de stank van de dood uit het asiel in Montana. Hij kon haar adrenaline ruiken terwijl ze aan de dood probeerde te ontsnappen. In de droom begon Nelson luid te blaffen, maar hij kon de stank van de dood niet verdrijven. Dan werd hij wakker, en verlangde naar haar. Hij snuffelde rond in Olivers kamer terwijl hij de kalme ademhaling van de jongen hoorde en zijn adem rook. Dan likte hij stilletjes over Olivers gezicht, uit genegenheid. Het was stil en warm in de kamer, en na even nam Nelsons bezorgdheid af en viel hij weer in slaap. Maar de dromen bleven terugkeren.

37

Jake werd voor het eerst met rouw geconfronteerd toen hij zijn vader verloor, een paar jaar voor de komst van Nelson. Daarvoor was de dood altijd iets abstracts geweest. Natuurlijk condoleerde hij zijn vrienden of kennissen wanneer zij een familielid verloren. Maar pas na het overlijden van zijn vader had hij het gevoel dat hij de pijn en het verdriet dat anderen in dezelfde situatie voelden echt begreep. Dat gevoel van verlies viel met geen pen te beschrijven. Een van zijn vrienden zei grappend dat je lid werd van een speciale club wanneer je een ouder had verloren, een club waarvan de leden een unieke ervaring hadden gedeeld die anderen nooit echt konden begrijpen. Jake vond dit een treffende beschrijving. Het verdriet zelf uitte zich meer lichamelijk dan geestelijk. Natuurlijk kwamen er hevige emoties los, maar het voelde vooral alsof je lichamelijke functies werden uitgekleed en blootgelegd. Op de meest vreemde momenten stroomden de tranen ineens over je wangen. Het was een krachtig en rauw gevoel, dat op een bepaalde manier primitief aandeed.

Zijn vrouw Laurie had hem bijgestaan en getroost na zijn vaders overlijden. Voor het verlies van zijn vader had hij vaak niet geweten wat hij moest zeggen tegen iemand die een dierbare had verloren. Maar toen hij zelf zijn vader verloor, realiseerde hij zich dat een rouwende geen woorden nodig had. Ze hadden slechts je nabijheid nodig, zodat ze wisten dat ze niet alleen op de wereld waren. Ze hadden alleen een hand op de schouder of een warme omhelzing nodig. Woorden waren vrij nutteloos in tijden van intens verdriet.

Verlies was verlies, en rouw was rouw, bleef hij zichzelf voorhouden toen zijn vrouw Laurie overleed. Het verlies van zijn vader en het verlies van Laurie verschilden niet kwantitatief, bleef hij volhouden. Maar om de een of andere reden voelde dat wel zo. Bij Laurie werd zijn verdriet versterkt door het gevoel dat hij was bestolen, bestolen van de jaren die hij met haar zou doorbrengen, bestolen van de kinderen die ze nog zouden krijgen, bestolen van hun oude dag samen, wanneer hij niet meer hoefde te werken en al zijn tijd met haar en zijn gezin kon doorbrengen. Dit gevoel van bestolen zijn was diepgaand, en samen met zijn verdriet vermengde het zich tot een giftig goedje. Het duurde wel maanden voor deze emoties eindelijk een beetje afzwakten, en hoewel zijn moeder en familie hun best deden hem te troosten, herinnerden hun pogingen hem er alleen maar aan dat Laurie er niet meer was om hem bij te staan, zoals ze had gedaan na zijn vaders overlijden.

Het enige wat Jake op de been hield was zijn zoon. Hij was vastbesloten om een sterke vader voor zijn kind te zijn, elke minuut die hij met hem doorbracht. Zonder Oliver had Jake zichzelf misschien niet meer in de hand gehad, maar nu hield hij zichzelf in bedwang vanwege de liefde die hij voor zijn kind voelde. Met de komst van Nelson nam de druk die Jake voelde om zijn kind te helpen omgaan met het verlies van zijn moeder een beetje af. Nelson overlaadde de jongen met liefde, en Jake kon zien hoe blij en opgewekt Oliver werd van de kleine hond met drie poten.

Ongeveer een jaar na Lauries dood begon Jake's moeder hem aan te sporen weer eens uit te gaan. Verstandelijk gezien begreep Jake wel dat dit de juiste stap was. Hij was een knappe man, en er waren genoeg vrouwen die een keer met hem uit zouden willen gaan. Dus ging hij een keer of wat met iemand op stap. Eén keer nam hij zelfs een vrouw mee naar huis om met haar naar bed te gaan. Maar hij kon zichzelf er niet toe zetten met haar te vrijen, dus vertrok ze weer. Hij voelde zich schuldig dat hij haar dit had aangedaan, want de vrouw was zeker sympathiek. Dus besloot hij niet meer uit te gaan tot hij zich er helemaal klaar voor voelde. Dat frustreerde Norma, want ze had graag meer kleinkinderen om zich heen gehad. Maar Jake zei haar dat het nu eenmaal niet anders was.

Nelson was zo'n zes maanden bij Oliver en Jake toen Lauries tweede sterfdag aanbrak. Het was toevallig op een zondag. Jake en Oliver trokken hun mooiste kleren aan en gingen naar het graf van Jake's vader. Lauries as was uitgestrooid over de rivier, maar die dag had Jake de behoefte om naar een specifieke plek te gaan waar hij even kon gaan zitten. Hij had een grote bos kleurrijke bloemen meegenomen en legde ze op het graf. Toen hij ging zitten sprong Nelson bij hem op schoot in een poging hem te troosten. Oliver huilde een beetje, maar Nelson begon aan zijn handen te likken waardoor hij al snel werd afgeleid. Nelson en Oliver speelden stilletjes terwijl Jake een uur of wat bij het graf zat.

Nelson stond niet vaak stil bij het verlies van zijn ledemaat. Zo nu en dan herinnerde een bepaalde geur in de lucht hem misschien aan de tijd dat hij nog vier poten had. Maar nu liep hij op drie poten en dat voelde vrij vanzelfsprekend voor hem. Op koude nachten begon het litteken van zijn amputatie soms een beetje te jeuken, of hij voelde een kloppende, doffe pijn. Als Jake en Oliver merkten dat hij zich begon te likken op de plek van zijn geamputeerde poot dan gaven ze hem de pijnstillers die de dierenarts hun op hun verzoek had gegeven. Nelson was een kleine hond, dus hij had meer kans om aardig oud te worden dan grotere honden, en meer kans dat hij nog vele gezonde jaren voor zich had voordat hij last zou krijgen van de kwaaltjes waar grotere honden al op vrij jonge leeftijd aan leden. Het grootste hondenras van allemaal, de Duitse dog, had dezelfde levensverwachting als een wolf, zes of zeven jaar, zelfs als ze bij een liefdevol gezin woonden. Jake en Oliver wisten niet precies hoe oud Nelson was, al had hun dierenarts gezegd dat hij een volwassen hond was. Ze wisten niet dat zijn tiende verjaardag zonder enige feestelijkheden voorbij was gegaan. Maar Jake merkte wel dat er rond die tijd een bepaalde stijfheid in Nelsons lichaam begon op te treden. Hij begon wat moeizamer te lopen en te rennen. Ongeveer eens per maand viel hij een keer op de grond, wat Jake in zijn eerste zes maanden bij hen in huis nooit had zien gebeuren.

Jake was bang dat dit de eerste tekenen van ouderdom waren. Een van de gezondheidsproblemen die bij honden met drie poten optraden, zo zei de dierenarts, was dat de artritis en de stijfheid van de gewrichten waar alle oudere honden uiteindelijk last van kregen wellicht wat sneller zouden optreden, aangezien er extra veel druk op hun overgebleven poten en gewrichten stond. Dus Jake begon Nelsons lichaam 's avonds af en toe te masseren, en hij liet Oliver ook zien hoe dit moest. De hond leek het erg plezierig te vinden.

Op een ochtend maakte Jake zich klaar om naar zijn werk te gaan toen Oliver ineens in paniek van beneden riep. Hij was Nelson zijn ontbijt aan het voeren geweest toen Nelson ineens was gaan zitten en niet meer op wilde staan. Hij grauwde naar hen toen ze hem samen overeind probeerden te hijsen om te lopen. Hij leek veel pijn te hebben. Oliver was overstuur, maar Jake slaagde erin hem op de bus naar school te krijgen, en hij beloofde hem dat Nelson weer de oude zou zijn tegen de tijd dat hij die dag uit school kwam.

Nelson vertrouwde Jake, en hij stond toe dat hij hem voorzichtig optilde en in een kleine deken wikkelde. Toen droeg Jake Nelson naar zijn auto en legde hem op de achterbank. De kleine hond jankte zachtjes van de pijn. Telkens wanneer hij zijn poten probeerde te bewegen schoot er een scherpe, bijtende pijn door zijn lichaam. Het ritje naar de dierenarts duurde maar kort, waarna Jake Nelson voorzichtig naar binnen droeg, aaiend over zijn kleine kop.

Jake en Nelson waren allebei op de dierenarts gesteld. Dr. Richards was een jonge vrouw van midden dertig die zowel kennis van zaken als oprechte genegenheid voor dieren uitstraalde. Ze zei Jake dat ze er vrij zeker van was dat Nelson last had van verkalking van zijn gewrichten, maar dat ze graag een aantal uitgebreide röntgenfoto's wilde maken om dit te bevestigen. Dit zou gedekt worden door de huisdierenverzekering die Jake een paar maanden geleden had afgesloten. Als de vermoedens van de dierenarts werden bevestigd, zou Nelson zich veel beter voelen na een cortisoninjectie.

Jake vertrok voor een paar uur naar zijn werk. Nelson keek hem sombertjes na, en Jake merkte dat hij weer meer verdriet voelde bij de herinnering aan zijn vrouw dan in de maanden daarvoor. Toen hij later die dag naar de spreekkamer terugkeerde, was hij opgelucht dat de dierenarts hem opgewekt begroette. En nog beter, Nelson liep naast haar aan de riem, een beetje traag wellicht, maar hij kwispelde blij met zijn staart toen hij Jake zag.

De dierenarts vertelde Jake dat de röntgenfoto's hadden bevestigd dat Nelson last had van verkalking van zijn gewrichten, maar dat de cortisoninjectie goed zou helpen bij het bestrijden van de pijn waardoor Nelson zonder problemen zou kunnen lopen. Buiten deze gewrichtsklachten leek Nelson in zeer goede gezondheid te verkeren, zei de dierenarts. Nelson keek naar hen op, alsof hij wist dat ze het over hem hadden, en hij kwispelde weer met zijn staart. De dierenarts raadde hem aan om de hond de komende paar weken binnen te houden en hem goed in de gaten te houden.

Oliver was dolblij dat Nelson in orde was, ook al bewoog hij zich een beetje traag toen ze die middag samen speelden. Norma was ook erg aan de hond gehecht geraakt, dus ze was vastbesloten om hem de komende weken goed in de gaten te houden, zoals de dierenarts hen had aangeraden.

Elke ochtend wanneer ze bij Jake aankwam, masseerde ze Nelsons hele lijf terwijl ze samen naar de radio luisterden. Het leek haar beter om binnen in de warme woonkamer te blijven zodat Nelsons gewrichten konden herstellen. Nelson leek ervan te genieten, en Norma hoopte hiermee het leven van de hond een paar jaar te verlengen.

Ze was echter totaal niet voorbereid op de vreemde gebeurtenissen die nog geen week na Nelsons plotselinge gewrichtsklachten plaatsvonden.

38

Norma was dol op muziek. Toen ze als klein meisje in Mexico woonde, was ze eens stiekem het huis uit geglipt om naar de mariachi's te luisteren door de muren van de dure club waar ze speelden aan de hoofdstraat van haar stad. Het voelde alsof hun muziek haar meevoerde naar een bijzondere plek in een ander universum, een wereld van eindeloos geluk. Toen haar familie naar Amerika was verhuisd, raakte ze al snel gefascineerd door de enorme keur aan Amerikaanse popmuziek. In veel opzichten had dit haar leven bepaald. Luisterend naar haar favoriete radiozender met gouwe ouwen kon ze zich vaak nog precies herinneren waar ze was geweest toen ze een bepaald liedje voor het eerst had gehoord. Ze herinnerde zich de mooie tijden en de tegenslagen in haar leven, de vele veranderingen die het land had doorgemaakt. Op jonge leeftijd had ze al opgemerkt dat de meeste liedjes over de liefde gingen. Het was absoluut het meest voorkomende woord in songteksten, en ze stond vaak stil bij het feit dat dit schijnbaar het onderwerp was waar mensen het liefst over zongen.

Het gebeurde dan ook niet vaak dat er een liedje op de radio kwam dat niet expliciet over de liefde ging. Norma had altijd al van de Beatles gehouden. Hun liedjes waren vrolijk en gevoelig tegelijk, en hun teksten waren vaak pienter en anders dan anders. Dus ze was blij om een van haar favoriete liedjes van de Beatles, 'Here Comes the Sun', op de radio te horen op een prachtige, zonnige ochtend in Californië.

Norma kon echter niet lang van het nummer genieten. Haar kalme ochtendritueel van het luisteren naar de radio werd bruut verstoord door de plotselinge reactie van de hond met drie poten. Hij sprong van haar schoot en begon traag rond te huppen in een grillige cirkel, alsof hij nooit gewrichtsklachten had gehad. Het was een vreemde dans. Toen begon hij te huilen. Het geluid klonk luid en doordringend, en angstaanjagend. Het klonk alsof de hond bijzonder veel pijn leed. Norma riep hem, maar hij reageerde niet. Hij bleef maar rondspringen en begon alsmaar luider te huilen. Toen ze de radio uitzette, stopte hij abrupt. Even bleef hij staan, alsof hij uit een trance ontwaakte. Toen liep hij langzaam naar voren om aan haar voeten te likken.

Norma vertelde Jake die avond van Nelsons ongewone gedrag. Jake maakte zich er zorgen om, maar Oliver zei alleen dat Nelson het liedje zeker mooi had gevonden. Na het avondeten liep Jake in een opwelling naar de zolder om zijn oude collectie platen te doorzoeken, die hij zo fanatiek had verzameld als tiener. Hij had vele oude Beatles-platen, waaronder *Abbey Road*, de lp waar 'Here Comes the Sun' op stond. Jake had zijn oude platenspeler nog en was al jaren van plan geweest om Oliver iets te leren over analoog geluid. Dit was een even goed moment als elk ander. Hij nam de platenspeler mee naar beneden, samen met de lp.

Nelson drentelde om hen heen, zoals altijd nieuwsgierig naar wat het gezin aan het doen was. Jake sloot de platenspeler aan en testte hem. Hij deed het nog steeds, ook al had hij zeven of acht jaar op zolder gestaan. Hij maakte de lp zorgvuldig schoon en legde hem op de draaischijf. 'Here Comes the Sun' was het eerste nummer op kant B. De ukelele begon de bekende openingsklanken van het nummer te spelen. Alle ogen waren op Nelson gericht. Even keek hij slechts naar hen op, niet wetend wat hij met al die aandacht aan moest. Maar toen begon Jake met zijn voet te tikken en mee te klappen met het liedje. Oliver deed mee. En Nelson werd wederom overspoeld door de herinneringen aan Katey die dit nummer voor hem had gezongen toen hij nog een jonge hond was. Met zijn hondse begrip van muziek herkende hij het specifieke ritme en de klanken van het nummer. Net als die ochtend voelde Nelson weer dat sterke en overweldigende verlangen om bij Katey te zijn. Er was geen enkele manier om dat gevoel uit te drukken, behalve door te huilen. Hij moest haar laten weten waar hij was zodat ze hem misschien zou kunnen vinden. Hij moest haar laten weten dat hij haar niet was vergeten. Hij moest laten horen dat dit zijn territorium was, zoals de wolven deden, zodat Katey zou weten waar ze veiligheid en warmte zou kunnen vinden.

Net als Norma werd ook Jake meteen getroffen door de droevige en klaaglijke ondertoon van het gehuil van de hond. Bovendien maakte hij zich ernstig zorgen om de druk die Nelson mogelijk op zijn gewrichten plaatste met deze vreemde dans. Maar Oliver vond het hilarisch om Nelson zijn bijzondere dans op drie poten te zien uitvoeren, onder begeleiding van zijn gehuil. Hij bleef maar lachen om de rondspringende hond, en hij danste met hem mee en probeerde Nelsons gehuil te imiteren. Maar Jake tilde de naald snel van de lp om de muziek te stoppen. Oliver vroeg waarom hij de muziek had uitgezet. Jake knielde neer en aaide Nelson over zijn kopje tot hij langzaam kalmeerde en droevig opkeek naar het gezin om hem heen. Jake vertelde Oliver dat de kleine hond verdrietig was en dat ze hem niet meer moesten laten dansen.

Die nacht kon Jake niet slapen. Hij was verbijsterd over het gedrag van de hond. Hij wist dat honden wel vaker op muziek reageerden, maar dit was wel een heel heftige reactie. Hij was vaak benieuwd geweest naar de achtergrond van de hond en wat hij allemaal had meegemaakt. Was hij misschien mishandeld? Jake hoopte van niet. De hond met drie poten had zijn zoon weer beter gemaakt. Jake zou zijn leven voor hem geven.

De herinnering aan de vreemde gebeurtenissen van die dag vervaagde al snel. Nelson leek langzaam van zijn gewrichtsklachten te herstellen en het leven ging door. Pas zo'n drie maanden later werd Jake weer herinnerd aan het effect dat het liedje op Nelson had. Op Onafhankelijkheidsdag hielden ze op Norma's aandringen een barbecue. Ze bleef hem zeggen dat hij weer eens wat meer onder de mensen moest komen, en de hele familie vroeg waarom hij niet meer bij hen langs was geweest. Uiteindelijk gaf hij toe en nodigde iedereen uit. Eigenlijk was het wel fijn om zijn familieleden weer te zien. Hij had de meesten niet meer gezien sinds Lauries begrafenis. Maar hij voelde zich een beetje ongemakkelijk door de verscheidene vrouwelijke kennissen die een aantal van zijn familieleden had meegenomen en die duidelijk mee waren als beoogde dates voor Jake. Hij moest zelfs bot weglopen toen zijn irritante neef Tony, een beetje aangeschoten en luidruchtig zoals altijd, hem met een videocamera begon te vragen wat hij vond van een bepaalde jonge roodharige vriendin van zijn vrouw die hij had meegenomen naar de barbecue.

Jake stond vlees te grillen in de tuin toen hij binnen het nummer 'Here Comes the Sun' hoorde klinken. En ja hoor, binnen enkele seconden begon Nelson weer te huilen. Snel haalde Jake al het vlees van de barbecue, waarna hij zich naar binnen haastte. Tegen de tijd dat hij in de woonkamer aankwam, stonden vijf of zes familieleden met hun voeten te stampen en in hun handen te klappen terwijl Nelson luid huilend door de kamer hupte en zijn vreemde dans opvoerde. Jake realiseerde zich dat Oliver de plaat moest hebben aangezet, denkend dat het wel vermakelijk zou zijn om Nelsons dansje aan zijn familie te laten zien. Iedereen was lichtelijk beneveld en moest hard lachen om de hond. Even was Jake boos op Oliver, maar hij wist dat de jongen het niet kwaad bedoelde. Zwijgend zette hij de lp af, en de muziek verstomde. Iedereen om hem heen kreunde van teleurstelling. Toen verloor Jake even zijn kalmte, en hij schreeuwde tegen iedereen dat ze de hond met rust moesten laten. Hij knielde neer en pakte Nelson op in zijn armen. Oliver kwam aarzelend naast hem zitten, zich ervan bewust dat hij iets fout had gedaan, en hij keek naar zijn vader terwijl hij ondertussen de hond over zijn kop aaide. Nelson kalmeerde al snel, maar bleef de rest van de dag bedroefd en lusteloos. Toen Jake zijn zoon die avond welterusten kuste, keek de kleine hond naar hem op met een diepbedroefde blik in zijn ogen.

39

Zeven maanden later kreeg Jake een vreemd telefoontje van zijn neef Tony. Hij sprak Tony niet zo vaak, en meestal draaide het er dan om dat Tony geld wilde lenen voor een of andere nieuwe zakelijke onderneming. Dus Jake aarzelde toen hij op zijn telefoon zag dat Tony hem belde. Maar hij besloot op te nemen. Dan had hij het maar achter de rug. Ze praatten een tijdje over koetjes en kalfjes. Na een paar minuten viel er een ongemakkelijke stilte. Jake verwachtte dat Tony hem nu zou vragen om een lening, zoals gewoonlijk. Hij zette zich schrap om te antwoorden dat hij hem dit keer geen geld zou lenen, omdat een te groot deel van de vorige leningen nooit was terugbetaald.

Maar Tony vroeg niet om geld. Hij vertelde Jake dat hij ontelbare e-mails had gekregen van een vrouw die met Jake in contact wilde komen, en hij vroeg of het goed was als hij hem haar contactgegevens doorgaf. Even dacht Jake dat dit weer een van Norma's plannetje was om hem aan een nieuwe vrouw te helpen, dus antwoordde hij Tony korzelig dat hij geen interesse had. Maar Tony zei dat de vrouw over wie hij het had geen romantische bedoelingen had. Ze wilde met hem in contact komen omdat ze beweerde dat Jake's hond met drie poten van haar was.

Jake hapte naar adem. Waar had Tony het in vredesnaam over? Tony draaide er nog een paar minuten omheen en vertelde hem pas het hele verhaal toen Jake hem nogal bot zei dat hij nu maar eens ter zake moest komen. Tony gaf toe dat hij tijdens de barbecue wat video-opnamen had gemaakt van de hond die danste en huilde bij dat Beatles-liedje. Jake was woedend toen hij hoorde dat hij het filmpje op internet had gezet. Het eerste wat hij vroeg was of Oliver in het filmpje te zien was, en dat was zo. Jake viel naar zijn neef uit en vroeg hem hoe hij het in zijn hoofd haalde om een filmpje van een kind op internet te zetten, waar iedereen het kon zien. Tony brabbelde nog wat door over dat er zoveel grappige dierenfilmpjes op internet stonden en dat hij had gedacht dat de dansende, huilende hond met drie poten een grote hit zou zijn. Jake's gedachten waren inmiddels afgedwaald naar de vrouw. Wie was ze, vroeg hij. Tony zei dat hij weinig van haar wist, behalve dat ze in Los Angeles woonde. Ze wilde wanhopig graag met Jake in contact komen om de hond die volgens eigen zeggen van haar was een keertje op te zoeken.

Jake piekerde een paar dagen over de vraag wat hij met Tony's informatie zou doen. Hij had geen idee wat voor persoon deze vrouw die beweerde Nelsons vorige baasje te zijn eigenlijk was, en of ze de hond terug wilde hebben. Ze hadden Nelson nu iets meer dan een jaar in huis en hij wist dat het kleine dier bijzonder was. Wie wilde zo'n dier nou niet terug als ze daar de kans voor kregen? Het zou Olivers hart breken als dit zou gebeuren, dat wist hij. Soms ging Jake laat op de avond even bij Oliver kijken, en dan zag hij dat de kleine jongen diep in slaap was, met een vredige uitdrukking op zijn gezicht. Soms lag Nelson ook te slapen, maar soms keek hij naar hem op met zijn nieuwsgierige, innemende ogen als hij bij Oliver kwam kijken. Dan stelde Jake zich voor dat Nelson hem er zo van probeerde te verzekeren dat Oliver veilig was en altijd veilig zou zijn zolang hij er was.

Jake besprak de kwestie niet met zijn moeder, aangezien hij wel wist wat ze zou zeggen. Hij wist dat ze ook dol was op de hond, maar ze was een vrouw van strikte principes en was streng katholiek opgevoed. Hij wist dat ze hem zou zeggen dat hij moest uitzoeken wie de vrouw was en of de hond daadwerkelijk van haar was. Dat was de enige juiste aanpak. En als ze de hond terug wilde, zou ze hem terug moeten krijgen.

Jake's integriteit had hem altijd geholpen bij zijn zakelijke ondernemingen. Nadat hij enkele dagen met zijn geweten had geworsteld, besloot hij de vrouw te bellen. Er klonk een mannenstem op het antwoordapparaat, en Jake liet een berichtje achter waarin hij de situatie uitlegde.

Zo'n drie minuten later belde er een vrouw terug. Ze kon het bijna niet geloven. Ze vroeg Jake of hij de hond aan haar kon omschrijven, wat hij tot in detail deed. Hij begon met het beschrijven van Nelsons ogen, lijf en vacht, en vertelde haar toen dat de kleine hond maar drie poten had. Hij hoorde de vrouw aan de andere kant van de lijn huiveren. Ze aarzelde en zei dat het klonk alsof dit wel eens de hond kon zijn die ze had gekend, met uitzondering van de ontbrekende poot. Ze was het filmpje toevallig op internet tegengekomen. Het beeld was behoorlijk wazig en donker, en de dansende en huilende hond was slechts een paar seconden in beeld. Maar ze had het sterke gevoel dat dit ooit haar hond was geweest. Jake voelde de moed in zijn schoenen zinken, want hij wist wat hij straks met Oliver te stellen zou hebben.

De vrouw vroeg het een en ander over Jake's gezin en hoe lang ze de hond al hadden. Het stelde hem enigszins gerust om te merken dat ze leek te begrijpen hoe moeilijk de situatie was. Ze vroeg of ze misschien bij hen langs mocht komen om de hond te zien, zodat ze daarna konden besluiten wat ze zouden doen. Ze vroeg of het dat weekend schikte, op zondag wellicht, wat over vijf dagen was. Jake bevestigde dat dit kon. Het was zo'n vier uur rijden van Los Angeles, dus ze zou er rond het middaguur zijn, als ze dat goed vonden. Jake bevestigde dat dit prima was. Ze bedankte hem en hing op.

In de dagen daarop kon Nelson de verontrusting op Jake's huid ruiken. Als reactie daarop overlaadde Nelson hem met liefde, in een poging de gemoederen te kalmeren. Oliver leek nog wel gewoon zichzelf te zijn.

Hoewel Nelson zich ervan bewust was dat Jake ergens mee zat, was hij totaal niet voorbereid op de gebeurtenissen van die zondagochtend. Nelson had gemerkt dat hij de dag ervoor extra aandacht had gekregen. Jake had geroosterd vlees gehaald voor de lunch en had Nelson persoonlijk een bordje met kleine stukjes van het niet gekruide vlees gevoerd. Jake had Norma verteld over de bijzondere gast die de volgende dag zou langskomen, en daarop had ook zij Nelson met extra veel aandacht overladen.

Later die dag zag Nelson dat Jake zijn zoon naar zijn slaapkamer riep en de deur achter hem dichtdeed. Nelson lag op Norma's schoot en luisterde met gespitste oren. Aanvankelijk werd er rustig gepraat, maar na even begon Oliver te huilen en te schreeuwen. Met tranen in zijn ogen kwam hij de kamer uit, en hij rende naar zijn eigen slaapkamer. Jake ging hem achterna. Nelson sprong van Norma's schoot en rende Olivers slaapkamer binnen, waar de jongen lag te snikken in zijn kussen terwijl Jake hem over zijn hoofd aaide. Nelson klom op het bed en likte over het gezicht van de jongen, maar Oliver draaide zich slechts om en keek de andere kant op. Zo zaten ze wel een halfuur met z'n drietjes op het bed.

Toen kwam Oliver zwijgend overeind en liep langzaam naar de woonkamer, met een zuur gezicht. Jake en Nelson volgden hem. Die avond keken ze met z'n allen een dvd. Nelson verbaasde zich erover hoe afstandelijk Oliver die avond deed. Eenmaal in bed gaf Oliver hem geen knuffel voor het slapengaan zoals hij normaal altijd deed. Midden in de nacht werd Nelson wakker, en hij hoorde dat de jongen weer zachtjes huilde.

Jake lag wakker in zijn bed. Hij betrapte zichzelf erop dat hij wenste dat de vrouw toch niet het baasje van de hond met drie poten zou blijken te zijn. Hij hoopte vurig dat ze de volgende dag zou aankomen, de hond zou zien en hun meteen zou laten weten dat hij niet van haar was. Er was toch zeker een goede kans dat het niet haar hond was. Ze had alleen maar een donker en wazig filmpje op internet gezien.

De volgende dag, precies om twaalf uur 's middags, ging de deurbel. Jake zat een boek te lezen op de bank. Norma deed een dutje. Oliver speelde met zijn speelgoed in zijn slaapkamer. Nelson lag rustig bij hem en respecteerde het besluit van de jongen om niet met hem te spelen.

Jake deed de deur open. Hij mocht de vrouw die op de stoep stond meteen. Ze was eind dertig, en knap, maar het was vooral haar zachtaardige houding die Jake wel aansprak. Ze was meteen erg respectvol.

Nelson had de deurbel gehoord. Hij wilde Oliver niet alleen laten, maar hij zag het ook als zijn taak om het huis tegen indringers te beschermen. Dus sprong hij van het bed en rende naar de voordeur. Jake stond met een vrouw te praten.

Nelson snoof de lucht op. De geur die zijn neus binnendrong was krachtig en overweldigend. Even ontstond er kortsluiting in zijn hersenen. Toen sprong hij op de vrouw af. Zij was het. Het was Katey. Het was zijn Grote Liefde. Op de een of andere manier was ze naar hem teruggekeerd.

De kleine hond met drie poten werd helemaal wild van opwinding. Hij sprong tegen Katey op en kon zijn blijdschap om haar weer te zien niet onderdrukken. Hij blafte onbedaarlijk terwijl haar geur hem overspoelde als een krachtig, heerlijk ruikend parfum. Zijn hele wezen werd erdoor omringd, en zijn lijf trilde van extase. De zachte klanken van haar stem toen ze na negen lange jaren voor het eerst weer zijn naam zei verdreven alle sporen van de duistere stank van de dood uit zijn hart.

Katey ging naast hem op de grond liggen en de kleine hond overlaadde haar met kusjes over haar hele gezicht. Ze was wat ouder geworden, maar ze rook nog precies hetzelfde. Ze omhelsde Nelson stevig terwijl hij bleef spartelen, niet in staat zichzelf in bedwang te houden. Ze aaide over het litteken van zijn missende poot, en voor het eerst in vele jaren proefde Nelson het zout van haar tranen weer. Hij likte ze verwoed weg. Hun hereniging duurde lange minuten. Katey krabbelde achter zijn oor zoals ze vele jaren geleden had gedaan. Hij keek haar diep in de ogen, haar gezicht op centimeters afstand van het zijne, en het was precies zoals hij al die jaren buiten in de kou had gedroomd. De nieuwsgierige ogen van de kleine hond keken naar de glinsterende weerspiegeling van de zon in de ogen van zijn Grote Liefde, en hij werd vervuld met een diep en warm gevoel van kalmte. Jake keek toe met een bitterzoete glimlach op zijn gezicht.

Net als Nelson was ook Katey totaal overweldigd toen ze hem na al die jaren weer terugzag. Ze vond het moeilijk voor te stellen dat Nelson nog maar drie poten had. Maar toen de kleine hond die dag uit Jake's huis tevoorschijn kwam en tegen haar op sprong, voelde ze alleen de liefde die ze al die jaren voor hem had gekoesterd. Ze was enorm opgelucht dat hij veilig was. Hij had nog steeds dezelfde prachtige ogen en zachte vacht en mooie staart. Vanbinnen was hij niet veranderd. Ze keek in zijn ogen en vroeg zich af waar hij al die jaren was geweest, wat hij had meegemaakt. Hoe was hij in vredesnaam helemaal van Albany naar Californië gereisd? Er moest iets vreselijks met hem zijn gebeurd waarbij hij zijn poot had verloren, maar op die zondag vertoonde hij geen enkele droefheid, alleen maar onbeheerste blijdschap omdat zij naar hem was teruggekeerd. Nelson gaf haar kusjes en overlaadde haar met liefde, en ook zij was totaal verzonken in blijdschap.

Het verlies van Nelson was Katey zwaar gevallen. Maandenlang had ze de buurt afgestruind op zoek naar hem. Ze had overal in de wijde omtrek posters opgehangen. Nachtenlang had ze wakker gelegen, niet in staat om te slapen en woedend op Don omdat hij het hek had opengelaten. Naarmate de maanden verstreken werd ze zich ervan bewust dat de kans dat ze de hond zou vinden steeds kleiner werd. De opvangcentra zeiden allemaal dat als de hond niet binnen vierentwintig uur werd gevonden, de kans erg klein was dat dit ooit nog zou gebeuren. Katey was vooral diepbezorgd om Nelson. Wat had hij te eten? Waar sliep hij? Had hij het koud? Leefde hij überhaupt nog?

Ze begon te vrezen dat ze de hond voor altijd kwijt was. Maandenlang was ze boos op zichzelf omdat ze de hond niet had laten chippen zodat hij kon worden geïdentificeerd, wat tegenwoordig gebruikelijk was. Jaren later miste ze bij het ontwaken soms nog steeds het gevoel van Nelsons warme lijfje tegen haar buik. De lelijke speelgoedrat die ze voor hem had gekocht lag nog steeds bij haar op bed. Wanneer ze klaar was met oefenen op haar piano begon ze spontaan 'Here Comes the Sun' te spelen, tot ze zich realiseerde dat Nelson er niet was om ervan te genieten. Al snel speelde ze het liedje helemaal niet meer.

Maar jaren later, denkend aan Nelson en aan hoe ze als kind in haar vaders armen was weggekropen, klikte ze op enkele websites met filmpjes om verscheidene uitvoeringen van 'Here Comes the Sun' te bekijken. Toen ze een filmpje zag met een kleine hond die huilend rondhupte op dit nummer, kon ze meteen het verdriet voelen achter het ijzingwekkende geluid dat hij uitstootte. Toen ze beter keek en Nelsons gezicht in de camera zag turen, brak het zweet haar uit. Haar lichaam schokte toen ze zich realiseerde dat hij maar drie poten had. Het voelde alsof haar ingewanden met een scherp mes aan stukken werden gereten. Keer op keer bekeek ze het korte wazige filmpje van de hond die zijn vreemde dansje deed, terwijl er talloze vreselijke scenario's in haar gedachten opdoemden over hoe hij zijn vierde poot kon hebben verloren. Wat was er gebeurd, vroeg ze zich af. Had hij helse pijnen geleden? Kon hij nog wel lopen?

Toen ze zichzelf weer wat had gekalmeerd, deed ze haar uiterste best om in contact te komen met degene die het filmpje had geplaatst. Alleen zijn e-mailadres stond online, en hij antwoordde wekenlang niet. Maar ze bleef hem met e-mails bestoken en uiteindelijk mailde hij terug dat het niet zijn hond was, maar dat hij het baasje zou proberen te benaderen om te laten weten dat zij hem zocht.

Toen Katey die zondag van Los Angeles naar Chico reed, strekte de dorre woestijn van Californië zich eindeloos voor haar uit, van horizon tot horizon. In vroeger tijden waren vele reizigers omgekomen tijdens het doorkruisen van deze woestijn, waar ze dromen van goud najoegen die uiteindelijk slechts een luchtspiegeling bleken te zijn. Katey luisterde een tijdje naar Mozart, maar zette de muziek toen uit en reed verder in stilte, diep in gedachten verzonken. Lange tijd had ze het gevoel dat ze zich wanhopig dwaas gedroeg door op deze wilde trip dwars door Californië te gaan om een lang verloren hond terug te vinden. Hoe kon het dier in dat filmpje nu ooit haar hond zijn? Hij bevond zich vijfduizend kilometer van de plek waar ze hem was kwijtgeraakt. Hij had maar drie poten. Hij huilde. Nelson had nooit gehuild toen hij Kateys huisdier was. Hield ze zichzelf gewoon voor de gek? Het was maar een donker, wazig filmpje op internet. Nelson was allang verdwenen.

Katey stopte bij een benzinestation om iets lekkers te halen. Ze keek in de spiegel op het toilet en plensde koud water in haar gezicht, in de hoop dat dit haar weer tot rede zou brengen. Maar ze wist toen dat ze niet zou omdraaien om terug naar Los Angeles te gaan. Ze hield nog steeds van Nelson, met heel haar hart. Als er ook maar de kleinste kans bestond dat de hond met drie poten Nelson was, dan moest ze verder reizen naar Chico.

En nu lag ze hier op een veranda in een klein stadje in Californië duizenden kilometers verderop met de hond die jaren geleden van huis was weggelopen. Uiteindelijk keek ze op en zag ze Jake op haar neerkijken. Ietwat beschaamd kwam Katey overeind. Binnen zag ze een kleine jongen staan die haar met een nors gezicht aanstaarde. Maar hij verdween snel weer uit het zicht.

Nelson week niet van Kateys zijde en overlaadde haar voortdurend met nog meer uitingen van liefde. Zijn kleine lijf liep over van blijdschap.

Jake haalde koffie en koekjes, en Katey bedankte hem hartelijk voor de gastvrijheid. Ze schudde Norma de hand, die meteen vroeg naar Kateys burgerlijke stand. Ze vertelde Norma dat ze een relatie had, en Norma slaakte een zucht. De drie zaten rustig te nippen van hun koffie. Jake riep Oliver, maar die weigerde uit zijn slaapkamer te komen. Nelson zat kalm aan Kateys voeten. Jake voerde hem wat restjes kip en was blij te merken dat Katey dit niet afkeurde.

Jake wilde graag weten wat Nelsons naam was. Hij was nooit echt tevreden geweest met Jupiter en vond dat Nelson veel beter bij de hond en diens karakter paste. Jake vertelde Katey dat ze Nelson uit het asiel hadden gered vlak voordat ze hem zouden laten inslapen, en hij kon zien dat haar ogen vochtig werden. Ze vroeg voorzichtig naar Oliver, en Jake vertelde eerlijk over Olivers hechte band met de hond. Jake vroeg haar naar Nelsons jonge jaren, en ze vertelde hem over de kleine dierenwinkel waar ze Nelson hadden gekocht, en over hoe hij als puppy was geweest. Katey vertelde hem dat het hek een keer per ongeluk was opengelaten, en dat Nelson toen was ontsnapt. Ze vertelde hem hoeveel verdriet het haar had gedaan om hem te verliezen.

Jake en Katey begrepen allebei hoe complex de situatie was, en beiden ontweken de vraag wat er nu met Nelson moest gebeuren. In zijn hart wist Jake wel dat deze vrouw oprecht van het dier hield. Hij wist dat hij haar de kans niet mocht ontnemen om herenigd te worden met haar huisdier, als dat was wat ze wilde. Katey op haar beurt wist dat Nelson veel betekende voor zowel de kleine jongen als Jake, en dat ze diepbedroefd zouden zijn als ze hem kwijt zouden raken. Ze wist hoeveel pijn het deed om een huisdier te verliezen, en dat wilde ze een ander niet aandoen. Maar tegelijkertijd was ze dolblij dat ze Nelson na al die jaren weer had gevonden. Ze kon merken dat de kleine hond nog steeds veel liefde voor haar koesterde, en ze vroeg zich af wat Nelson zelf wilde. Zou hij liever met haar mee naar huis gaan? Hij week geen moment van haar zijde. Hij volgde haar zelfs naar het toilet. Jake beval Nelson uit gewoonte om haar met rust te laten toen ze op het toilet zat, maar Nelson negeerde hem. Hij keek voortdurend naar haar op. Ze zou willen dat hij kon praten, maar als ze op zijn gedrag moest afgaan, leek het erop dat hij bij haar wilde zijn.

Op dat moment wilde Nelson diep in zijn hondenhart ook inderdaad bij Katey zijn. Ze was zijn Grote Liefde en hij had al die jaren naar haar verlangd. Hij wilde voor altijd bij haar zijn. Hij hield ook van Oliver, en van Jake, maar zijn Grote Liefde voor Katey was zo sterk dat die al het andere overweldigde.

Katey zag Oliver weer stiekem vanuit de gang naar haar gluren. Ze vroeg of ze met hem mocht praten. Jake slaakte een zucht en zei haar dat het waarschijnlijk beter was van niet. Dat zou alles alleen nog maar verwarrender maken. Hij zei haar dat ze Nelson vreselijk zouden missen, maar dat hij wist dat ze er juist aan deden om Nelson met haar mee naar huis te laten gaan. Nelson was haar hond en zij was zijn rechtmatige eigenaar.

Katey werd geraakt door het rechtsgevoel van de man. Ze wist hoe pijnlijk dit besluit voor hem moest zijn. Ze bedankte hem en beloofde dat ze contact zouden houden. Jake glimlachte flauwtjes naar haar. Hij vroeg of hij Nelson kon meenemen om afscheid te nemen van Oliver. Natuurlijk, zei ze. Hij tilde de hond op en droeg hem naar Olivers kamer. Nelson keek om naar Katey, bang dat ze misschien weer van elkaar zouden worden gescheiden.

Jake sprak zachtjes tegen Oliver, die stil op zijn bed lag en deed of hij sliep. Nelson bespeurde zijn droefheid en kroop tegen hem aan om over zijn gezicht te likken. Oliver begon terughoudend over zijn vacht te aaien terwijl Jake bevestigde dat Nelson vandaag zou worden meegenomen. Oliver knuffelde Nelson stilletjes en de kleine hond likte over zijn gezicht, niet wetend dat hij hem binnenkort zou kwijtraken.

Toen Katey die dag naar Los Angeles terugreed, zat Nelson op de stoel naast haar. Hij bleef haar de hele reis aankijken en nam haar geur diep in zich op.

Oliver huilde niet meer die dag. Zijn verdriet verstilde tot een kil, zwaar gevoel in zijn buik dat niet weg wilde gaan. Die avond wenste hij dat zijn moeder er nog was.

40

Katey parkeerde voor haar huis in een buitenwijk van Los Angeles. Het liep tegen de avond. Los Angeles kende vaak spectaculaire zons- ondergangen. Nelson rook de vervuiling die bijdroeg aan de rijke kleuren in de lucht. Toen de auto tot stilstand kwam, begon hij de buurt met zijn neus te verkennen. Het gras was vrij dor, maar er ston- den meer dan genoeg aangename bomen en planten in de nabije om- geving. Overal waren honden. Hij rook ze en hoorde ze blaffen in de verte. Katey tilde Nelson op en kuste hem nog een keer. Ze deed zijn riem om en leidde hem naar de korte oprit voor haar huis, dat onge- veer net zo groot was als het huis in Albany waar hij vroeger had ge- woond. Nelson merkte meteen op hoe weelderig de tuin was, net als de tuin die Katey in hun vorige huis had onderhouden. Hij was blij om te zien dat Katey een grote border met tuberozen naast de voor- deur had geplant. De avond viel en de geurige bloemen gaven hun magische parfum af. Nelson ademde dit gretig in, en Katey kon zien dat hij ze zich herinnerde. De twee bleven lange tijd samen aan de tu- berozen ruiken, voor het eerst in negen jaar.

Toen de voordeur van het huis openging, bespeurde Nelsons neus de geur van een man. Instinctief begon hij te blaffen. Zijn emoties werden gekleurd door de geur van Don die ergens in zijn geurenge- heugen lag opgeslagen. Maar het was niet Don die de voordeur uit liep. Katey begroette haar vriend Evan met een kus. Nelson keek naar hem op en besnuffelde hem. Hij was in de veertig, was iets gezet, en hij had een vriendelijke glimlach. Nelson kon meteen merken dat

Katey zich bij hem op haar gemak voelde, en de hond liet zich door Evan aaien ter begroeting. Hij likte aan zijn vingers. Evan benaderde hem kalmpjes, en Nelson vond hem meteen aardig.

Katey en Evan lieten de hond door het huis snuffelen. Dat was een vreemde gewaarwording voor Nelson. Hij was hier nog nooit geweest, maar Kateys geur hing overal. Er stonden nog veel van haar oude spullen in het nieuwe huis: de bank, de kussens en natuurlijk haar piano. Die had een veel intensere en rijkere geur gekregen in de negen jaar dat Nelson weg was geweest. De houtsoorten waren verouderd en hadden zich vermengd, en de warme, droge lucht van Californië had diepe, aardachtige geuren in de houtlagen van de piano naar boven gebracht.

In de loop der jaren was Kateys spel voller en genuanceerder geworden. Na een stevig avondmaal dat Katey voor hem bereidde, bestaande uit rijst en rundvlees uit blik, lag Nelson voor het eerst sinds jaren weer onder de piano, en hij snoof de lucht op terwijl ze speelde. Hij had er zo vaak van gedroomd weer onder haar piano te liggen, en in het echt was de ervaring minstens net zo meeslepend als in zijn dromen. Ze begon enkele rustige nocturnes te spelen, en hij ontspande zich en werd weer helemaal kalm. Maar toen kon ze het niet weerstaan om 'Here Comes the Sun' in te zetten. Nelson begon niet te huilen toen hij het liedje hoorde. Hij sprong op haar schoot en likte weer over haar gezicht.

Na afloop droeg Katey Nelson voor het eerst sinds jaren weer naar boven en zette hem op haar bed terwijl zij haar haar borstelde. Toen drukte ze hem dicht tegen zich aan. De kleine hond sloot zijn ogen, omgeven door Kateys heerlijke geur. Ze krabbelde achter zijn oren en hij viel meteen in slaap. Hij merkte het niet eens toen Evan zich later bij hen voegde.

In de daaropvolgende dagen genoot hij ervan om veel van de andere oude routines uit zijn puppytijd te herbeleven. Hij genoot ervan wanneer Katey hem eten gaf en waste. Hij genoot van de wandelingen die ze met hem maakte door hun rustige buitenwijk. Hij genoot ervan om met haar op de bank te zitten en in haar vriendelijke ogen te kijken terwijl ze met hem speelde. Katey kocht een nieuwe speelgoedrat voor hem, aangezien de oude was zoekgeraakt bij de verhuizing naar Los Angeles, en hij verviel al snel weer in zijn oude avondritueel van stoeien met Katey. Evan deed ook vriendelijk tegen Nelson. Hij voerde hem botten en kliekjes en ging soms met hem wandelen.

Nelsons blijdschap om zijn hereniging met Katey werd alleen afgezwakt door zijn gevoelens voor Jake en Oliver. Na een paar dagen begon Nelson door Kateys huis te snuffelen op zoek naar hen. Als de deurbel ging, of als hij iemand naar het huis hoorde lopen, begon Nelson te blaffen in de hoop dat het Oliver was die langskwam. Soms merkte Katey dat de hond in een droevige bui was, maar ze wist niet dat hij dan aan Oliver dacht.

In de eerste paar weken na zijn terugkeer kon Nelson de blijdschap op Kateys huid ruiken. In al zijn jaren op straat had hij zich nooit afgevraagd of Katey nog wel net zoveel van hem hield als vroeger, in tegenstelling tot sommige mensen wellicht. Maar zelfs als hij zulke gedachten had gehad, dan zouden deze al snel na zijn terugkeer in haar leven zijn verdwenen. Ze hield net zoveel van hem als eerst, misschien nog wel meer. Ze kon oprecht zeggen dat er sinds zijn verdwijning geen dag voorbij was gegaan dat ze niet aan hem had gedacht, al was het maar kort.

In dezelfde periode dat ze Nelson kwijtraakte, was ook haar huwelijk stukgelopen. Na twee dagen weg te zijn geweest had Don opgebiecht dat hij weer met zijn minnares had geslapen. Katey had zichzelf beloofd om de stekker uit hun huwelijk te trekken als Don haar een tweede keer zou bedriegen, maar dat was makkelijker gezegd dan gedaan. Twee maanden gingen voorbij voordat Don het huis uit ging. De giftige cocktail van hevige woede vermengd met de resterende gevoelens van liefde maakte het voor hen allebei te ingewikkeld om snel een besluit te kunnen nemen. Dons verklaring voor zijn ontrouw was dat hij zich weer sterk en mannelijk wilde voelen, iets waar Katey hem niet bij hielp, vond hij. Hij hield nog steeds van haar, meer dan van wie dan ook, zei hij met een ernstige blik. Wat had ze hem graag geloofd toen hij zo voor haar zat, de man op wie ze een paar jaar geleden nog zo verliefd was geweest. Katey wist echter dat de man met wie ze dacht te zijn getrouwd zich sterk zou hebben gehouden, wat er ook gebeurde. Maar Don had zichzelf laten meeslepen door de omstandigheden, ondanks haar liefde en steun. Toen ze Don eindelijk vroeg om het huis uit te gaan, was de leegte zonder hem en Nelson aanvankelijk ondraaglijk geweest.

Dus het verlies van Nelson en het stuklopen van haar huwelijk raakten onlosmakelijk met elkaar verbonden. Ze was dol op hun huis in Albany, maar na een jaar had ze het gevoel dat ze daar niet langer kon blijven vanwege de slechte herinneringen aan Don. Tegelijkertijd was ze doodsbang om te verhuizen. Stel dat Nelson op een dag terug zou keren naar het huis? Dan zou zij daar niet meer zijn.

In dezelfde periode dat haar huwelijk was stukgelopen had Kateys carrière een vlucht genomen. Misschien stonden die twee dingen niet helemaal los van elkaar. Op eenzame avonden oefende Katey thuis regelmatig haar pianospel omdat ze toch niets beters te doen had. Haar piano was altijd al een uitlaatklep voor haar geweest, maar in die periode werd dat nog eens versterkt. Het publiek bemerkte dit, zelfs al kenden ze de reden achter haar gepassioneerde spel niet. Haar optredens brachten haar vaak genoeg naar Californië, waar ze in het bruisende culturele leven van San Francisco en Los Angeles werd ondergedompeld. Toen haar impresario voorstelde om naar de westkust te verhuizen, was ze eerst sterk tegen dit idee. Ergens in haar achterhoofd wist ze dat dit kwam omdat ze bang was dat Nelson misschien plotseling zou terugkeren. Maar na zes besluiteloze maanden en enkele aanmoedigingen van vrienden, besloot ze de stap toch te wagen. Ze was gek op de zonneschijn daar, want dat beurde haar op. Dus raapte ze al haar moed bij elkaar en verhuisde.

Toen ze eindelijk was verhuisd, bleek Los Angeles haar goed te bevallen. Ze was zeker gelukkiger nu ze niet meer voortdurend werd omringd door herinneringen aan haar mislukte huwelijk. De zon hier straalde een helder, wit licht uit, dat ze nog niet eerder had gezien in de plaatsen waar ze hiervoor had gewoond. Rijdend door de enorme stad raakte je soms bijna in een staat van gelukzaligheid, alleen al van de vele zonnestralen die alles verlichtten. Een regenachtige dag was een zeldzaamheid in Los Angeles. Dus iedereen die hier woonde leek beter bestand tegen de hectiek van het leven. De aanvankelijke pijn om het verlies van Don en Nelson nam af.

Toen ze net waren herenigd, bleef Nelson continu Kateys geur opsnuiven. In veel opzichten rook deze nog hetzelfde als vroeger. Maar één spoortje in haar complexe parfum was nieuw. Hij kon niet precies bepalen wat het was. Zijn neus kriebelde bij het ruiken van deze geur die diep vanuit haar binnenste oprees om de complexe lichaamsgeuren waaruit Kateys unieke parfum bestond te completeren. Het was een geur die hij nog nooit bij een man had geroken, en al zeker niet bij Evan, hoewel die ongeveer even oud was als Katey.

Nelsons buitengewone neus vertelde hem iets wat Katey zelf niet kon ruiken. Maar het sloot aan bij de emoties en gedachten die haast continu haar bewustzijn binnensijpelden. Tijdens haar huwelijk met Don had ze altijd gedacht dat ze vrij jong kinderen zou krijgen, als ze begin dertig was. In die tijd dacht ze daar nog niet zo vaak over na, maar genoot ze vooral van de passie die ze voor haar echtgenoot voelde, en was ze bovendien druk met het opbouwen van een carrière. Maar ze had wel gedacht dat ooit de dag zou aanbreken dat ze dolgraag kinderen zou willen met Don. Zijn ontrouw had dit allemaal verpest. Na zijn vertrek had ze weinig aan kinderen gedacht, maar toen ze langzaam tegen de veertig begon te lopen en zich een beetje thuis voelde in Los Angeles, begon ze steeds meer kinderwagens op straat te zien. Ze luisterde naar de giechelende kinderen in het park tijdens haar outdoor aerobicsles in het weekend. Ze merkte dat veel van haar vrienden hun leven stuk voor stuk zagen veranderen door de komst van een baby. Ineens werd Katey zich erg bewust van dit gevoel, van het verlangen naar een baby, hoewel dit diep vanuit haar binnenste leek te komen.

Ze had zelfs met de gedachte gespeeld om in haar eentje een kind op te voeden, maar ze wist niet wie er voor het kind zou zorgen wanneer ze op tournee was. Haar herinneringen aan dat deel van haar jeugd waarbij ze het zonder vader had moeten stellen zorgden er uiteindelijk voor dat ze het toch maar niet deed. Sinds haar verhuizing naar Los Angeles was ze al met meerdere mannen uit geweest, maar het duurde even voor ze eindelijk iemand tegenkwam die wel eens de ware zou kunnen zijn. Ze had Evan op het postkantoor ontmoet. Hij stond achter haar in de rij om een brief te versturen en bood aan om haar het kleingeld te lenen dat ze nodig had om een vel postzegels te kopen. Ze raakten aan de praat. Hij was grappig en aardig, een scenarioschrijver. Er volgde een etentje. In een paar maanden tijd raakte ze behoorlijk op hem gesteld. Uiteindelijk dronken ze op Memorial Day een fles wijn leeg, waarop ze met elkaar naar bed gingen. Ze waren allebei al een tijdje vrijgezel geweest, dus toen ze na al die jaren weer het genot voelden van twee lichamen die samenkwamen, wilden ze beiden liever niet onder ogen zien dat er geen echte chemie tussen hen was. Maar ze mochten elkaar graag, en ze wilden geen van beiden alleen zijn, dus bleven ze geliefden en gingen drie maanden later samenwonen.

Bij haar eerste ontmoeting met Don had Katey zich als een magneet tot hem aangetrokken gevoeld, en voordat het misging in hun relatie was de seks tussen hen altijd hevig en intiem geweest. Als puppy had Nelson geroken hoe ze allebei een explosie van geuren afgaven wanneer ze met elkaar vreeën. Als hij nu 's avonds bij Katey en Evan op bed lag, merkte hij dat de geuren die zij afgaven heel anders waren. De hond dacht niet verder na over de betekenis achter dit verschil; hij observeerde het slechts. Na hun scheiding was Katey nog jaren boos geweest op Don, maar hun passionele momenten samen zou ze nooit vergeten. Na de aanvankelijke gelukzaligheid die ze had gevoeld toen ze het bed had gedeeld met Evan, bedacht ze wel hoe sterk deze ervaring verschilde van het intense seksuele genot dat ze met Don had ervaren aan het begin van hun huwelijk. Maar ze overtuigde zichzelf ervan dat het goed genoeg was, en dat haar gevoelens alleen minder hevig waren omdat ze nu wat ouder was.

Ze woonden acht maanden samen toen Nelson bij hen in huis

kwam. Katey dacht nog steeds veel aan baby's, maar iets weerhield haar ervan om kinderen te willen krijgen met Evan. Ze piekerde hierover wanneer ze naar de andere kant van het land vloog voor een optreden, of wanneer ze in de tuin aan de slag was. Hun relatie was bestendig en liefdevol, en ze wist dat hij een kalme en zorgzame vader zou zijn. Waarom was het haar dan toch niet duidelijk of ze kinderen van hem wilde? Ze wist het antwoord op die vraag niet. Als ze met Nelson in de tuin zat te spelen en hem aankeek, zou ze soms diep in haar hart willen dat hij die vraag voor haar kon beantwoorden. Dan berispte ze zichzelf: hoe kon een hond nu antwoord geven op een vraag die zo sterk met menselijke gevoelens samenhing?

Maar Nelson wist precies wat het antwoord was op de vraag die Katey zichzelf diep vanbinnen bleef stellen.

41

Oliver bleef somber na Nelsons vertrek. Jake had wel verwacht dat het kind de gebeurtenissen slecht zou opvatten, maar hij had niet verwacht dat de emoties van de jongen hier zo lang onder zouden lijden. De jongen raakte in zichzelf gekeerd, bracht veel tijd door in zijn slaapkamer en huilde vaak. Het gelukkige kind dat Jake kende leek uit hun leven te zijn verdwenen. Jake miste Nelson zelf ook, maar hij was veel bezorgder om de gevoelens van zijn zoon dan om die van hemzelf. Wat het nog moeilijker maakte, was dat Oliver weinig losliet over hoe hij zich voelde.

Jake probeerde van alles om zijn zoon op te vrolijken. Hij nam hem mee naar de film, speelde honkbal met hem in de tuin en kocht de spelcomputer die Oliver al een tijdje wilde hebben. Hij bood zelfs aan om een andere hond voor Oliver mee te nemen, maar de jongen was fel tegen het idee om een vervanger voor Nelson te zoeken. Niets leek te helpen om Oliver op te vrolijken. Na veel nadenken besloot Jake Katey te bellen, om te vragen of ze het erg zou vinden als ze Nelson in het weekend een keer zouden komen opzoeken, misschien zelfs een paar keer, zodat Oliver kon zien dat de hond het goed maakte en dan wellicht zijn verdriet achter zich kon laten.

Evan nam op, en hij vertelde Jake dat Katey een paar dagen weg was op tournee. Jake legde uit waar hij voor belde, en Evan zei dat hij zeker wist dat een bezoekje geen probleem zou zijn en dat hij Katey bij terugkomst zou vragen om Jake terug te bellen. Een paar dagen later belde ze Jake inderdaad terug en ze leek oprecht bedroefd om te horen van Olivers verdriet. Ze stelde voor dat ze dat weekend op bezoek zouden komen.

Toen Jake aan Oliver vertelde dat ze Nelson zouden gaan opzoeken in Los Angeles sloeg Olivers stemming abrupt om. Jake kon de opwinding letterlijk van de jongen af zien spatten, en hij voelde zich enorm opgelucht. Oliver was maar één keer eerder in Los Angeles geweest, dus hij keek zijn ogen uit tijdens de vier uur durende rit naar de stad. Jake wist nog hoe alles zoveel groter leek wanneer je een kind was. De twee stopten om een hamburger te eten en Oliver stond erop dat ze er ook eentje voor Nelson zouden meenemen.

Uiteindelijk brachten ze zo'n twee uur bij Katey door. Nelson had Katey uitbundig welkom geheten bij hun hereniging in Chico, en nu trakteerde hij Oliver en Jake op eenzelfde onthaal. Toen de voordeur openging en Nelson hen daar zag staan, sprong hij op en neer van opwinding, hijgend en blaffend. Toen Oliver ging zitten om hem te knuffelen, overlaadde de kleine hond hem met kusjes op zijn hele gezicht. Jake voelde zich warm worden vanbinnen toen hij de glimlach op zijn zoons gezicht zag. Het duurde wel een paar minuten voor de hond kalmeerde. Hij dartelde heen en weer tussen Katey en Jake en Oliver en liet hun allemaal zien hoeveel hij van hen hield.

Ze gingen buiten in de tuin zitten, en Katey haalde limonade en chocolate chip cookies, waar Oliver dol op was. Evan kwam hen kort gedag zeggen en schudde Jake de hand. Hij verontschuldigde zich vanwege een deadline van zijn werk de volgende dag en verdween weer naar zijn werkkamer.

Oliver ging helemaal op in het spelen met Nelson, net als eerst. Katey en Jake keken toe. Hij bedankte Katey voor het feit dat ze op bezoek mochten komen. Na een korte stilte zei ze hem dat ze zo vaak mochten langskomen als ze wilden. Ze kon zien dat Nelson veel van hen hield, en ze was blij dat alles zo verliep.

In de daaropvolgende maanden kwamen Jake en Oliver regelmatig langs. Er zat nooit meer dan drie weken tussen een bezoekje. Aanvankelijk voelde Jake zich er een beetje ongemakkelijk onder om zich zo op te dringen, maar hij zag dat Katey het oprecht meende dat ze altijd langs mochten komen en hij waardeerde haar gastvrijheid zeer. Het was vooral aan Oliver te danken dat ze zo regelmatig langsgingen. Binnen een paar dagen na een bezoekje herinnerde hij zijn vader eraan een volgende afspraak te plannen, en dat deed Jake dan ook. De rit van Chico naar Los Angeles duurde behoorlijk lang, maar Jake vond het niet erg omdat hij zag dat het zijn zoon gelukkig maakte.

Soms kwamen Evan en Katey samen bij Jake en Oliver zitten. Eén keer was Katey op tournee geweest toen ze langskwamen en zat Jake helemaal in zijn eentje terwijl Oliver met de hond speelde en Evan boven aan het werk was. Maar meestal kwam alleen Katey bij Jake, Oliver en Nelson zitten. Toen Oliver aan haar gewend was geraakt, vroeg hij haar om met hem en Nelson mee te spelen, en dan gingen ze met z'n vieren overgooien in de tuin. Katey zag de blijdschap op het gezicht van de jongen, en dat bleef haar bij wanneer ze 's avonds weer naar huis waren. Dan klemde ze Nelson dicht tegen haar borst en had ze medelijden met de kleine jongen die eerst een ouder had verloren en toen ook nog zijn hond. Zij had dat allebei ook meegemaakt.

Jake was verrast toen Katey hem een paar maanden later opbelde. Ze vroeg of Jake en Oliver het erg zouden vinden om een weekje op Nelson te passen terwijl zij weg was. Ze klonk nogal gestrest, dus Jake vroeg maar niet waarom Evan niet op Nelson kon passen zoals hij normaal gesproken altijd deed wanneer Katey op tournee was. Jake moest toevallig toch al naar Los Angeles om een voorraad onderdelen op te halen die hij nodig had voor zijn zaak, dus bood hij aan om de hond de volgende ochtend op te komen halen, voordat Katey die avond naar New York zou vliegen. Toen hij bij haar aankwam, merkte hij dat Katey een beetje bedroefd was. Evan was nergens te bekennen. Jake stelde echter geen vragen, en Katey was erg dankbaar dat Nelson in goede handen zou zijn tijdens haar afwezigheid.

Op haar vlucht naar New York dacht Katey terug aan de gebeurtenissen van de afgelopen paar dagen. Twee avonden geleden had Evan gezegd dat ze even moest gaan zitten omdat hij wat onverwacht nieuws voor haar had. Hij was weer in contact gekomen met een ex-vriendin van jaren geleden. Ze zag dat hij het moeilijk vond om haar het nieuws te vertellen, maar hij had besloten het nog eens met zijn ex te proberen. Hij vertelde Katey dat hij deze vrouw altijd als de liefde van zijn leven had gezien, en dat hij over een paar dagen zou vertrekken. Hij vond het vreselijk om Katey zo te kwetsen, zei hij, maar op de lange termijn leek dit hem beter. Aanvankelijk was Katey erg overstuur. Maar vreemd genoeg voelde ze zich in het vliegtuig naar New York vooral opgelucht. Ze had genoten van haar tijd met Evan, maar er had altijd iets niet helemaal goed gezeten in hun relatie. Diep in haar hart wist ze dat ze hem niet zou missen, al zou ze wel willen dat zijn timing wat beter was geweest. Ze was dan ook opgelucht dat er goed voor Nelson zou worden gezorgd tijdens haar afwezigheid.

Oliver vond het heerlijk om Nelson een hele week bij hen terug in huis te hebben. Elke dag draaide volledig om de hond. Oma Norma had het dier maanden niet gezien en was ook verheugd hem weer even terug te hebben. Nelson rende snuffelend door het huis en de tuin, blij om weer in zijn eigen territorium te zijn. 's Nachts lag hij dicht tegen Oliver aan, net als eerst. Als er iemand aan de deur kwam, merkte Jake wel dat de hond telkens hoopvol de lucht opsnoof, dus hij wist dat Nelson Katey miste.

Een week later kwam Katey hem weer ophalen. Haar tournee was goed verlopen, maar ze was blij om weer thuis te zijn. Ze kon zien dat Oliver bedroefd was omdat hij de hond weer moest afstaan, maar ze spraken af dat ze hen twee weken later in Los Angeles zouden komen opzoeken. Ze omhelsde de jongen en verzekerde hem dat hij Nelson snel weer zou zien. Katey hield Nelson in haar armen terwijl ze elkaar omhelsden, en hij likte hen allebei in hun gezicht. Jake glimlachte in zichzelf.

Inmiddels vonden de bezoekjes aan Los Angeles ongeveer om de twee weken plaats, soms vaker. Naarmate de maanden verstreken begon Katey naar hun bezoek uit te kijken. Die fleurden haar weekends op. Ze miste Evan niet zo erg, maar ze was soms wel eenzaam, en het was dan ook een genoegen om Olivers glimlachende gezicht en Jake's warme persoonlijkheid in huis te hebben.

Al vanaf hun eerste ontmoeting had Katey opgemerkt dat Jake een aantrekkelijke man was. Maar toen had ze nog iets met Evan gehad, en ze was een uitermate trouw persoon. Dus stond ze zichzelf indertijd niet toe om iets voor Jake te gaan voelen. Maar toen ze merkte dat ze naar hun bezoek uit begon te kijken, merkte ze dat ze ook uitkeek naar de nabijheid van Jake's vriendelijke gezicht, en zijn donkere ogen. In de loop der maanden spraken ze over van alles en nog wat tijdens Jake en Olivers bezoekjes in de weekends. Jake sprak openhartig over het verlies van zijn vrouw en hoe moeilijk dit was geweest. Ze was onder de indruk van zijn toewijding als alleenstaande vader. Hij was geen al te spraakzame man, maar ze kon merken dat hij diepzinnig en intelligent was en heel correct. Wanneer ze met de hond speelden in de tuin raakte zijn hand soms even de hare, en dan voelde ze een tinteling langs haar arm omhoogtrekken.

Op een zaterdag waren ze zo in een gesprek verwikkeld dat ze de tijd helemaal vergaten. De zon ging al onder toen Jake zich realiseerde dat ze echt eens terug moesten naar Chico. Katey bood hun aan bij haar te blijven logeren. Ze had een comfortabele logeerkamer waar ze gerust gebruik van mochten maken. Jake aarzelde, maar Katey stond erop. Ze bestelden pizza en keken een oude film van de Coen Brothers op tv. De jongen viel in slaap op de bank terwijl Jake en Katey nog wat kletsten.

Katey was niet echt verrast toen Jake langzaam naar voren leunde om haar te kussen. Ze omhelsden elkaar, en Kateys hart maakte een sprongetje toen ze Jake's warme lichaam en lippen tegen zich aan voelde. Het was een kus om bij weg te dromen.

De kleine hond met drie poten lag aan hun voeten en keek naar hen op terwijl hij de lucht opsnoof. Hij rook de passie van zowel Katey als Jake. Hij wist wat er zou komen, en hij wist dat het tijd werd om die mensen hun gang te laten gaan met dat vreemde gevrij van hen. Toen Nelson die avond in slaap viel, gloeide er een diep gevoel van gelukzaligheid in zijn hart. Hij had geen ego, maar als hij wel had teruggekeken op wat hij die avond had bereikt, zoals sommige mensen deden, dan was hij vast erg trots geweest op de sterke magische krachten die honden soms bezaten.

42

In Californië was het niet ongewoon dat de zon scheen op eerste kerstdag. De kleine hond met drie poten lag op Jake's warme veranda achter het huis te genieten van de geuren van de feestdagen, en van de bedrijvigheid van het gezin dat zich klaarmaakte voor de festiviteiten. Nelson rook de geur van verse naalden van de grote boom die Jake tot zijn verbazing een paar dagen geleden de woonkamer in had gesleept. Aanvankelijk deed Nelson dit vooral aan zijn tijd bij de wolven denken, maar Olivers opwinding werkte aanstekelijk, en Nelson raakte al snel gefascineerd door de vele pakjes die het gezin onder de boom legde, waaronder een pakje dat speciaal voor hem was, zo wist Nelson. Hij had gezien dat Katey hem glimlachend aankeek toen ze het pakje een dag geleden onder de boom had gelegd. Hij wist dat er een flink groot bot voor hem in zat. In zijn jongere jaren had hij het pakje wellicht meteen opengescheurd om bij de inhoud te komen, maar Nelson had geleerd dat geduld loonde, dus wachtte hij rustig af tot Katey hem het teken gaf dat hij van zijn cadeau mocht gaan genieten. Bovendien vermaakte hij zich prima met het opsnuiven van het heerlijke aroma van de speciale kerstkoekjes die oma Norma in de keuken aan het bakken was, een smakelijk mengsel van boter, suiker, geroosterde noten en fruit. Kateys appelcider stond te pruttelen op het fornuis, en de wind voerde krachtige en vleesrijke geuren vanuit de hele buurt mee, van alle gezinnen die hun favoriete kerstmaal bereidden. Nelson nam alles gretig in zich op.

Ook rook hij de geur van het gras in de tuin, dat rijke, doordringende, mysterieuze gras dat Nelson voor het eerst had geroken toen hij nog een kleine puppy was. Het intrigeerde hem nog steeds mateloos. In de jaren dat hij had rondgezworven had hij veel geleerd over de wereld en over de vele geuren die schuilgingen in de aarde die zich onder dat prachtige, geurige gras bevond. Maar zijn nieuwsgierige aard was nog niet verdwenen, en hij kon nog steeds urenlang geïntrigeerd aan het gras ruiken, zich afvragend welke onderliggende en doordringende geursporen hij nu precies rook.

Nieuwsgierig als hij was voelde Nelson niet langer het verlangen om rond te zwerven. Katey en Jake waren verantwoordelijke baasjes en zouden nooit het hek open laten staan. Maar zelfs al zou dit gebeuren, dan zou Nelson er niet toe verleid worden om van huis weg te lopen. De buitenwereld bleef hem intrigeren, maar de hond voelde zich ook intens gelukkig op de plek waar hij was, hier bij Katey, Jake en Oliver, zijn gezin. Slechts een paar maanden na Katey en Jake's eerste kus trok Katey bij Jake en Oliver in. Ze hadden besproken welke stad hun thuisbasis zou worden en hadden uiteindelijk voor Chico gekozen. Jake had hier zijn zaak, en aangezien Kateys werk vooral uit reizen bestond, maakte het voor haar niet echt uit waar ze woonde.

Nu bestond Nelsons dagelijkse leven uit puur geluk: van het gezamenlijke ontbijt met zijn gezin, tot de wandelingen waar ze samen van genoten, tot de lange nachten van diepe slaap, dicht tegen elkaar aan. Ooit afgewezen door alle mensen die hij tegenkwam, werd de hond met drie poten nu omringd door alle liefde die hij verdiende. Terwijl hij zo in de zon lag en de geurige lucht opsnoof, voelde hij zich intens gelukkig. Hij wist dat de wereld hard en meedogenloos kon zijn. Hij wist dat mensen soms je hart konden breken. Maar diep in zijn hart wist hij ook dat hij ervoor gemaakt was om met mensen samen te leven en hen lief te hebben, en dat de wereld over het algemeen

een prachtige en fantastische plek was. Van tijd tot tijd herinnerde hij zich de geuren van degenen die hij op zijn reis was tegengekomen. Thatcher en Lucy en dierenarts Dougal, en Juan en Suzi, en de wolven. Een deel van hem zou willen dat ook zij weer in zijn leven zouden terugkeren. Maar hij had Katey, Jake en Oliver om zich heen, elke dag voor de rest van zijn leven, en hij hield zielsveel van hen.

Met zijn elf jaar was Nelson een behoorlijk oude hond. Zijn tijd in de wildernis had zijn leven met enkele jaren ingekort, en de extra druk die op zijn gewrichten stond doordat hij een poot miste had hem ook enkele jaren ontnomen. Maar Nelson zou nog vele jaren blijven spelen en kwispelen met zijn staart en likken over het gezicht van zijn baasjes, veel langer dan Katey of Jake ooit had verwacht.

Uiteindelijk, op de rijpe leeftijd van zestien jaar, zou Nelson op een ochtend niet meer wakker worden. Katey, Jake en Oliver zouden zijn as uitstrooien rond de rozenstruiken terwijl ze zachtjes een gebed opzeiden, en ze zouden de rest van de dag in tranen zijn. Oliver zou het moeilijk hebben met Nelsons dood, maar hij zou eroverheen komen en uitgroeien tot een sterke jongeman.

Ze zouden zich Nelson nog lang na zijn dood herinneren, wanneer zij oud waren en terugkeken op hun leven. Als Katey op een bepaalde manier in Jake's hand kneep, wist hij precies waar ze aan dacht. Al was Nelson maar een kleine hond, hij zou voor altijd in hun gedachten voortleven.

Maar daar wist Nelson niets van toen hij die kerstochtend op de veranda lag. De kleine hond snoof de aromatische geur van versgebakken koekjes op, en viel in slaap in de warme zon.

EINDE

Dankwoord

Allereerst zou ik graag mijn geweldige redacteur Sarah Durand willen bedanken, en mijn uitzonderlijke literair agent Henry Dunow.

Verder gaat mijn dank uit naar Elena Evangelo, Maria Greenshields-Ziman, Jori Krulder, Gillian Lazar, John Lazar, Tiiu Leek Jacobson, Larry Maddox, Sean McGinly, Susan Rosenberg en Irene Turner.

Dit boek is grotendeels geïnspireerd op drie honden: Cheeky, Milan en de echte Nelson.

Dank aan de familie Lazar, de familie Schwartz en de familie Ruiz, en vooral aan mijn moeder Claire en mijn vader Stan, die dol waren op honden